A MODA DO SÉCULO XX

Mrs. Charles James usando um vestido de baile de Charles James, c. 1948.
Fotografia de Cecil Beaton.

A MODA DO SÉCULO XX
Valerie Mendes
Amy de la Haye

280 ilustrações, 66 em cores

Tradução: Luís Carlos Borges
Revisão técnica: José Luiz Andrade

Esta obra foi publicada originalmente em inglês com o título
20ᵀᴴ CENTURY FASHION por Thames and Hudson, Londres.
Copyright © 1999 Thames and Hudson Ltd., London.
Publicado por acordo com Thames and Hudson Ltd., Londres.
Copyright © 2003, Livraria Martins Fontes Editora Ltda.
Copyright © 2009, Editora WMF Martins Fontes Ltda.,
São Paulo, para a presente edição.

1ª edição 2003
2ª edição 2009
2ª tiragem 2020

Tradução
LUÍS CARLOS BORGES

Revisão técnica
José Luiz Andrade
Acompanhamento editorial
Luzia Aparecida dos Santos
Revisões
Sandra Garcia Cortés
Maria Regina Ribeiro Machado
Dinarte Zorzanelli da Silva
Produção gráfica
Geraldo Alves
Paginação
Studio 3 Desenvolvimento Editorial
Capa
Katia Harumi Terasaka Aniya

Dados Internacionais de Catalogação na Publicação (CIP)
(Câmara Brasileira do Livro, SP, Brasil)

Mendes, Valerie D.
  A moda do século XX : 280 ilustrações, 66 em cores / Valerie Mendes, Amy de la Haye ; tradução Luís Carlos Borges ; revisão técnica José Luiz Andrade. – 2ª ed. – São Paulo : Editora WMF Martins Fontes, 2009. – (Coleção mundo da arte)

  Título original: 20th century fashion.
  Bibliografia.
  ISBN 978-85-7827-083-4

  1. Moda – Aspectos sociais – Século 20 2. Moda – História – Século 20 I. Haye, Amy de la. II. Título. III. Série.

09-00912   CDD-391.00904

Índices para catálogo sistemático:
1. Moda : Século 20 : História   391.00904
2. Século 20 : Moda : História   391.00904

Todos os direitos desta edição reservados à
Editora WMF Martins Fontes Ltda.
Rua Prof. Laerte Ramos de Carvalho, 133 01325.030 São Paulo SP Brasil
Tel. (11) 3293.8150 e-mail: info@wmfmartinsfontes.com.br
http://www.wmfmartinsfontes.com.br

ÍNDICE

Prefácio .... **VII**

1. 1900-1913: Ondulações e exotismos **1**
2. 1914-1929: *La garçonne* e a nova simplicidade. **41**
3. 1930-1938: Recessão e escapismo **71**
4. 1939-1945: A moda racionada e o estilo caseiro.. **101**
5. 1946-1956: Feminilidade e conformismo **125**
6. 1957-1967: A riqueza e o desafio adolescente . **159**
7. 1968-1975: Ecletismo e ecologia **195**
8. 1976-1988: Sedição e consumismo **225**
9. 1989-1999: A moda globalizada **259**

Bibliografia **281**
Fontes das ilustrações **299**
Agradecimentos **301**
Índice remissivo **303**

PREFÁCIO

A natureza efêmera da moda distingue-a de outros modos de vestuário, como o cerimonial, o ocupacional e o etnográfico. No século XX, o sistema da moda veio a girar em torno da exigente programação bienal das coleções de outono/inverno e primavera/verão e, depois, foi ampliada de modo que incluiu coleções de meia-estação e linhas especializadas. O período testemunhou uma importante mudança na produção dos grandes estilistas, desde a alta-costura, que era, e ainda é, feita a mão e por encomenda para cada cliente, até o desenho de linhas de difusão mais baratas, de produção limitada e modas prontas para usar, rapidamente manufaturadas.

A obsolescência inerente à moda, pela qual as roupas são descartadas antes pelo desejo de novidade estilística do que por razões utilitárias, gera a reação apaixonada tanto dos consumidores como dos teóricos. A moda foi ridicularizada, descartada como um fenômeno estético meramente frívolo – como está sempre mudando, não pode ter nenhum valor duradouro. Em *The Theory of the Leisure Class*, Thorstein Veblen destacou celebremente o elemento de "consumo conspícuo" da moda já em 1899, e sua descrição, de um exuberante conjunto de 1900, mantém-se válida um século depois para um traje "chamativo" decorado com o logotipo de um estilista.

A moda atraiu a atenção e o endosso de um leque cada vez maior de acadêmicos, cada vez mais fascinados pela sua significação multidisciplinar e interdisciplinar. Assim, a obra de psicólogos, antropólogos, economistas, filósofos, sociólogos, projetistas de teatro e cinema, conferiu validade acadêmica à moda. Aliado ao crescente envolvimento de historiadores da cultura e semiólogos, isso levou à recente proliferação de cursos em estudos da moda, em todos os níveis educacionais, da escola primária à universidade. Carente da documentação abrangente de outras artes, a literatura diversificada da moda está se expandindo rapidamente e pode ser dividida em amplas linhas, com base em teoria, história e objeto. Uma crescente preocupação com a aparência pessoal desde o fim da Segunda Guerra Mundial, alimentada pela cobertura de moda sempre maior na imprensa e na televisão, por filmes e por exposições de roupas, levou à explosão no interesse pela moda, tanto atual como histórica. Esta assumiu um papel essencial na reconstrução da herança, uma parte agora potente na vida cultural da Europa e da América do Norte.

O que torna a moda tão popular é a possibilidade democrática de acesso: todos participam do processo de vestir-se e adornar-se, experimentando seu prazer e sua dor, e, especialistas ou não, todos sentem confiança para tecer comentários. A interpretação da moda depende não apenas de fatos incontestáveis, mas também da perspectiva de cada comentarista. Ao analisar uma coleção de roupas do século XIX, um curador de museu, um psicólogo e um historiador da economia, inevitavelmente, enfatizarão aspectos diferentes da história das roupas, seu significado e sua construção. No fim do século XX, o fórum acadêmico está se ampliando à medida que os especialistas compartilham suas variadas experiências. E o mundo da moda de elite tem se tornado amplamente acessível à medida que os estilistas estabelecem *sites* e produzem *CD-ROMs* com seus desfiles.

A busca constante do novo e o ritmo frenético em que a moda necessariamente opera (impelida por complexas forças internas e exigências externas) significam que, por tradição, os estilistas raramente têm tido tempo de registrar sua história. Suas coleções de estação são dispersadas no âmbito de varejo, os estúdios promovem vendas de amostras e, com a exceção de livros, pouca documentação foi conservada. Contudo, isso está mudando, em parte à luz das tendências retrô e ao impulso de acumular indícios factuais para lidar com o crescente número de disputas por direitos autorais. Madeleine Vionnet foi exceção ao manter registros fotográficos meticulosos e exemplos concretos de suas criações para salvaguardar seus direitos. Firmas há muito estabelecidas passaram a valorizar os arquivos restantes quando incumbem novos talentos de renovar sua imagem futura e, ao mesmo tempo, explorar o seu passado. Estilistas individuais e fabricantes de roupas agora constroem sua história adquirindo itens de coleções anteriores, muitas vezes em leilões de moda do século XX – uma área de desenvolvimento promovida ativamente desde a década de 1960 pelas grandes casas de leilão do mundo. Uma infinidade de monografias e biografias de estilistas oferecem comentários esclarecedores, estas, às vezes, temperadas com afirmações grandiosas.

A partir de meados da década de 1980, ansiosos por estar na vanguarda e conseguir um aumento no número de visitantes, os museus valeram-se da popularidade da moda – até mesmo instituições dedicadas à representação da guerra e das belas-artes apresentaram importantes exposições. Da mesma maneira, a moda foi abraçada por uma multidão de industriais, atentos ao seu potencial na comercialização de um amplo leque de bens, de carpetes a automóveis. Revistas especializadas, especialmente periódicos de decoração, ampliaram sua orientação para abarcar o tema. Interesses acadêmicos e comerciais convergiram em algumas butiques de vanguarda, que passaram a vender, juntamente com seus projetos experimentais, publicações de moda progressistas.

A moda é uma indicação de identidade individual, grupal e sexual. Além disso, sua fluidez reflete as mudanças da matriz social. Assim, no início do século XX, a moda revelava a estratificação e o protocolo social rigidamente definidos, ao passo que, sessenta anos depois, ilustrou a erosão da hierarquia social e o triunfo dos jovens. Ao longo dos anos, o domínio da alta moda involuiu para uma dinâmica de "vale tudo", que permite aos consumidores justapor alegremente roupas de grife, descobertas históricas e étnicas e ofertas da moda de rua. O surgimento de subculturas jovens, com códigos de ornamentação distintos, ofereceu originalmente um contraponto à voga reinante e, talvez ironicamente, veio a exercer uma poderosa influência estilística sobre as tendências das passarelas internacionais.

A moda do século XX explora o discurso mutante da moda ocidental ao longo de um período rápido, que testemunhou revoluções nas comunicações, nas viagens e na indústria, todas elas com grande impacto sobre o estilo e o vestuário. O livro cobre desde a ambiência rarefeita da costura parisiense, no início da década de 1900, até a possibilidade de acesso rápido e global à moda na internet, no início da década de 1990. Mostra como grandes estilistas, em Paris, edificando sobre as conquistas dos costureiros do século XIX (entre eles, não menos importantes, os da casa Worth) e sustentados pela poderosa Chambre Syndicale de la Couture (fundada em 1868), consolidaram sua posição, e como, na segunda metade do século XX, defenderam com sucesso a supremacia da capital da alta moda. Contudo, apesar de Paris ter permanecido o fulcro, o desenvolvimento e o crescimento da moda de estilistas nos EUA, Itália, Grã-Bretanha e, mais tarde, no Japão, também são examinados, enfatizando a inter-relação entre traços nacionais e o visual internacional. Em 1999, prevendo o surgimento de uma indústria verdadeiramente global no século XXI, os meios de comunicação cunharam a expressão "moda planetária".

Embora mencione a multiplicidade dos métodos interpretativos, este é um levantamento estruturado cronologicamente, que se concentra nos aspectos factuais significativos na evolução da moda do século XX. Concentra-se em movimentos internacionais e destaca obras produzidas por inovadores em cada período. Desenvolvimentos palpitantes e, por vezes, revolucionários são contextualizados por meio de referências às circunstâncias socioeconômicas, políticas e culturais vigentes. Evitando as divisões arbitrárias do século em décadas, os capítulos são organizados em torno de importantes mudanças no estilo e por acontecimentos mundiais.

Um estudo tão compacto exclui análises minuciosas e exames temáticos, embora sejam fornecidos caminhos para investigações adicionais, sustentadas por uma extensa bibliografia. Ao mesmo tempo que aponta as principais conquistas de estilistas famosos (em moda e em acessórios) e delineia o papel central dos centros metropolitanos de moda, as obras de alguns talentos menos conhecidos também são consideradas. Como testemunham todos os estilistas, os tecidos são fundamentais para sua arte, de modo que são levados em conta os tecidos exclusivos da alta moda e as invenções de "fabricação humana" dos cientistas têxteis no século XX.

Ao fornecer uma introdução completa a cem anos de moda, pretende-se que este texto sirva como um catalisador para mais explorações em um campo que oferece oportunidades ilimitadas.

Para Peter e Sam
Para Kevin e Felix

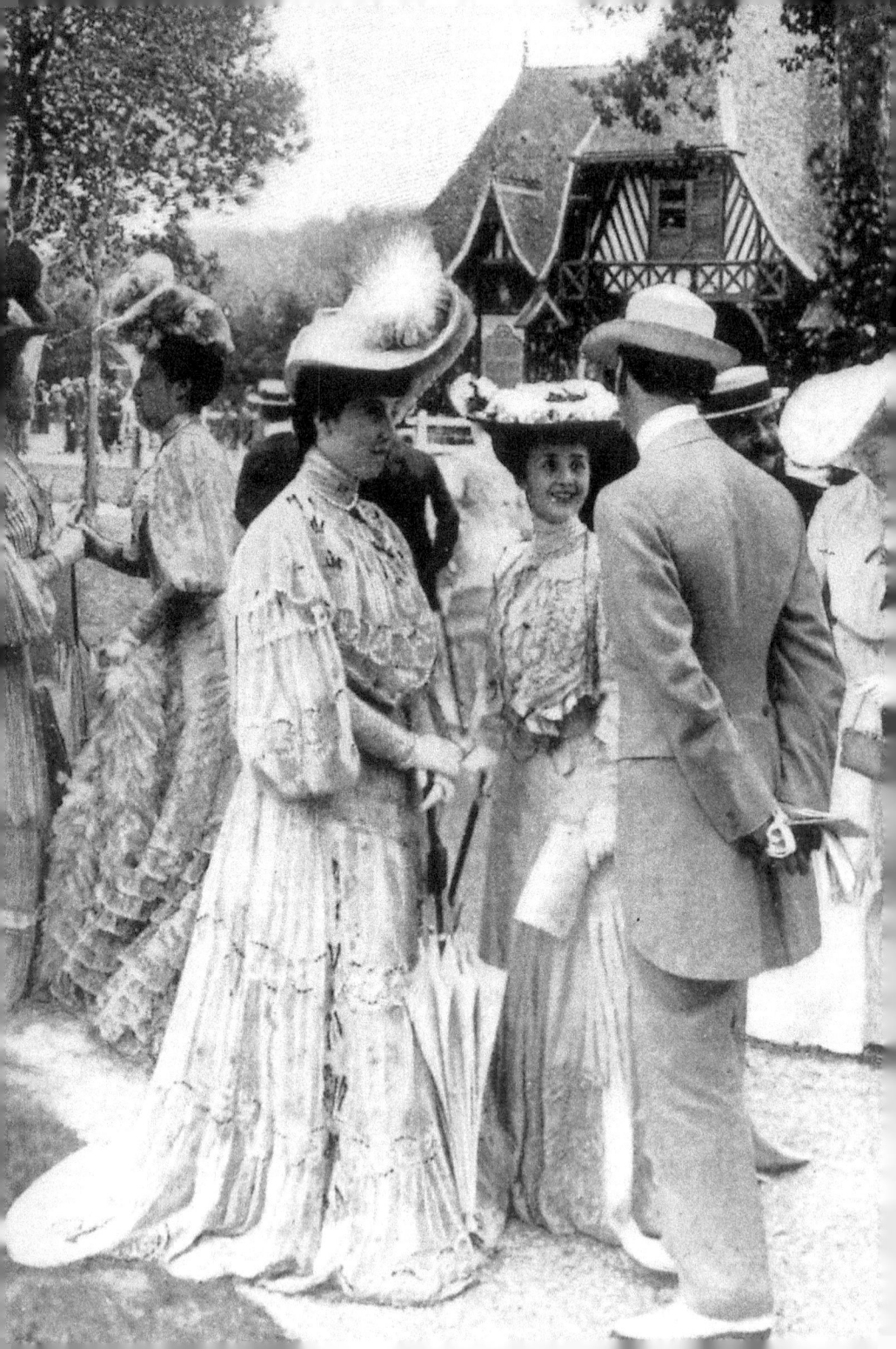

1. 1900-1913
ONDULAÇÕES E EXOTISMOS

"La Belle Epoque", "a era da opulência" e "a era eduardiana" são nomes familiares para o período de 1900 a 1914. Eles evocam imagens de grupos de homens e mulheres de poder e nível social elevado, elegantemente vestidos, participando de passatempos amenos – passeando pela esplanada em Biarritz, cavalgando na Rotten Row, em Londres, embevecida na Metropolitan Opera House, em New York, ou passeando de iate em Cowes, na ilha de Wight. Nas mãos do *establishment* e dos *nouveaux riches*, a riqueza era exibida em estilos de vida extravagantes e era especialmente evidente nas luxuosas roupas femininas. Os ditames da moda eram rigidamente seguidos; afastar-se da norma era arriscar-se ao ridículo social. Posição, classe e idade eram claramente assinalados pela roupa. No início da década de 1900, a moda feminina manifestava os últimos vestígios do estilo de fins do século XIX. Em 1907, discerniam-se mudanças sutis, mas não foi antes de 1908 e 1910, com o advento dos Ballet Russes, de Diaghilev, aliado aos desenhos de Paul Poiret, que houve um redirecionamento significativo na moda. O vestuário masculino não estava sujeito às constantes flutuações decorativas do vestuário feminino, mas seguia um código estrito, que enfatizava os valores da tradição e da discrição.

1. O *beau monde*, em seus atavios de verão, na estância à beira-mar de Deauville, na França, em 1903. Os vestidos pálidos, profusamente decorados, com caudas e corpetes "pombo-de-papo-de-vento", de colarinho alto, eram típicos da alta moda do período. Acessórios caros – chapéus adornados com plumas ou flores artificiais, sombrinhas de cabo longo, bolsas de mão pequenas e luvas de pelica – completavam cada conjunto. O homem elegante, num casaco de manhã impecavelmente cortado, sapatos com biqueira amendoada e chapéu de palha, é o conde Mathieu de Noailles.

Para os que tinham consciência de estilo, habitantes afluentes de centros cosmopolitas em todo o mundo, Paris continuava a ser o lar incontestável da alta moda. Uma etiqueta de Paris era o endosso definitivo, estabelecendo seu proprietário como árbitro do gosto e membro dos escalões superiores da moda. Se o artigo genuíno de um endereço de prestígio da rue de la Paix era muito caro, o equivalente mais próximo, feito por copiadores, tinha de ser suficiente. Estilistas e fornecedores de roupas tiravam sua inspiração das criações exuberantes e amplamente divulgadas dos grandes costureiros parisienses. A Exposition Universelle de Paris, em 1900 – um início auspicioso para o novo século –, ofereceu um fórum internacional ideal para que os estilistas parisienses proclamassem sua superioridade universal. A Chambre Syndicale de la Confection pour Dames et Enfants organizou uma impressionante mostra de trabalhos de vinte grandes casas: "Les Toilettes de la Collectivité de la Couture". O presidente da Chambre Syndicale explicou

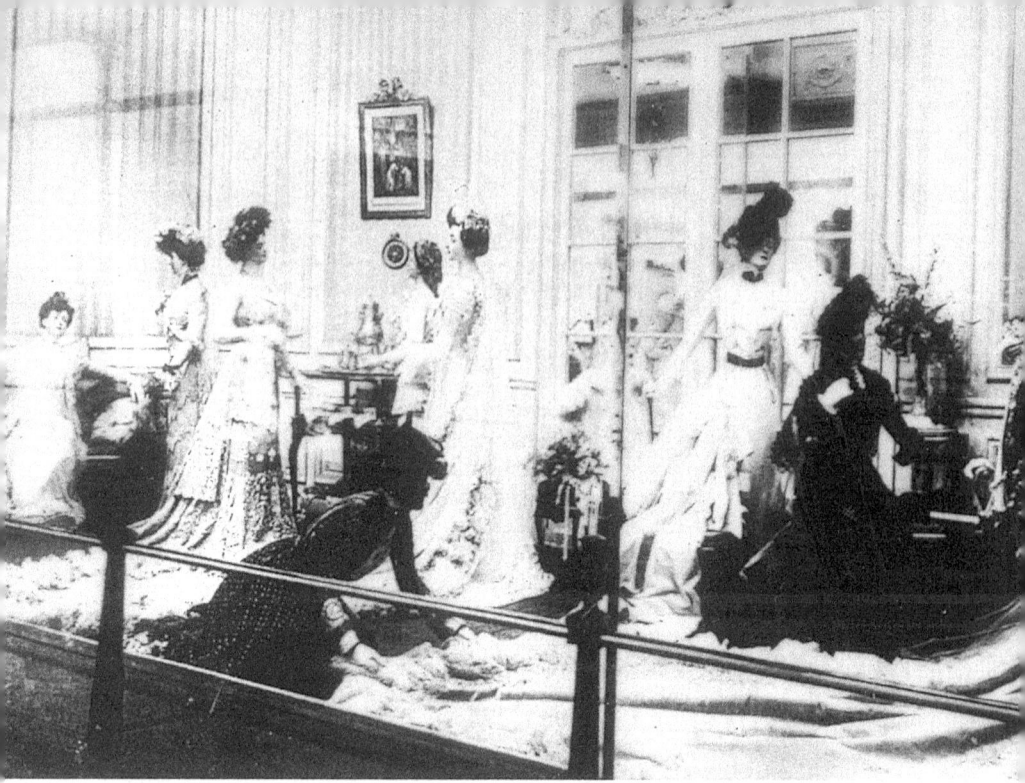

2. A elaborada exposição da Worth's, "Indo para a sala de estar", na Exposition Universelle, promovida em Paris, em 1900. Manequins de vitrine realistas (com traços cuidadosamente esculpidos em cera) foram vestidos com as criações mais finas do estilista, que iam desde um conjunto para criadas até um vestido de apresentação à corte.

que desejavam expressar a vitalidade e a importância da sua indústria, que impunha seu gosto e suas criações ao mundo inteiro. Os artigos expostos eram notáveis – extravagantemente decorados com contas, lantejoulas, bordados, rendas, flores artificiais e uma profusão de rufos e babados.

Por baixo dos ornamentos exteriores que completavam sua *toilette*, a mulher da moda, no início da década de 1900, era encerrada em várias camadas de roupa de baixo. Vestir-se e despir-se eram tarefas laboriosas, que levavam tempo e exigiam a assistência de uma criada de quarto. Primeiro vinham a *chemise* e os calções ou combinações de algodão branco, elaborados com bordados brancos vazados, adornados com renda e finos cordões de fita. Em seguida, vinha o espartilho, o componente crítico na definição da forma, que ditava a postura e as linhas das roupas exteriores. As mulheres queixavam-se do desconforto dos espartilhos, e os reformadores da moda, entre eles médicos, deploravam o prejuízo físico que essas peças de vestuário infligiam aos ossos e órgãos internos. Publicações como a *Dress Review*, trimestral, da Healthy and Artistic Dress Union, incitavam suas leitoras a descartar os espartilhos de vez e a adotar a cinta peitoral, menos restritiva, mas as mulheres que bus-

3. *Acima, direita:* a silhueta de curva em S, que caracterizou o início da década de 1900, era conseguida com rígido espartilhamento. Os espartilhos de fabricação americana deste anúncio foram exibidos em perfil para enfatizar as curvas pronunciadas e os peitorais notavelmente cheios que produziam. A bem da modéstia, drapeados diáfanos flutuavam ao redor das três figuras.

cavam a última forma ditada pela moda estavam preparadas para sofrer.

Boa parte da corrente principal da moda ignorou o movimento de reforma desde o seu início, na década de 1850, até o seu fim, no início do século XX. A produção de espartilhos era um negócio lucrativo e *corsetières* habilidosas eram muito procuradas. Nas muitas ilustrações contemporâneas, confere-se aos espartilhos uma atração sedutora, que desmente a sua verdadeira natureza. Os exemplos remanescentes revelam as tristes realidades do cotim (um tecido grosso de sarja de algodão) peso-pesado, da profusão de armações rijas (de aço ou osso de baleia), dentro de invólucros reforçados e de robustas barbatanas centro-frontais, com robustos passantes para prender a peça. Os espartilhos mais caros e vistosos eram feitos de cetim, com cores brilhantes e alinhavo próprio para a obtenção de força e durabilidade. Para conseguir a forma esguia necessária, eles eram firmemente amarrados através de aberturas, situadas, geralmente, ao longo da região central do dorso. Espartilhos longos e curtos tinham a frente reta e eram construídos de maneira que coagissem o corpo a assumir a desejada e evidentemente cobiçada curva em S, com cinturas diminutas e um busto unificado, baixo e pro-

4. As meias de noite eram muitas vezes profusamente decoradas. O motivo da serpente enrolada na perna (segunda a partir da esquerda) tornou-se especialmente popular depois que meias com serpentes em lantejoulas foram exibidas na Exposition Universelle de Paris, em 1900. Estes exemplos franceses datam de, mais ou menos, 1903.

tuberante, equilibrado por ancas arredondadas. A maioria incorporava longos suspensórios elásticos ou ligas de meia-calça, que haviam começado a substituir as ligas desde fins da década de 1880. Estes seguravam uma variedade de meias, que eram combinadas cuidadosamente com cada conjunto. Para roupas de dia e esportivas, as meias eram geralmente de algodão, lã ou fio de Escócia, lisas ou com pinhas e listras sóbrias. À noite, uma *élégante* usava meias de seda de luxo, francesas, com elaboradas incrustações de renda e bordados. As meias com apliques de serpentes em torno das pernas eram o máximo em ousadia. A beleza era confinada à parte inferior, para as raras ocasiões em que as longas saias se erguiam, revelando vislumbres tentadores de pés e tornozelos.

Depois de espartilhar a patroa até ela adquirir curvas voluptuosas e de prender uma delicada cobertura de espartilho sobre os esteios, a criada, então, a ajudava a entrar no primeiro dos trajes do dia. Muitas memórias, biografias e histórias econômicas documentam esse período, fornecendo informações sobre a vida e o vestuário dos formadores de moda da sociedade ocidental, da duquesa à semimundana. Fontes como *Edwardian Daughter*, de Sonia Keppel, *The Elegant Edwardian*, de Ursula Bloom e *The Glitter and the Gold*, de Consuelo Vanderbilt Balsan oferecem comentários valiosos sobre as roupas na Inglaterra, onde a alta sociedade orbitava em torno da corte do hedonista Eduardo VII e seguia o padrão anual estabelecido pela Temporada Londrina. Esta ia do início de maio até o fim de julho e incluía uma variedade de festas particulares, promovidas em grandes residências de Londres, e eventos públicos importantes, que incluíam desde as corridas de Ascot até o campeonato de *cricket* de Harrow. Após suas festas em Londres, a alta sociedade ia em busca dos prazeres de verão no exterior. Outras cidades e cortes reais européias promoviam os eventos do seu próprio *establishment*, todos os quais exigiam roupas adequadas. Os Estados Unidos tinham o seu Social Register, que identificava os cidadãos influentes,

1900-1913: ONDULAÇÕES E EXOTISMOS 5

e, na década de 1890, a sra. Astor compilou uma lista pessoal mais exclusiva da sociedade de Nova York, conhecida como os "Quatrocentos". Exigia-se que mulheres ricas, de aristocratas a *cocottes*, possuíssem e mantivessem enormes guarda-roupas para cumprir as necessidades da ronda social. Uma série de luvas, peles, leques e sapatos de biqueira amendoada, os "pequenos etecéteras da moda", garantiam que cada traje fosse adequadamente complementado por acessórios. Um guarda-chuva, sombrinha ou bengala, longos e esguios, muitas vezes davam o toque final.

Embora a indústria de cosméticos fosse pequena em comparação com o que seria após a Primeira Guerra Mundial, a maquiagem e os perfumes tornavam-se uma parte cada vez mais importante na busca pela beleza. Considerados vulgares na época, os cosméticos, não obstante, eram usados com parcimônia, mas habilidade, dentro dos limites do *boudoir*. Na virada do século, o *papier poudré* vinha em pequenos livretos: uma folha passada no rosto escondia pontos brilhantes e disfarçava manchas. A eletrólise estava à dispo-

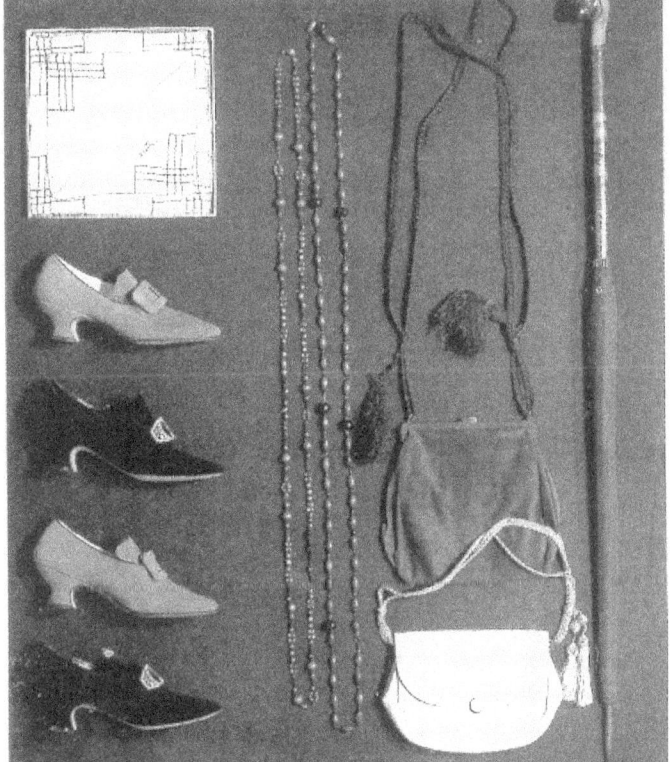

5. Acessórios do período entre 1908 e 1914: sapados com saltos Louis, lingüetas altas e biqueiras amendoadas; bolsas com alças longas; colares de contas longos e um lenço com monograma

6. Os cosméticos eram considerados vulgares e, portanto, os fabricantes os anunciavam com cuidados. Às vezes, como no anúncio acima, atrizes eram chamadas para endossar certos produtos. Mademoiselle Maroussia Destrelles, do Théâtre Vaudeville, Paris, emprestou seu nome ao fabricante Gellé.

7. Para as que não tinham cabelos em abundância suficiente para conseguir os estilos encorpados e altos do período, havia ajuda à mão. Os cabeleireiros, notavelmente Marius Heng (de Paris), ofereciam cabeleiras postiças (postiches), que ofereciam o corpo e as ondulações profundas, considerados essenciais. Marius Heng também oferecia postiches especiais brancos ou grisalhos para mulheres com perda de cabelos ou idosas. De Femina, 1905.

8. Este anúncio de outubro de 1911, da revista *Les Modes*, afirma que o pó perfumado pelas flores de germândrea melhora e nutre a pele. Também enfatiza que o efeito é discreto.

sição para a remoção permanente de cabelos supérfluos, sinais e marcas congênitas. Colocava-se grande ênfase em uma tez natural, sadia e, portanto, em tratamentos de pele. Pílulas purificadoras, como as de Beecham e Whelpton, afirmavam ser capazes de trazer o rubor da saúde aos rostos pálidos. Muitas mulheres beliscavam as bochechas e mordiam os lábios para conseguir um rosado gracioso, ao passo que as mais atrevidas recorriam a pomadas pigmentadas para os lábios e *rouges* – prática considerada por alguns como um tanto "dissoluta". Os perfumes favoritos na década de 1900 tendiam a ser leves, com certa aura de jardim campestre – "Moss Rose" [rosa musgosa], "Lavender" [alfazema], "May Blossom" [florada de maio] e até "New Mown Hay" [feno recém-cortado] –, enquanto notas exóticas vinham de perfumes mais fortes, como o "Phul-Nana", um extrato de flores indianas.

Uma bela cabeleira ainda era considerada a "coroação gloriosa" de uma mulher. As moças usavam os cabelos compridos até os dezoito anos, quando eram então penteados em algum dos estilos populares, largos e cheios. Mulheres com madeixas menos abundantes conseguiam o volume necessário usando cabeleiras postiças [*postiches*] e enchimentos, conhecidos coloquialmente como "rats" [ratazanas], presos com grampos e pentes. Os ferros de frisar mantinham os penteados armados temporariamente, mas, em 1906, Charles Nestlé (nascido Karl Nessler) introduziu o demorado método de ondulação permanente, que oferecia estilos bufantes sem enchimentos e *postiches* adicionais. Homens e mulheres com queda de cabelos ou cabelos problemáticos tentavam tônicos ou restauradores como "Harlene" (promovido como "o grande produtor de cabelos"). Uma variedade de tinturas e poções contra cabelos grisalhos era vendida para ambos os sexos.

O nível máximo da hierarquia da moda era ocupado pelos *grands couturiers*, com seu selecionado grupo de clientes. Produtores de roupas menores satisfaziam as exigências da classe média, que também era consumidora de roupas prontas da moda, estocadas pelas lojas de departamentos. A encomenda postal foi uma dádiva para muitos. Os moldes de papel eram baratos e as máquinas de costura tornaram a produção doméstica de roupas uma opção eficaz quanto ao custo, apesar do fato de um vestido de noite exigir muitos metros de tecido, além de todos os ornamentos. Os pobres e menos privilegiados raramente compravam roupas novas, valendo-se, em vez disso, do mercado de segunda mão, de roupas que não serviam mais para os donos, e da caridade. Os tradicionalistas do topo sustentavam o *status quo* e deploravam o hábito das criadas de copiar as roupas da patroa. Vestir-se segundo "a própria

9. Salão de peles na Redfern, Paris, 1910. Os clientes de alta-costura eram mimados em ambientes elegantes. Esta fotografia, de poses cuidadosas, capta um peleteiro trabalhando na borda de arminho de um manto, um manequim da casa envergando uma estola de pele e uma freguesa contemplando um acessório de arminho debruado com renda.

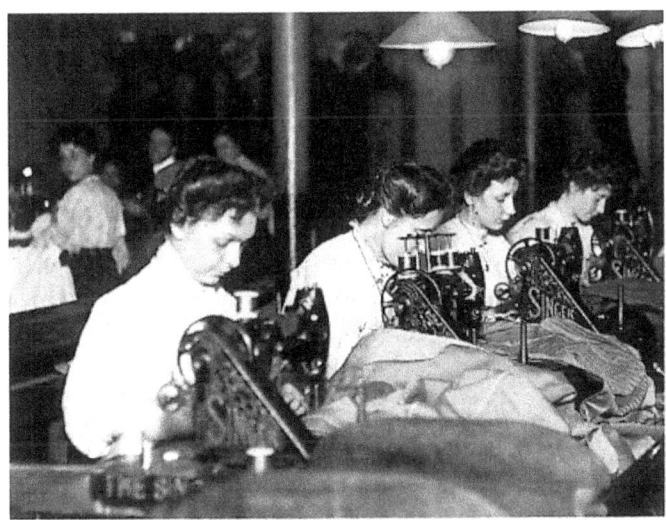

10. Uma fotografia de 1909 documenta um lado menos atraente do mundo da moda – costureiras trabalhando por longas horas, inclinadas sobre as máquinas de costura, com iluminação rudimentar.

posição na vida" e limitar as roupas das criadas a vestidos pretos, toucas e aventais eram costumes aplaudidos.

O crescimento fenomenal das roupas prontas no fim do século XIX e início do século XX dependeu, em grande parte, das "sweated industries" [indústrias suadas], sem regulamentação. Fabricantes exclusivos exploravam esse reservatório de mão-de-obra barata para o acabamento das roupas. Os produtores britânicos empregavam trabalhadores "autônomos" de costura e alfaiataria, por tarefa ou por temporada, com salários que mal garantiam sua subsistência. Circunstâncias similares prevaleciam na maioria das cidades européias e eram a base da indústria de moda dos EUA. O movimento contra o abuso desses trabalhadores ganhou ímpeto gradualmente e, acompanhando exposições similares em Berlim, em 1904 e em janeiro de 1906, foi aberta no Queen's Hall, em Londres, em maio de 1906, "The Daily News Sweated Industries Exhibition". As primeiras 5.000 cópias do catálogo ilustrado esgotaram-se em dez dias. Descrevia as condições de vida miseráveis, a má saúde e as longas horas de serviço das trabalhadoras, incluindo detalhes de operárias, encarregadas de fazer franjas em xales, que tinham tão pouca roupa de cama que eram obrigadas a dormir sob os xales em que estavam trabalhando. Uma delas, uma viúva com quatro filhos, vivendo em um imóvel de dois cômodos, trabalhava uma média de dezessete horas por dia para ganhar cinco xelins por semana. Ela trançava cada franja e a colocava no lugar, ganhando dez *pence* por um xale grande, que tinha de percorrer duas vezes, com 15 metros de franjas. Desnutridas e muitas vezes doentes, algumas das operárias transmitiam doenças contagiosas através das roupas que faziam. A exposição logo atingiu o objetivo de familiarizar o público com os males desse trabalho, mas passaram-se anos até que reformadores e sindicatos afirmassem sua influência e fosse introduzida alguma legislação para proteger a força de trabalho.

As que aspiravam a estar na moda conseguiam acompanhar as últimas tendências consultando as revistas femininas. A França havia desenvolvido uma imprensa de moda ultra-sofisticada, que sustentava o comércio de Paris e a indústria têxtil de luxo de Lyon. Com o desenvolvimento da fotografia, em fins do século XIX, os periódicos apressaram-se em substituir os tradicionais desenhos de moda por fotografias. A *Les Modes* abriu o caminho, imprimindo reproduções fotográficas notáveis pela clareza. Muitos periódicos dedicavam-se inteiramente à moda; outros, como o *Lady's Realm*, cobriam todo o espectro de interesses das mulheres, mas sempre incluíam comentários de moda ilustrados. As reportagens concentravam-se nas inovações de Paris e os textos eram temperados com a descrição tentadora – "o último modelo de Paris". Os jornais também mantinham os leitores em contato com a moda. Em Londres, o *Evening Standard* e a *St. James Gazette* imprimiam os desenhos de moda de Bessie Ayscough, enquanto, em 1900, a edição parisiense do *New York Herald* lançava um suplemento semanal inteiramente dedicado à moda.

Por toda a Europa e pelos EUA, as lojas de departamentos, estabelecidas principalmente no século XIX, atingiram a maioridade. Esses gigantes do varejo exerciam uma influência enorme sobre a moda. A maioria tinha oficinas de costura e alfaiataria, além de seções de roupas prontas. Os fregueses de Londres recebiam conforto e bom serviço de empresas como Harrods, Swan & Edgar, Debenham & Freebody e, a partir de 1909, Selfridges – o grande empório da Oxford Street, estabelecido pelo negociante, nascido nos EUA, Gordon Selfridges. Paris tinha os seus *grands magasins*, que incluíam as Galeries Lafayette, Au Printemps e La Samaritaine. Nos EUA, havia Bergdorf Goodman, Henri Bendel e Neiman Marcus (fundada em 1907). A maioria das lojas também produzia catálogos e acessórios para encomenda postal, sujeitos a aprovação.

O visual de moda do período também era disseminado por meio de cartões postais e cartões de cigarros. Estes alcançavam um amplo público e atravessavam as divisões de classe. Além de tópicos voltados para o público masculino, como os generais da Guerra do Bôeres, uniformes de times de futebol e jogadores de beisebol, os cartões de cigarros exibiam fotografias de atrizes e celebridades luxuosamente vestidas, além de mulheres bonitas e dançarinas com pouca roupa. Contudo, apesar de maços de cigarro serem considerados veículos adequados a figuras como a dançarina Loïe Fuller, a Garota Gibson Camille Clifford e a artista de *music-hall* Gaby Delys,

11. No início da década de 1900, cartões-postais com atrizes e belas mulheres eram produzidos em grande número e ajudavam a tornar públicas as modas correntes. A atriz Alice Russon posa recatadamente no seu vaporoso vestido de verão para este postal de 1906.

12. *Página ao lado, acima*: exterior da Harrods, Londres. Em 1909, quando esta ilustração foi feita, as curvas exageradas da década de 1900 haviam sido suplantadas por silhuetas mais retas e esbeltas, encimadas por enormes chapéus decorados. Homens do mundo, elegantes, usavam cartolas, com fraques e sobrecasacas, e chapéus-coco com conjuntos de passeio menos formais, que se tornavam cada vez mais populares.

13. *Página ao lado, abaixo*: em locais de trabalho abarrotados, chapeleiras criavam chapéus exuberantes – muitos adornados com penas de avestruz. Paris, 1910.

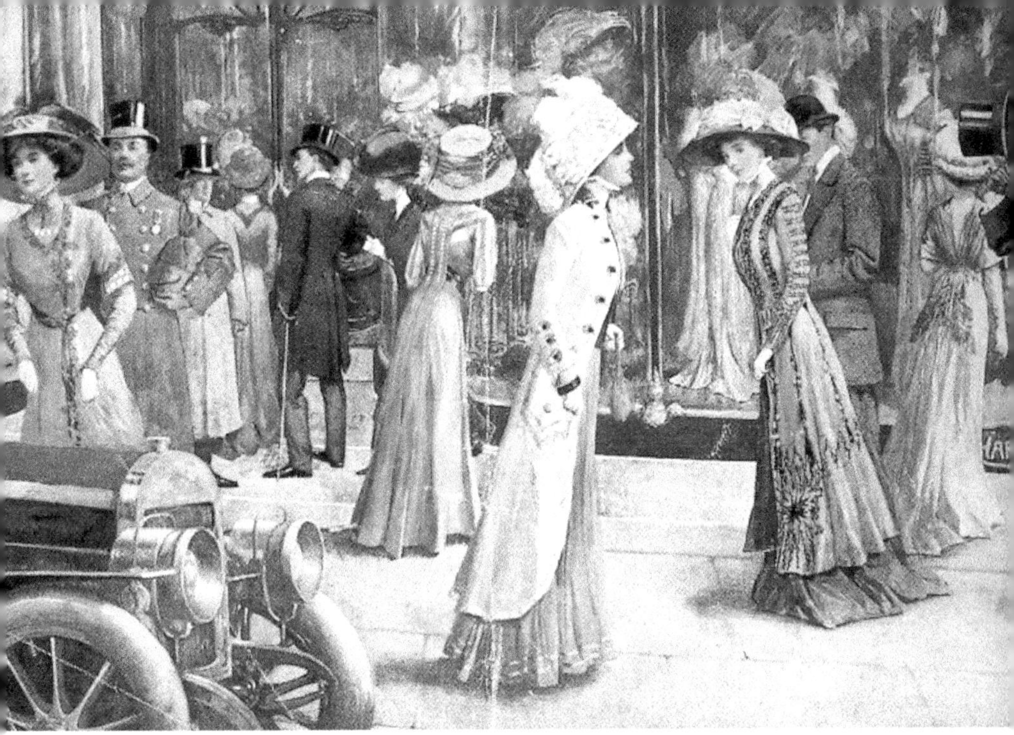

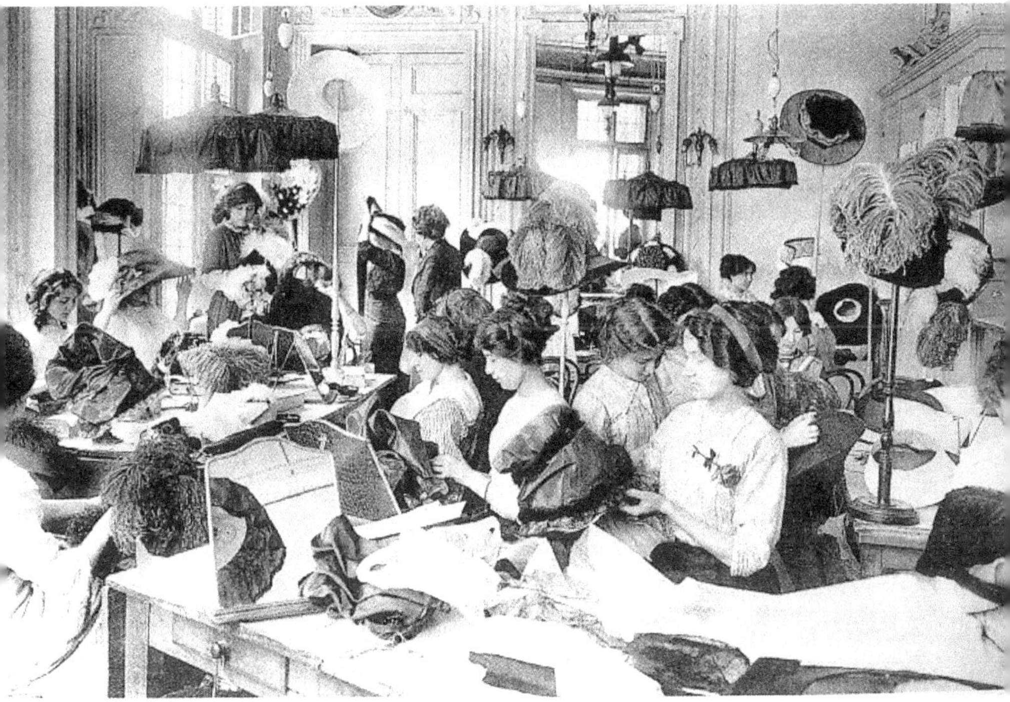

os cartões-postais e revistas eram tidos como veículos mais decorosos para retratos de atrizes mais refinadas e membros da aristocracia. Nestes, atrizes e condessas, igualmente, posavam para retratos em estúdios fotográficos, ostentando seus vestidos mais impressionantes. As mulheres copiavam o porte, o estilo de penteado e as roupas elaboradas dessas heroínas populares. Estúdios fotográficos suburbanos produziam retratos na forma de cartões fotográficos. Antes realistas que idealizados, estes ilustravam a "melhor roupa" dos menos afortunados. A honra definitiva era ser imortalizada em óleos de um dos principais artistas da época. Giovanni Boldini, Philip de Laszlo e John Singer Sargent eram os retratistas favoritos da sociedade, ao passo que os desenhos e gravuras de mulheres de Paul Helleu formam um registro notável da alta moda do início da década de 1900.

Apesar de já ter cinquenta e oito anos ao ser coroada rainha em 1902, Alexandra continuou a exercer influência no estilo da Grã-Bretanha e dos EUA. Com sua postura ereta e a bela figura (às vezes retocada nas fotografias), sua aparência era magnífica tanto nas roupas brilhantes da corte, excessivamente ornamentadas, como em trajes de equitação de corte severo. Era famosa pelo estilo de penteado com franja e gargantilhas largas, assim como pelo uso cada vez maior de cosméticos à medida que ia envelhecendo (muitas vezes foi descrita como "esmaltada"). As amantes de Eduardo VII, especialmente Lillie Langtry e Alice Keppel, ajudavam não apenas a estabelecer o tom da moda, mas também a voga de mulheres maduras.

No Reino Unido, a imprensa dedicou grande atenção à "invasão americana" da nobreza britânica por herdeiras do Novo Mundo, cuja considerável fortuna deu à aristocracia inglesa um impulso financeiro muito necessário. Por ocasião de seu casamento com o duque de Marlborough, em 1895, a etérea Consuelo Vanderbilt trouxe um dote estimado em dois milhões de libras. Tais casamentos também introduziram na cena britânica uma roda seleta de mulheres americanas instruídas, acostumadas a vestirem-se com os melhores costureiros. A imprensa feminina logo deu destaque às recém-chegadas, e as fotografias destacavam suas roupas caras. O palco também forneceu uma aristocracia de sangue novo e glamur – pelo menos meia dúzia de nobres casaram-se com atrizes entre 1900 e 1914, ligações que ofereciam material ideal para colunistas de mexericos e editores de moda. Uma chegada notável, dos EUA, foi a atriz Camille Clifford, que se casou com o filho e herdeiro do Lorde Aberdare em 1906. Ela conquistara certa fama na Inglaterra ao representar no palco londrino a "Garota Gibson", a personificação da mulher ideal, criada pelo ilustrador americano Charles Dana Gibson, na vi-

14. Uma das mais ricas e famosas herdeiras que se casaram com aristocratas britânicos na virada do século: Consuelo, duquesa de Marlborough (a herdeira americana Consuelo Vanderbilt). Fascinado pela beleza delicada da duquesa, o artista Paul Helleu fez vários estudos como este, do início da década de 1900.

15. Página ao lado: a atriz Camille Clifford, que fez a "garota Gibson" no palco londrino, em 1904. As curvas da forma de ampulheta são ecoadas pelos círculos do chapéu em forma de bacia, repleto de plumas, pelo enorme leque com plumas de avestruz e pela cauda rodopiante.

rada do século. A Garota Gibson, com seu corpo sinuosamente curvo, cintura minúscula e cabeleira alta, foi a mais conhecida das representações produzidas por Gibson das confiantes jovens americanas, que viriam a significar "A Nova Mulher".

Uma minoria de mulheres evitava a corrente principal da moda em favor de estilos individualistas. Essas mulheres muitas vezes pertenciam a círculos literários ou aristocráticos e escolas de *design*, como a Souls (que, nascida no século XIX, sobreviveu no século XX), a Wiener Werkstätte e o Grupo de Bloomsbury. Na Inglaterra, a loja Liberty, na Regent Street, era freqüentada pelas que buscavam roupas e tecidos que transcendessem a moda. Ao longo de todo o início da década de 1900, seu estúdio especializou-se em roupas fluidas, baseadas em trajes históricos de várias origens e períodos. Em 1909, em um espírito similar de independência diante das tendências correntes, o *designer* de teatro, têxteis e vestuário, Mariano Fortuny, operando a partir de sua base, o Pallazo d'Orfei, em Veneza, patenteou o famoso vestido Delfos. Baseado no quíton grego clássico, feito de finas sedas, tingidas com cores brilhantes, e franzido por meio de um método secreto, o vestido Delfos ia dos ombros ao chão como uma coluna brilhante. Era discretamente decorado com contas de vidro veneziano e ajustado em torno do pescoço e dos braços com tiras ocultas. Trajes igualmente folgados ganharam a preferência de executantes liberadas como Loïe Fuller, Isadora Duncan (cliente de Fortuny) e Maud Allan, que adentraram a história do vestuário dançando com finas túnicas e drapeados pseudoclássicos.

Não houve mudanças radicais no vestuário durante os oito primeiros anos do século. O desejo do novo era inteiramente satisfeito pela introdução de séries de cores sazonais e por novos ornamentos, cada vez mais complexos, nos quais se distinguiam os costureiros parisienses – especialmente Callot Soeurs, Doucet, Paquin e Worth. Os estilistas usavam os tecidos mais caros, que tinham de ser maleáveis, com boas qualidades para o drapeado, para que pudessem conseguir as linhas fluidas em voga na época. O calor vinha de peles, veludos, lãs e do onipresente boá de plumas de avestruz. As roupas de verão e noite eram feitas de uma abundância de linhos, algodões e sedas leves, como nomes evocativos – *mousseline de soie*, *crêpe météore* e tule crestada. Tecidos sem estampas eram preferidos, generosamente adornados com rendas, detalhes de crochê, bordados e trançados finos. Miudezas essenciais, como armações e fechos, eram obtidas junto a fornecedores e ateliês especializados em Paris, assim como bordados, contas, plumas, passamanes e flores artificiais. O fato de que a moda dava preferência a cores pastel com adornos em creme e branco pode ter ajudado a criar o mito de que

16. A atriz e estilista Natasha Rambova (que se casou com o astro de cinema Rudolph Valentino), vestida com um exótico turbante e um vestido Delfos de Mariano Fortuny, de seda, plissado e ornado com contas. Um desenho clássico, patenteado em 1909, mudou pouco ao longo dos anos. Este vestido, fotografado por volta de 1924, lembra muito as primeiras versões do vestido Delfos.

O período foi um longo verão idílico, dominado por festas no jardim. Os comentaristas de moda advogavam *eau de nil*, malva, cor-de-rosa e azul-celeste. Inevitavelmente, notas sombrias eram introduzidas pelo preto, cinza e roxo, obrigatórios no luto, e pelos práticos tons de azul-escuro dos conjuntos e *tweeds* de alfaiataria.

Para sustentar um estabelecimento de trabalho intensivo, um grande costureiro parisiense da época empregava entre duzentos e seiscentos funcionários. A hierarquia era rígida e o trabalho cuidadosamente organizado. Oficinas separadas eram dedicadas a uma função ou à produção de um traje específico. O processo começava com uma vendedora apresentando à cliente os últimos modelos, envergados por manequins da casa. Às vezes, a bem da modéstia, as modelos vestiam roupas "de baixo" pretas, de colarinho

17, 18. Dois conjuntos exuberantes de grandes casas de alta-costura. De 1912, um traje de noite rendado de Paquin (esquerda), que compreende uma túnica aberta de cintura alta, mangas curtas e corpete semelhante a espartilho sobre uma saia delgada, e um adereço de cabelo com plumas, para acrescentar altura. De 1909, um modelo de Doucet (direita), também usado com um chapéu imponente, decorado com plumas.

19, 20. Dois modelos da Casa de Worth. A Worth era conhecida pelos vestidos extravagantes e vistosos, dentre os quais um dos mais famosos foi o "vestido-pavão" (*direita*), desenhado por Jean-Philippe Worth, filho do fundador da casa, e usado por Lady Curzon, vice-rainha da Índia (a herdeira de Chicago, Mary Leiter) no darbar de Dehli em 1903. O cetim, de cor marfim, foi bordado especialmente na Índia, com seda, fios de metal e asas iridescentes de besouro, em um desenho de plumas de pavão interligadas. O *robe du soir*, de 1912 (*esquerda*), é composto de um vestido ornado com contas sob uma túnica aberta, cor de morango, à maneira de *pannier*.

alto e mangas compridas, usadas mesmo quando estavam sendo exibidas roupas que não cobriam os ombros. A escolha de conjuntos era seguida pelo corte e pela construção habilidosos e por longas provas, das quais dependia a natureza exclusiva dessas roupas personalizadas. Em 1902, um vestido de noite da casa de Félix, na rue du Faubourg Saint-Germain, custava quase cinqüenta vezes o preço de um vestido de noite pronto da Liberty de Londres. A casa de alta-costura de mais prestígio em Paris no início do século era a Casa Worth – nessa época, nas mãos dos filhos do fundador, Jean-Philippe e Gaston. A Worth vestia uma elite rica, que incluía a realeza européia, herdeiras americanas e atrizes famosas. Suas criações do início da década eram ostensivamente caras e, às vezes, tinham uma exuberância quase vulgar, que as anunciava como modelos da Worth e identificava quem as vestia como mulheres associadas à riqueza e ao poder.

Em Londres, onde a Worth e a Redfern tinham filiais, o poder de compra do círculo do rei era considerável e, embora as aparições na corte fossem governadas por regulamentos estritos quanto aos

19, 20

21. O ciclismo tornou-se um passatempo cada vez mais popular para homens e mulheres, mas roupas restritivas atrapalhavam os movimentos e podiam ser perigosas. Estas ciclistas americanas de 1902 estavam firmemente espartilhadas por baixo das blusas e saias. Uma palheta muitas vezes fornecia o toque chique final e acrescentava a desejada nota esportiva.

trajes, representavam uma oportunidade para que as mulheres desfilassem em trajes exuberantes, que revelavam classe, gosto e riqueza. Para assegurar um costume tão lucrativo, os estabelecimentos continuaram a proclamar-se como costureiros da corte. Os *cognoscenti* davam preferência a Reville e Rossiter, Mascotte, Mrs. Handley-Seymour e Kate Reily, esta especializada em vestidos etéreos, que eram pouco mais que nuvens de delicada seda. No que se refere à alfaiataria, Londres continuou a ser o centro internacional, atendendo às exigências dos trajes para caminhada e equitação. A mania do ciclismo, no fim do século XIX, continuou no século XX, e os alfaiates produziram um amplo leque de trajes bifurcados, projetados especificamente para essa atividade. O número de mulheres trabalhando aumentou significativamente entre 1900 e 1913, e um elegante conjunto de saia e casaco com blusa (a blusa "russa" foi um sucesso de vendas) era a solução perfeita para uso em escritórios.

1900-1913: ONDULAÇÕES E EXOTISMOS **19**

Nessa época, o casamento era um estado quase que obrigatório, e uma jovem da sociedade começava sua vida de casada equipada com um grande enxoval. A roupa íntima era composta de conjuntos, combinando, de *chemises* para o dia e para a noite, anáguas, calções e coberturas de espartilho nos algodões mais leves, com monogramas. Os manuais de etiqueta recomendavam a compra de uma dúzia de cada peça de roupa íntima, embora as noivas americanas fossem ocasionalmente alertadas a não comprar muita roupa exterior, já que as modas mudavam com muita rapidez. Doze vestidos de noite, dois ou três agasalhos de noite, dois a quatro conjuntos de saia e casaco para a rua, dois casacos, doze chapéus e quatro a dez vestidos para casa seriam suficientes. Ficava compreendido que sapatos e meias seriam comprados à dúzia. Além disso, se a estação devesse ser passada fora da cidade, trajes de campo e praia eram necessários para estâncias como Newport ou Palm Beach.

Para o *beau monde*, a rotina diária exigia pelo menos quatro mudas de roupa – para a manhã, para o início da tarde, para o chá e para a noite. De manhã, era costume usar um conjunto de alfaiata-

22. As lojas de departamentos estocavam série de roupas de baixo delicadas, finamente decoradas com bordados e fitas para os enxovais de noivas. Estes decorosos modelos e conjuntos combinados foram oferecidos pelos Grands Magasins du Printemps, Paris, no catálogo de roupa branca por encomenda postal de 1910.

ria para fazer visitas e compras. Este era composto de uma saia e uma jaqueta ou casaco, às vezes combinado com blusa e cinto. Peças em lã, especialmente um lenço fino, eram perfeitas para conjuntos de outono e inverno. A saia era destacada nas revistas de moda da época como um dos elementos mais significativos da moda do início da década de 1900. Cortada para enfatizar um corpo de curvas, as saias eram feitas em godê ou plissadas, para ficarem justas da cintura até quase os joelhos. Abriam-se, então, pouco acima do chão, na frente, e formavam pequenas caudas varrendo o chão, na parte de trás. Se o traseiro arredondado era mal definido, anquinhas podiam ser atadas ao redor da cintura. Blusas ou camisas com frente "pombo-papo-de-vento" caindo sobre a cintura tornaram-se uma parte importante do guarda-roupa. Estas, invariavelmente, tinham colarinhos altos, eretos, mantidos por suportes de barbatana de baleia, celulóide ou arame. De estilo nada confortável, essas roupas ajudavam e sustentavam a postura empertigada imposta pelos espartilhos e obrigavam as usuárias a manter o pescoço ereto e alongado e a cabeça em uma postura arrogante, de queixo para cima. Os chapéus eram obrigatórios e os chapeleiros elaboravam criações cada vez mais decoradas. Era símbolo de *status*

23. *Acima:* um elegante chapéu de, mais ou menos, 1911, com aba voltada para cima, debruado com veludo, encimado por plumas de avestruz brancas. As plumas de avestruz eram especialmente populares nessa época.

24, 25. *Página ao lado, abaixo:* as atividades esportivas pediam roupas especializadas. Para o golfe *(esquerda),* roupas esportivas prontas para usar, como este casaco longo de seda (c. 1910), combinavam conforto e estilo. Sua flexibilidade permitia o volteio completo do taco, enquanto a seda oferecia calor nos campos de golfe varridos pelo vento. Um boné, largo, masculinizado, semelhante ao *tam o'shanter,* protegia a cabeça. A nova loucura pelos carros pedia roupas protetoras, adequadas para viagens em carros abertos, embora, em abril de 1915, a duquesa de Sutherland (presidente do Ladies Automobile Club, Londres) dispensasse os costumeiros luvas, véus e óculos *(direita).* Ela protegeu os cabelos com um chapéu grande, de copa chata (as fitas firmemente amarradas sob o pescoço) e usou um largo guarda-pó sobre seu traje de dia.

26. *Direita:* os moldes de papel capacitavam os figurinistas a criar roupas de baixo custo, incluindo *tea gowns,* roupões e roupas domésticas. A Butterick (com filiais em Londres, Paris e Nova York) oferecia uma variedade de modelos para todos os gostos no seu *Catalogue of Fashions,* inverno de 1907-1908.

incorporar plumas e até mesmo pássaros inteiros em um chapéu da moda, embora o movimento antiplumas na Grã-Bretanha e nos EUA terminasse por obrigar os governos a adotar medidas de proteção. Ao longo de todo o início da década de 1900 os chapéus foram fundos, de pequeno a médio porte, e usados empoleirados nos penteados cheios que prevaleciam.

As bem relacionadas tinham um vasto arsenal de roupas. A roupa era determinada pela ocasião, pela estação e pela hora do dia. Particularmente exigentes eram os fins de semana nas casas de campo. Os automóveis abertos estavam substituindo as carruagens puxadas por cavalos. As mais avançadas iam para os compromissos no campo enfiadas em volumosos guarda-pós, gorros protetores, véus e óculos, as malas abarrotadas com os artigos necessários às várias atividades dentro e fora de casa. A equitação dava às mulheres uma oportunidade de exibir sua boa forma (espartilhada) em roupas de corte justo. Golfe, caça, patinação, tênis, *croquet,* arco e flecha e natação, quer como passatempo, quer como esporte sério, exigiam roupas especializadas. Os estilistas ingleses capitalizavam com base na sua reputação de trajes de bom corte e roupas para atividades vigorosas – as melhores vinham da Creed, da Redfern e da Burberry.

Os *tea gowns* (vestidos para o chá) eram essenciais para a vida com graça e os periódicos de moda resenhavam regularmente as últimas criações (muitas vezes ornamentadas) e como deviam ser usadas. A ficção e a biografia eduardianas apresentam uma abundância de referências nostálgicas a esses trajes. Originalmente uma marca da divisão entre a roupa de dia e a roupa de noite, permitiam às mulheres algumas horas de alívio dos apertados espartilhos, por volta das cinco horas, quando o chá era tradicionalmente servido. Descritos como pitorescos, os *tea gowns* e os *wrappers* (outro traje doméstico popular na época) eram longos, fluidos e, às vezes, volumosos, dando espaço ao corpo para relaxar. A convenção permitia que mulheres vestidas nesses trajes informais, descansando em seus *boudoirs*, recebessem convidados – uma dádiva para relacionamentos nascentes.

A roupa de noite era extraordinariamente vistosa e provocativa: os corpetes tinham corte baixo, com alças estreitas, decoradas com tiras de seda pregueadas em machos*. Isso permitia a exibição ostensiva de jóias – os diamantes e as pérolas eram especialmente admirados. Tiaras e ornamentos com pedras preciosas cintilavam nos cabelos e longas voltas de pérolas eram afestoadas por sobre o corpete. Para as que não podiam comprar jóias de verdade, o mercado fornecia excelentes imitações. O *frou-frou* eduardiano valia-se de tecidos luxuosos, particularmente cetins brilhantes, que capturavam e refletiam a luz e eram imaginosamente decorados com *voiles* plissados, painéis com lantejoulas e contas, inserções pintadas a mão e rufos e babados de renda. Anáguas farfalhantes de tafetá por baixo das saias com cauda completavam a sensual composição. Capas generosas, com forro aconchegante, protegiam do ar frio da noite suas usuárias extravagantemente vestidas.

O estilo descrito por vezes como Império, Diretório e Madame Récamier, com linhas verticais retas e cintura alta, foi preferido durante os primeiros anos do século para os vestidos de noite e os *tea gowns*. Em 1909, havia se tornado a forma dominante. O círculo cromático girou e os matizes suaves da década foram substituídos por cores mais fortes, mais afirmativas. Essa mudança foi gradual, ocasionada por certos fenômenos culturais e pelo surgimento de vários talentos de vanguarda, centrados em Paris. Em 1905, a primeira exposição das vívidas pinturas dos "Fauves" causara enorme impacto nas artes decorativas. Em 1906, o fundador dos Ballets Russes, Serge Diaghilev, organizou uma exposição de arte russa e, em 1909, sob

27. Vaslav Nijinski (o corpo coberto com maquiagem azul-escura) em um traje de ouro e turquesa e vermelho, para o papel de Escravo do Ouro na produção de *Schéhérazade* dos Ballets Russes, em 1910, com trajes de Léon Bakst. Os desenhos orientalistas, de cores brilhantes, de Bakst, teriam uma influência enorme na moda.

---

* Dobradura do tecido em pregas opostas: popularmente chamadas pregas "macho" e o inverso ou avesso desta prega é conhecido como prega "fêmea". (N. do R. T.)

28, 29. Dois exemplos de vestidos de noite, de cintura alta, na linha "império". O visual era colunar e a atenção se concentrava em saias drapeadas e delicadamente franzidas em linhas fluidas. Um grupo de talentosos ilustradores de moda desenharam estes vestidos românticos em ambientes idealizados: "Nocturne", 1913 (*acima*), e "La Caresse à la Rose", 1912 (*abaixo*), da *Gazette du bon ton*.

30. *Página ao lado*: Georges de Feure capta uma *élégante* (1908-10) enquanto ela desliza em seu esguio conjunto. Faixas horizontais decoradas com desenhos quebram a verticalidade do vestido tubular enquanto o cabelo cheio, penteado para cima, e um enorme chapéu encimado por plumas criam uma silhueta parecida com uma peça de boliche.

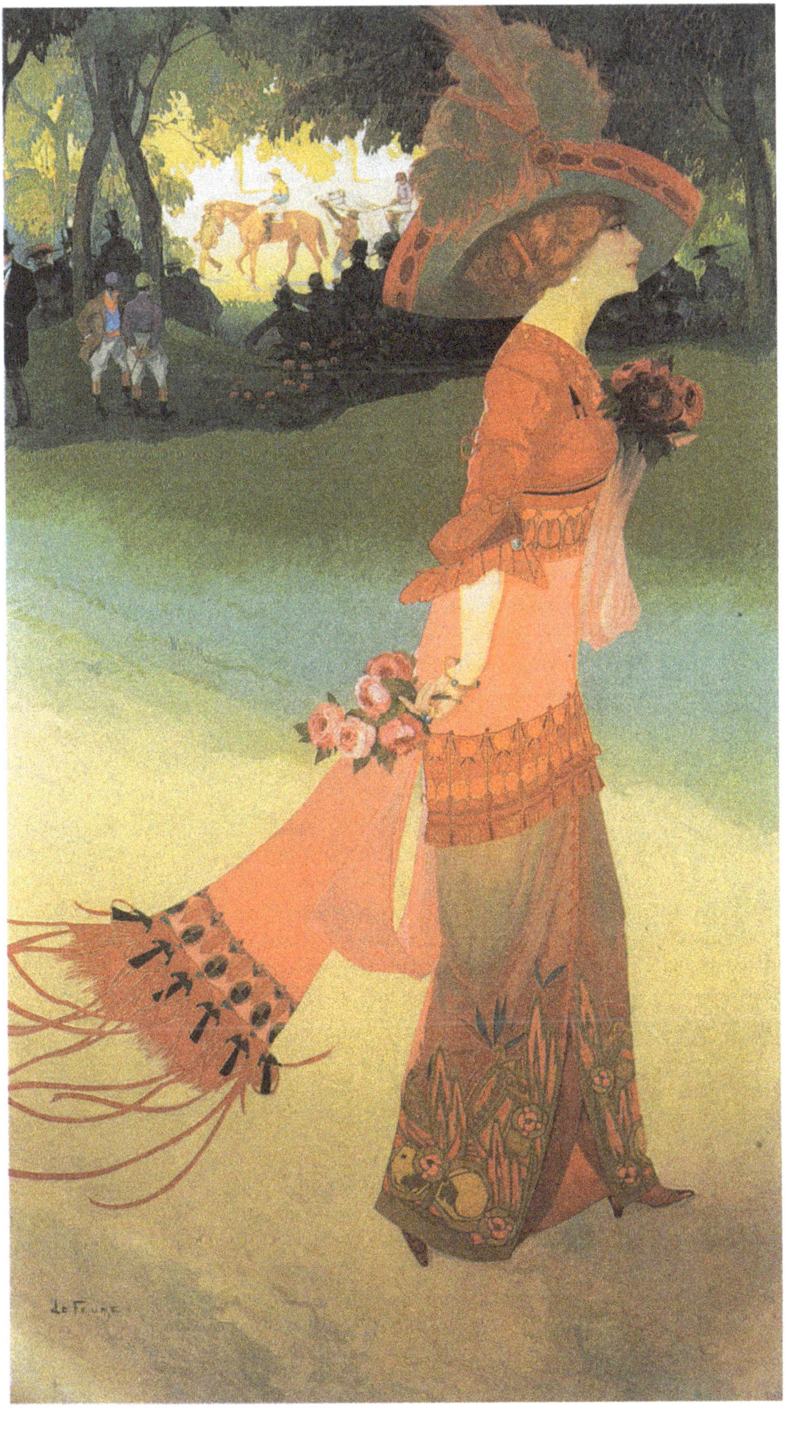

sua égide, o Balé Imperial Russo executou *Cléopatre*, com trajes e cenários brilhantemente coloridos de Léon Bakst. Os Ballets Russes fizeram sua apresentação de estréia em Londres em 1911, quando a primeira exposição pós-impressionista, organizada um ano antes, pelo crítico e pintor Roger Fry, criara furor e afirmara sua influência nos círculos artísticos de Londres.

Foi no contexto desse fermento artístico que os modelos de Poiret assumiram proeminência. Poiret conduziu energicamente o distanciamento da silhueta cheia e curvilínea da moda do início da década rumo a uma linha mais longa e esbelta. Contudo, as declarações deste talentoso propagandista de si mesmo, que afirmou ter sido pessoalmente responsável por libertar as mulheres da tirania dos espartilhos e o primeiro estilista a empregar cores brilhantes e fortes, têm de ser tratadas com cautela. Na onda de uma tendência para o orientalismo, a transição de matizes suaves para matizes violentos era inevitável. Os modelos vívidos de Bakst para os Ballets Russes (especialmente para *Schéhérazade*, em 1910) e as roupas de cores brilhantes, mais folgadas, foram recebidas por um público que soube apreciá-las e não precisou ser persuadido a abandonar os tons esmaecidos.

Após períodos com Doucet e Worth, Poiret abrira sua própria casa, em 1903. Tornou-se o costureiro mais empolgante nos anos anteriores à Primeira Guerra Mundial, e os editores de moda davam cobertura proeminente a suas criações. Com verve e imaginação enormes, ele construiu um estilo de vida que enfatizava suas atividades como estilista. Sua esposa, Denise Boulet, era um modelo ideal para suas criações tubulares e de cintura alta, e ele criou um jardim que oferecia o contraste perfeito para o seu grupo de lânguidas manequins. O jardim foi também o cenário das famosas celebrações de Poiret, entre elas a famosa Milésima Segunda Noite, em 1911, na qual todos os convidados tiveram de vir com fantasias exóticas.

Por baixo do tom de congratulação a si mesmo encontrado na autobiografia de Poiret, é evidente sua dedicação à arte do vestir. Era um mestre de cor, textura e tecido, combinando os mais recentes tecidos de luxo com peças de sua própria coleção de têxteis étnicos. Tinha *panache* de um figurinista de teatro: o impacto final, mais do que os detalhes da construção, era supremo, e o resultado era que algumas roupas ostentando sua marca distinta, com o logotipo da rosa, foram montadas de maneira decididamente tosca. Em oito anos de criatividade febril, Poiret abriu caminhos novos e significativos para a profissão. Em 1911, havia introduzido os perfumes "Rosine", fundado o estúdio de artes decorativas "Atelier Martine" e, em 1914, viajou pela Europa com sua trupe de manequins. Apenas a eclosão da guerra mundial truncou essas iniciativas pioneiras.

31. Em conjunto com um enorme chapéu decorado com flores, um manto de seda bordada (à moda de Poiret) desce até o chão em graciosas dobras. Usado aqui por uma modelo profissional fotografada pelos irmãos Seeberger), este manto representava o apogeu da moda parisiense em 1909.

As conquistas de Poiret podem ser comparadas às de Lucile (Lady Duff Gordon), que, em 1912, estabelecera filiais em Londres, Nova York e Paris. Contudo, o trabalho de Lucile era menos radical. Ela não fez desafios, simplesmente satisfez as necessidades de suas clientes, produzindo roupas elegantes para todas as ocasiões. Seu forte era o drapeado – fazer trajes trabalhando diretamente o tecido sobre o corpo. Na década de 1910, apesar de o corpo cheio ainda continuar na moda, as curvas exageradas haviam desaparecido e o efeito era como o de uma coluna. Embora algumas mulheres avançadas descartassem os espartilhos, a maioria não o fez, e os es-

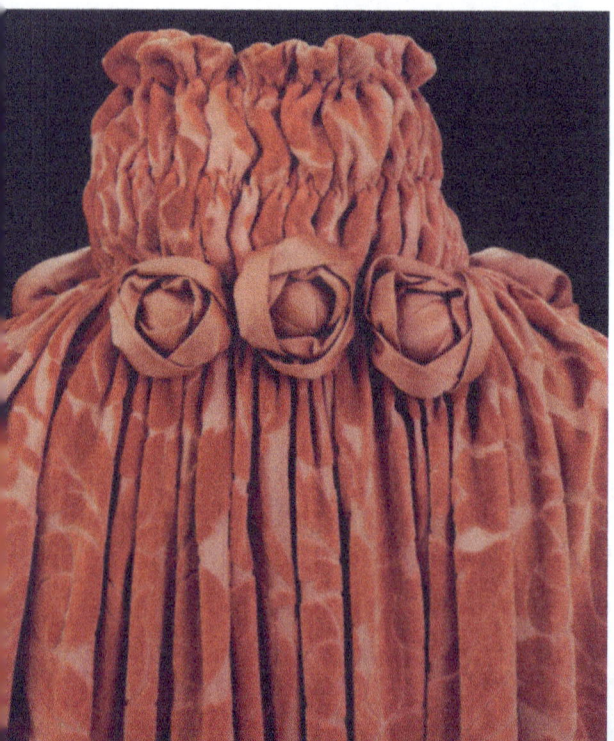

32, 33. Belos exemplos de resquícios da moda anterior à Primeira Guerra Mundial. Por volta de 1912, Poiret criou um luxuoso manto de ópera em cores vivas e brilhantes fios de metal (*acima*). As cores refletem a influência do orientalismo, que tinha grande impacto sobre a moda da época. O *close-up* mostra *chiffon* de seda com franja metálica dourada, combinando botão espiralado e mangas de fio de ouro. De data e opulência semelhantes, uma capa de veludo decorado cor-de-rosa, à maneira de Lucille (*esquerda*), com colarinho de rufo alto, decorado com gordas rosas de cetim.

34. *Página ao lado*: na sua capa, "Chez Poiret", para a revista *Les Modes* (abril, 1912), o ilustrador George Barbier retratou dois conjuntos de noite inspirados nas formas exóticas e cores brilhantes dos trajes orientais e ambientou-os no famoso jardim de Poiret. As manequins lânguidas usam turbantes com penachos – o vestido de noite "Battick", debruado com pele, à direita, tem um audacioso padrão abstrato, enquanto a túnica à esquerda é decorada com figuras tiradas da arte egípcia.

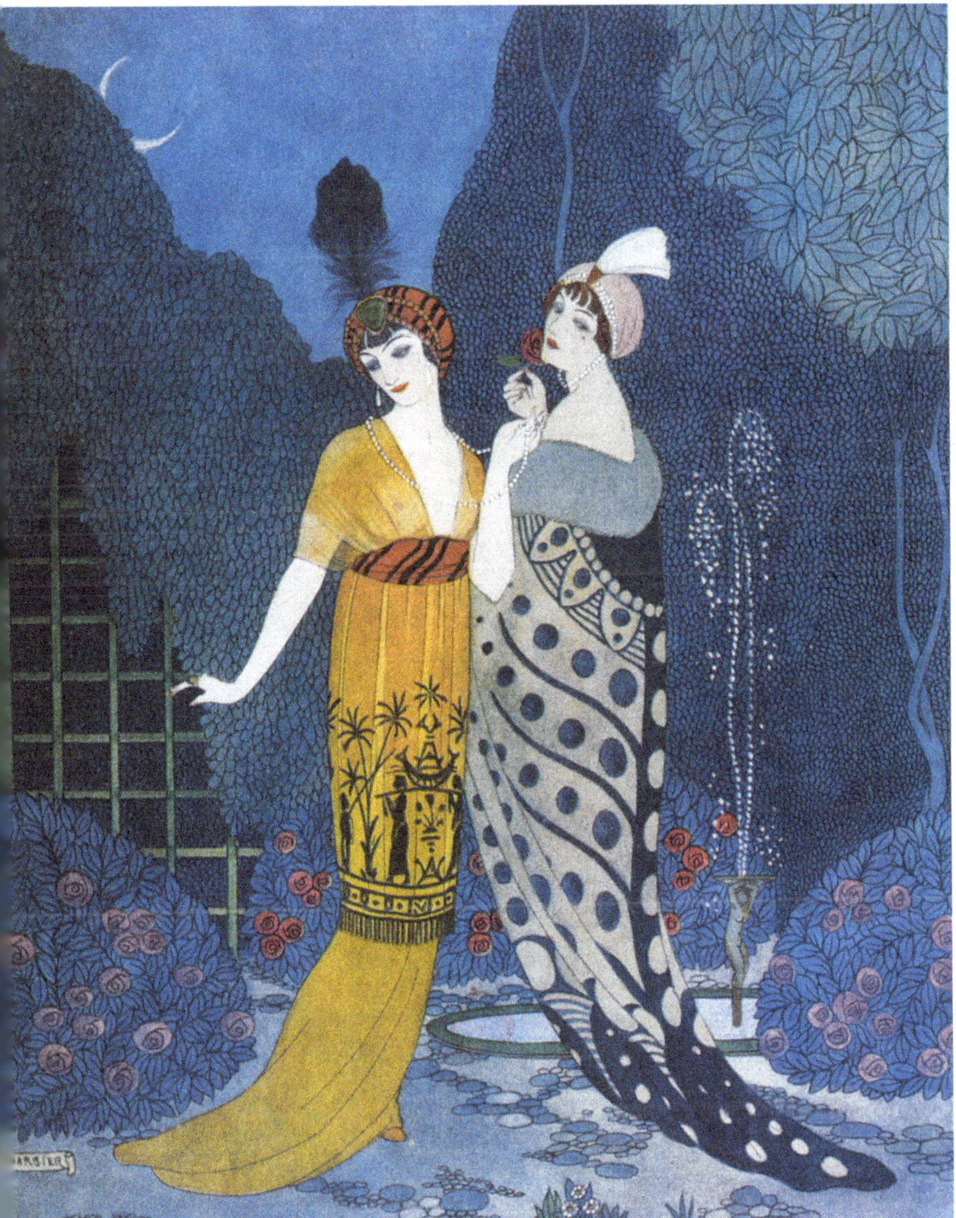

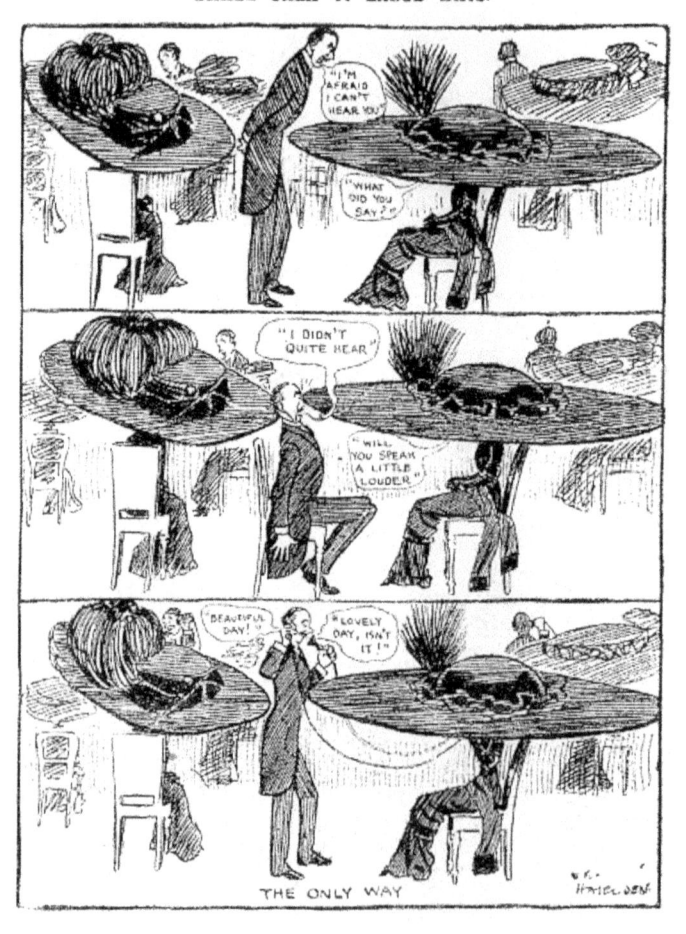

partilhos foram meramente adaptados à linha vigente. Lucile afirmou ser uma pioneira em trazer "alegria e romance" às roupas e, entre seus triunfos, estavam modelos para o palco, entre eles os trajes para Lily Elsie em *A viúva alegre*, em 1907. Estes deram início à voga de chapéus enormes, que, no seu ponto máximo, chegaram a mais ou menos um metro de diâmetro – presos por alfinetes de chapéu, tornados inofensivos com o acréscimo de guardas de segurança. Lucile permaneceu fiel às cores delicadas da década de 1900 e, como seus contemporâneos, deliciou-se com a justaposição de cetim, *chiffon*, filó, renda dourada e painéis com paetês, debrua-

35. Os chapéus femininos de abas extremamente largas, populares na época, foram um presente para os cartunistas. Em 1910, um cartum de W. K. Haselden para o *Daily Mirror* zombava da "incorrigível imensidão dos chapéus da moda" e sugeria uma maneira de superar o problema de comunicação e tornar a conversa possível.

1900-1913: ONDULAÇÕES E EXOTISMOS **31**

36, 37. Extremos da moda. *Esquerda*: os vestidos são alegremente levantados para mostrar a restritiva construção das saias-funil, 1910. *Direita*: nos anos anteriores à Primeira Guerra Mundial, o tango assolou a Europa e influenciou muitos estilos de vestidos. Aqui, a dançarina está usando o que era conhecido como "jupes culottes" – saias-calças completas, franzidas nos tornozelos e usadas com uma sobretúnica. São decididamente exóticas em comparação com as calças e o fraque de seu parceiro.

dos com pompons e franjas pendentes. Os corpetes ainda eram intricadamente construídos e armados. A linha vertical geralmente era quebrada na altura do joelho pela bainha horizontal de uma sobre-saia ou túnica. Os estilistas davam atenção meticulosa a essas sobre-saias, inventando inúmeras variações, que iam de pontas de lenço com borlas a drapeados em diagonal presos por flores artificiais. Como Poiret, Lucile empregava mulheres bonitas como modelos para suas roupas, que ela descrevia como "vestidos de emoção", dotando cada um de nome e "personalidade". Sua autobiografia lembra a de Poiret pelo fato de ser uma obra-prima de autopromoção, mas o que falta em ambos os livros no que diz respeito a cronologias detalhadas é compensado pelos *insights* únicos da dinâmica da alta-costura no primeiro quartel do século XX.

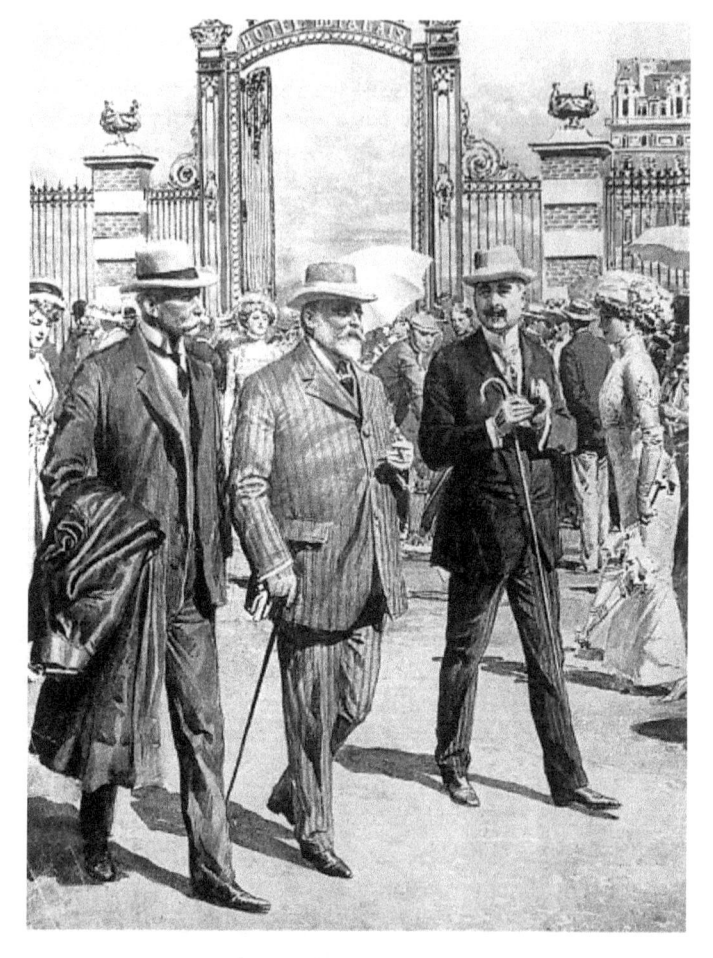

38. Apesar de nos últimos anos ter se tornado extremamente corpulento, Eduardo VI continuou a se vestir com aprumo. Gostava de listras vistosas e, durante suas horas de lazer, usava conjuntos de passeio elegantes mas confortáveis, com paletós não trespassados, de abotoamento alto. Ele é mostrado aqui, com dois companheiros, passeando na estância à beira-mar de Biarritz, na França, em abril de 1910, pouco antes de sua morte.

Entre 1900 e 1914, muitas mulheres, mesmo as mais liberadas, adotaram aquela moda curiosa, endossada por Poiret: a saia-funil. O desajeitado movimento que deu nome ao traje era causado pela construção estreita da saia, que prendia os joelhos e restringia as passadas. Quando conjugada aos colossais chapéus "roda de carroça" promovidos por Lucile, o efeito era o de uma coisa com excesso de peso na parte de cima. Apesar de satirizado, as críticas contemporâneas foram ignoradas. As *sufragettes* britânicas, querendo antes promover sua causa que chamar a atenção para sua aparência, es-

39. O estilo americano. Camisas frescas e colarinhos altos eram considerados essenciais, mesmo em trajes informais, e as listras eram ideais para o visual de corte limpo americano. A marca Arrow foi lançada em Troy, Nova York, antes da virada do século, mas alcançou ampla publicidade e sucesso a partir de 1913, graças aos anúncios vivos e atraentes, desenhados pelo artista J. C. Leyendecker.

quivaram-se ao vestuário reformado não convencional e mantiveram-se na corrente principal da moda. Roxo, branco e verde foram adotadas como as cores da campanha de "Votos para as Mulheres" e criaram oportunidades para a comercialização de roupas e acessórios para a indústria e o varejo de pequeno porte.

Os códigos da sociedade tornaram-se geralmente menos rígidos e os jovens europeus deliciavam-se com uma sucessão de danças vivazes – muitas importadas da América. O tango argentino foi particularmente influente, dando origem a sapatos de tango, espartilhos de tango e até perfume de tango. Os passos mais recentes eram demonstrados profissionalmente pelos famosos dançarinos e formadores de tendências, Irene e Vernon Castle. Em 1914, pouco antes da guerra, os chapéus gigantescos haviam sido abandonados e a silhueta colunar tornava-se mais estreita e esbelta.

Os cavalheiros com posses e estilo, apesar de não estarem à mercê de modas passageiras, eram, não obstante, obrigados a manter extensos guarda-roupas para se vestirem adequadamente em todas as ocasiões. Nenhum desvio verdadeiramente revolucionário ocorreu no vestuário masculino entre 1900 e 1913, mas as roupas tornaram-se gradualmente menos formais, e o conjunto de passeio tornou-se dominante. Mudanças mínimas – um botão a mais, lapelas ligeiramente mais estreitas ou uma nova forma de colarinho – provocavam comentários e proporcionavam satisfação. Poucos eram bravos o suficiente para romper as muitas regras de vestuário do início do século XX, que incorporavam uma abundância de editos do século XIX. As roupas indicavam a posição social. No Dia do Derby, em 1912, na Inglaterra, os "notáveis" foram elogiados pelos casacos de dia e cartolas em negro – a moda correta para uma importante ocasião social na presença da realeza –, ao passo que a massa "comum" foi criticada pelos conjuntos de passeio em cinza e castanho.

Apesar de ter 61 anos quando de sua coroação, em 1902, Eduardo VII continuou a se vestir com distinção e a orgulhar-se da aparência. Rotundo, sem a graça de dândis como Max Beerbohm e Boniface, conde de Castellane-Novejean, foi, não obstante, tanto na condição de príncipe de Gales como na de rei, um importante árbitro da moda. Rigoroso quanto à correção, advertia os cortesãos quando não estavam vestidos adequadamente. Eduardo estabeleceu a voga de muitos artigos de vestuário, dos conjuntos Norfolk aos chapéus-melão.

Além das roupas de corte impecável, a marca da elegância masculina era a perfeição no arrumar-se. Valetes pessoais asseguravam que as roupas fossem mantidas intactas e que seus patrões fossem expostos imaculadamente. Os cabelos eram curtos e bem

40, 41, 42. Cavalheiros meticulosamente vestidos em 1912 usavam roupas bem cortadas, que lhes davam uma aparência jovial. *Esquerda*: Casaco de manhã, não trespassado, com dois botões, frentes separadas distintas, costura da cintura ligeiramente inclinada, cauda longa e lapelas de ângulo baixo. *Centro*: aquela espécie ameaçada, a dignificada casaca trespassada, com lapelas largas, de ângulo agudo, revestidas de seda e fraldas ligeiramente alargadas. Ambos os casacos eram usados com cartola, luvas bengala e botinas com polainas de pano. *Direita*: para a noite, casaca e calças pretas (os coletes podiam ser pretos ou brancos), camisa branca, com frente engomada, colarinho duro e gravata-borboleta estreita eram a ordem do dia e nos pés calçavam-se escarpins de verniz, brilhantes, decorados com laçadas.

43, 44. Para os trajes de manhã, difundiram-se os conjuntos de passeio, não trespassados. As listras eram populares e os acessórios de costume incluíam colarinhos engomados, de ponta virada, bengala e chapéu-coco. *Direita*: conjunto de passeio para o verão, em *tweed* leve, espinha-de-peixe, com barras italianas acentuadas. A bengala, o monóculo e o colarinho engomado de ponta virada acrescentam formalidade, e apenas a palheta e a *bouttonnière* sugerem tratar-se de um traje para o calor do verão. Ambos os conjuntos são de 1912.

penteados. Os jovens às vezes deixavam crescer bigodes, enquanto os homens mais velhos e os marinheiros muitas vezes usavam barba. A reserva puritana limitava as fragrâncias ao mínimo – não mais do que um pouco de água-de-colônia em um lenço passado nos cabelos. Os barbeiros eram confidentes de segredos masculinos, como tingimentos e tentativas de remediar ou disfarçar pontos calvos.

A alfaiataria britânica era considerada a melhor do mundo, e os ricos eram fregueses de alfaiates famosos, longamente estabelecidos na Bond Street e na Savile Row. Entre os principais estavam Gieves e Henry Poole. Uma garantia da realeza era a honra definitiva e impulsionava os negócios. Os mais finos sapatos e botas eram feitos à mão; sapateiros famosos como Lobb conservavam moldes de seus clientes de prestígio. Os calçados tinham biqueiras arredondadas e as polainas era populares. Os melhores fabricantes de chapéus forneciam aos clientes peças personalizadas, que iam de chapéus de ópera a chapéus-coco. O período testemunhou o declínio das cartolas, que, após 1914, ficaram restritas às ocasiões mais formais. A roupa branca tinha de ser impecavelmente lavada. As camisas não tinham fechos de abotoar na frente e tinham de ser enfiadas pela cabeça. Os colarinhos duros de linho, destacáveis, atingiam a desconfortável altura de três polegadas, fazendo eco aos colarinhos fundos e armados da moda feminina. Colarinhos duplos, difíceis de manejar, ancorados às camisas por meio de abotoaduras, eram costumeiros. Alguns toques decorativos discretos eram permitidos: suspensórios coloridos, camisas listradas, lenços vistosos e uma multiplicidade de peças para o pescoço. O homem do mundo estava sempre equipado com uma esguia bengala ou um guarda-chuva bem enrolado. As lojas de departamentos e os catálogos comerciais ofereciam roupas de bom preço, oferecendo também trajes tropicais especiais para os que trabalhavam nas colônias. Não era de bom tom o homem bem vestido deixar transparecer um interesse indevido por roupas, mas, não obstante, ele tinha de ser o modelo acabado de estilo. As palavras-chave eram "arrumado", "discreto" e "adequado". Os cavalheiros valiam-se de seus alfaiates e criados no que dizia respeito a estilo pessoal e aconselhamento sobre as últimas tendências.

Apesar de ter seus dias contados, a sobrecasaca trespassada e longa (logo acima do joelho), de fina lã preta, continuou a ser corrente ao longo de todo o início da década de 1900 como roupa formal para o dia. Muitas vezes, era usada aberta sobre um colete trespas-

45. Conjuntos de passeio americanos, 1912-1913, descritos por alfaiates do Reino Unido como "racy" [vigorosos, estimulantes]. *Da esquerda para a direita:* "American", conjunto com jaqueta audacioso, trespassado, com punhos fundos; "Universal", o tipo mais popular de conjunto de passeio, e o mais informal, o "Drexel", conjunto atrevido, de ombros largos, enfatizando o fato de que os americanos davam preferência a muitos bolsos e, nos trajes de lazer, calças folgadas, de caimento confortável.

sado, uma camisa com colarinho duro com calças combinando ou listradas. Uma cartola completava o conjunto. Ao longo de todo o período, as calças tenderam a ser estreitas, usadas com ou sem barras italianas. Os casacos e conjuntos de manhã tornaram-se substitutos da sobrecasaca na moda. Um casaco de manhã típico não era trespassado e tinha caudas que chegavam à altura dos joelhos.

Gradualmente, o conjunto de passeio sem cintura superou a sobrecasaca e o casaco de manhã. Os conjuntos de passeio apontavam na direção dos conjuntos de negócios do futuro e marcavam a crescente informalidade liderada pela América do Norte. A revista inglesa *Tailor and Cutter* reconheceu a significação do mercado norte-americano e suas necessidades especiais, mas escreveu depreciativamente sobre a "ostentação ianque" e a preferência americana por roupas "vivazes", que um inglês consideraria adequadas apenas como roupas de folga ou para esportes. Prevenidos contra os excessos vulgares do "conjunto americano aberrante", aconselhava aos americanos que viajassem à "terra de roupas masculinas irretocáveis" e visitassem um alfaiate inglês. Num tom mais sério, a revista reportava as iniqüidades das "sweatshops" da Grã-Bretanha e dos EUA e acompanhava o desenvolvimento das greves de alfaiates de 1912 e a introdução dos salários mínimos.

43, 44

45

As ilustrações de eventos noturnos da década de 1900 registram a nuvem multicolorida dos vestidos das mulheres, pontuadas pelo branco e preto estritos de seus acompanhantes. O fraque (com flor de lapela branca) e as calças eram pretos, usados com um colete branco, faixa branca e camisa com colarinho de asa. Luvas brancas e escarpins de dança de verniz eram essenciais e alguns cavalheiros ostentavam monóculos. O *smoking*, a jaqueta de noite menos formal, conhecida nos EUA como *tuxedo* e na França como *monte carlo*, inicialmente era restrito aos eventos noturnos menores, mas logo se tornou corrente.

46

Para uso na cidade, o sobretudo *chesterfield* era recomendado e estava disponível em vários estilos, sendo muito popular a variação elegante, provida de colarinho e vista de veludo. Os *ulsters* [sobretudos com cinta] e sobretudos com capa eram roupas de viagem comuns. Novos tipos de capa de chuva surgiram no mercado e eram anunciados pelos fabricantes como destituídos de borracha e, portanto, inodoros. O número crescente de motoristas podia comprar uma variedade de guarda-pós para cada estação, juntamente com os outros artigos protetores necessários – bonés, óculos e luvas.

Os jalecos eram o equivalente masculino dos *tea gowns*. Em tecidos maleáveis, especialmente o veludo, permitiam que os usuários

38 A MODA DO SÉCULO XX

relaxassem e, contudo, continuassem elegantes. Tanto os jalecos como os roupões eram muitas vezes adornados com alamares, que acrescentavam um toque militar aceitável.

As roupas para lazer e esporte eram projetadas para enfrentar os rigores específicos de cada atividade. Para andar de barco ou jogar *cricket*, vestimentas adequadas eram essenciais e os trajes não podiam ser transferidos de um esporte para outro. Um conjunto de flanela listrado ou uma combinação de calças de flanela

46. "As roupas masculinas estão mortas, mas as das mulheres estão vivas" (um conceito desde então desafiado pelos historiadores do vestuário) era uma teoria corrente em 1904, quando este cartum contrastou o *froufrou* e as curvas de uma bela eduardiana com a tradicional gravata branca e o fraque e calças pretas de seu parceiro.

e um casaco azul-escuro conservador, usados com chapéu de palha, serviam como trajes semiformais aceitáveis. Suéteres esportivos de tricô, de mangas compridas, tornaram-se comuns e estavam destinados a desempenhar um papel importante no futuro. Logo, porém, outras preocupações mais sérias tomaram o centro do palco, à medida que as exigências e estragos da guerra aceleravam o fim da "Era Dourada" e de seus estilos de vida e moda ostentosos.

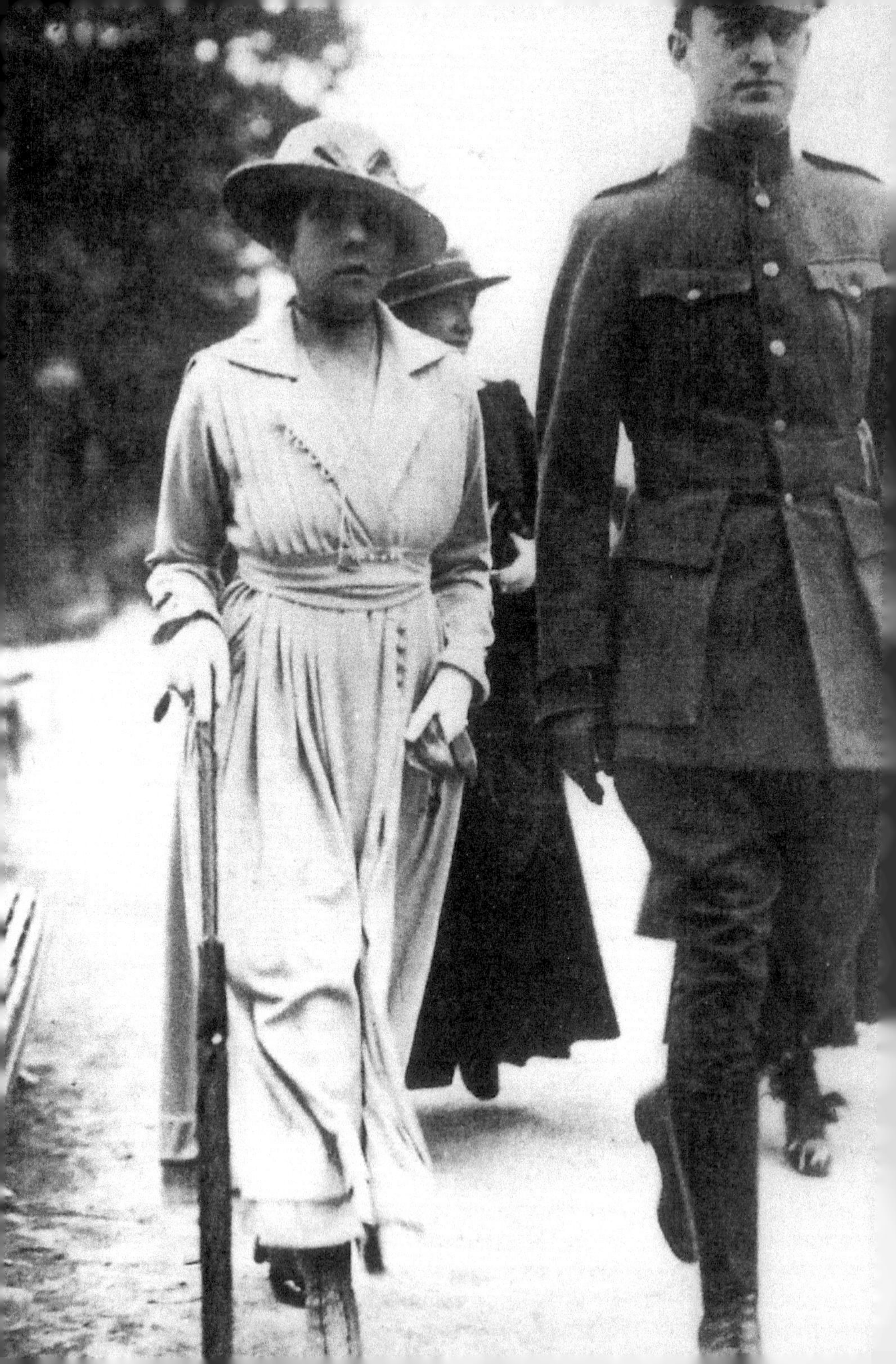

2. 1914-1929
LA GARÇONNE E A
NOVA SIMPLICIDADE

A Primeira Guerra Mundial trouxe mudanças significativas na criação de moda, nos tecidos para roupas e nos métodos de produção de vestuário. Os desenvolvimentos mais radicais foram mais evidentes no vestuário feminino, com impacto especial nos trajes para o dia e para o trabalho. Quando a Alemanha declarou guerra à França, em 3 de agosto de 1914, os preparativos estavam bem adiantados para as coleções de moda de outono em Paris, que foram exibidas, como programado, a uma grande clientela internacional. No fim de 1914, porém, mercados financeiros instáveis e ansiedades quanto aos efeitos da guerra começaram a desintegrar a alta sociedade européia e a ameaçar os gastos costumeiros em luxuosas roupas da alta-costura, enquanto as restrições de embarque significaram que a lucrativa exportação para a América do Norte não podia mais ser garantida. Quando as realidades da guerra dominaram, muitos costureiros se alistaram, deixando muitas das casas que permaneceram abertas sob a direção de mulheres.

Os EUA só entraram na guerra em 1917 e, durante os primeiros anos das hostilidades, sua indústria de moda fez várias tentativas de sustentar as casas de moda francesas, das quais haviam dependido durante muitos anos para liderar a criação de moda. Em novembro de 1914, por exemplo, Edna Woolman Chase, editora-chefe da *Vogue* americana, organizou uma série de festas de moda para levantar fundos para a instituição de caridade nacional conhecida como Secours National. A primeira mostra teve lugar na prestigiosa loja de departamentos de Henri Bendel, em Nova York, e apresentou o trabalho de estilistas americanos, entre eles a Maison Jacqueline, Tappé, Gunther, Kurzman, Mollie O'Hara e o próprio Bendel. Contudo, embora o programa tivesse a intenção de reafirmar a dependência americana diante da criação francesa, surgiram temores em Paris de que os Estados Unidos estivessem aproveitando a oportunidade oferecida pela guerra para promover o talento nacional. Bendel tentou contornar a situação organizando uma festa de moda francesa, em novembro de 1915, para promover os modelos franceses. A organização Condé Nast, então, estabeleceu um fundo (conhecido como "Le Sou du Loyer de l'Ouvrière" [O centavo do alu-

47. Em 1916, a "simplicidade" havia entrado no vocabulário da moda. Um casal europeu do tempo da guerra caminha no parque: ela usa um vestido de dia discreto, com cintura delicada e a nova bainha, terminando logo acima do tornozelo, realçando as botas delicadas, de corte alto, de amarrar em cima. O chapéu, com aba, é decorado com discrição, e as luvas lisas e um guarda-chuva dobrado fornecem os toques finais. Para os muitos homens em serviço militar, o uniforme tornou-se a vestimenta-padrão e era usado com grande orgulho.

guel da costureira]) para dar assistência aos trabalhadores da costura francesa que haviam perdido seus empregos ou que haviam tido seus proventos reduzidos com a diminuição das encomendas.

Apesar dos reveses da guerra, a reputação internacional da moda parisiense permaneceu incontestada e as casas de alta-costura continuaram a ditar em questões de estilo. As mostras semestrais eram promovidas como de costume e, apesar de seu público ser menor, ainda recebiam cobertura da imprensa de moda mundial. Notícias dos últimos estilos continuavam a suscitar grande interesse e, em 1916, a Condé Nast lançou uma edição britânica da influente revista, baseada em Nova York, a *Vogue*.

Durante o primeiro ano das hostilidades, as publicações de alta moda, como a francesa *Les Modes* e a revista britânica *The Queen*, mal mencionaram a guerra. Os desenvolvimentos estilísticos estavam quase parados e os modelos ainda lembravam os do período de 1910 a 1914. A silhueta continuava a ser colunar, a ênfase vertical quebrada por corpetes trespassados, abas, saias em camadas e drapeados. Exceções notáveis foram criadas por Madame Paquin, que ressuscitou as saias de crinolina de meados do século XIX como traje de noite – modelos que podiam ser considerados precursores dos *robes de style* da década de 1920. Os enfeites continuavam a ser importantes e muitos trajes a ser profusamente decorados. Para a noite, rendas e bordados metálicos em prata e ouro eram moda e uma variedade de arremates em pele adornavam roupas para o dia e para a noite.

Em 1915, vários estilistas introduziram referências militares em suas coleções, notavelmente nos trajes para o dia, e houve uma voga da cor cáqui. Jaquetas e conjuntos de corte sóbrio, com silhuetas providas de uma leve cintura, tornaram-se componentes cada vez mais importantes no guarda-roupa feminino. As revistas descreviam esses trajes como "o máximo da elegância" e enfatizavam o fato de que não ficariam antiquados. As jaquetas tinham corte largo até a altura dos quadris, com cintos largos presos folgadamente acima da cintura. Para uso ao ar livre, jaquetas três quartos justas e jaquetas estilo Norfolk ofereciam proteção confortável. Tradicionalmente, as roupas da moda feminina raramente incluíam bolsos, mas, agora, bolsos chapados, espaçosos e práticos, tornavam-se uma característica proeminente, ecoando o funcional uniforme militar. Passamanes em estilo militar eram *de rigueur*; galões e alamares eram usados para decorar paletós e conjuntos. Casquetes ofereciam uma alternativa moderna aos chapéus mais convencionais. Como a lã era essencial para os uniformes, a sarja (tecido de ligamento em diagonal com urdume de lã penteada e trama de

48, 49, 50. *Página ao lado:* costumes de alfaiataria para senhoras, da Foster Porter & Co. Ltd., do leste de Londres, para a primavera/verão de 1914. Elegantes, práticos e vendidos prontos, conjuntos como estes eram usados pelo número crescente de mulheres de classe média (geralmente solteiras) que tinham de trabalhar fora. Modelados na silhueta da moda, os conjuntos tornavam-se distintos por causa do padrão e da cor do tecido e de detalhes interessantes, como colarinhos adornados com cetim, guarnições e meio-cinto nas costas, detalhamento de botões e formato de bolsos e lapelas. O conjunto de cima foi feito em xadrez preto e branco, o modelo do meio estava disponível em "sarja castanho-claro, saxe, marinho, roxa e preta", e o modelo de baixo em "sarja tango, cinza, roxa e castanho-claro". Um chapéu elegante oferecia o toque final, essencial.

51. *Direita:* as roupas (notavelmente similares) usadas por estas duas elegantes jovens marcam o período de transição entre os estilos iniciais do pós-guerra e o visual *garçonne*, de meados da década de 1920. As saias tornaram-se um tanto mais curtas, a meio-caminho entre o joelho e o tornozelo. Ambas as mulheres usam chapéus com aba (o da esquerda, decorado) e blusas estampadas que ainda enfatizam a cintura. Sapatos de couro com presilhas, como estes, ainda estavam na moda para os trajes de dia de mulheres adolescentes e na casa dos vinte.

lã) muitas vezes era usada como substituta em trajes sob medida, e o fustão era apresentado como um tecido durável da moda. *Trenchcoat** completos, incluindo os punhos "tempête"**, eram adequados para o uso dos civis, e companhias britânicas como a Aquascutum e Burberry ofereciam séries elegantes.

* Casacos utilizados como proteção para os dias de chuva: Capas de chuva. (N. do R. T.)

** Punhos "tempestade" confeccionados com presilhas para se ajustarem ao pulso, impossibilitando a passagem de água, por vezes, duplos ou dobrados para cima. (N. do R. T.)

Um dos desenvolvimentos mais notáveis em 1914 foi a mudança das estreitas saias-funil para modelos largos, em forma de sino, alguns com camadas sobrepostas, plissados ou pregas. Essa nova silhueta tornava as anáguas elaboradas novamente essenciais e as lojas ofereciam uma série de modelos, cheios de babados, alguns divididos, com pernas largas. Em 1916, as bainhas haviam subido duas ou três polegadas acima do tornozelo, tornando os calçados mais proeminentes. Botinas de salto alto, até o nível da barriga da perna, abotoadas ou amarradas, forneciam proteção elegante e eram fabricadas em todos os níveis do mercado, muitas vezes em dois tons – geralmente bege ou branco, combinando com preto ou verniz.

Em 1916, as exigências da guerra estavam afetando mesmo os mais ricos. Com a escassez de empregados, roupas que exigiam procedimentos elaborados para lavar, passar e vestir logo deixaram de ser práticas e os modelos começaram a ser modificados para se acomodarem à escassez da guerra e a estilos de vida mais modestos. Os trajes de noite desempenhavam um papel progressivamente menor nas coleções de estação, e a procura vinha principalmente dos EUA. Como não era mais possível observar o protocolo pré-1914, de, pelo menos, quatro mudas de roupa por dia, os anos da guerra viram também o declínio do *tea gown*. Cores escuras, esmaecidas, predominavam e mostravam-se inteiramente adequadas aos tempos sombrios. Para o luto, o preto continuou a ser usado, e o crepe continuou a ser o tecido aprovado, mas as regras que governavam os funerais e a etiqueta do luto foram relaxadas porque muitas mulheres que contribuíam para o esforço de guerra não podiam segui-las. Sentia-se, porém, que, mesmo em tempos de luto, a moral devia continuar alta, e os jornais de moda ofereciam soluções elegantes em preto para o vasto número de mulheres que haviam passado por perdas.

Mudanças nas roupas para o dia, mais do que em qualquer outra área do vestuário, prepararam o caminho para a moda do pós-guerra. A partir de 1916, muitos estilistas concentraram-se em roupas fáceis de usar. A blusa sem abotoamento, em particular, constituía uma roupa prática e na moda, para ser usada com uma saia ou um conjunto. Era uma peça de vestuário incomum para as mulheres, pelo fato de ser colocada pela cabeça e não ter nenhum tipo de fecho. Usada antes para fora da saia, ao invés de enfiada nela, chegava pouco abaixo dos quadris e, às vezes, tinha gola de marinheiro, um cinto ou uma faixa. A blusa sem abotoamento era geralmente feita de algodão ou seda e tornou-se um elemento importante na moda da década de 1920. Os cardigãs de tricô também se tornaram populares, assim como os "casacos esportivos de tricô", mais pesa-

52. Gabrielle Chanel com a tia, Adrienne, diante da primeira butique da estilistas, em Deauville, 1913. Ambas exemplificam a elegância discreta que tornaria Chanel famosa.

53. *Página ao lado*: "Costumes de jersey" de Chanel, de *Les Elégances Parisiennes*, março de 1917. Combinando funcionalidade e elegância, estes conjuntos de jérsei delicadamente bordados são compostos de uma blusa de decote aberto, *marinière*, frouxamente presa por cinto e a nova saia, mais curta e cheia. O modelo à direita tem cinto com fivela dupla, originário da selaria (Chanel era uma excelente amazona) e a figura central está usando sapatos de dois tons, um estilo que continuou a ser uma assinatura da casa.

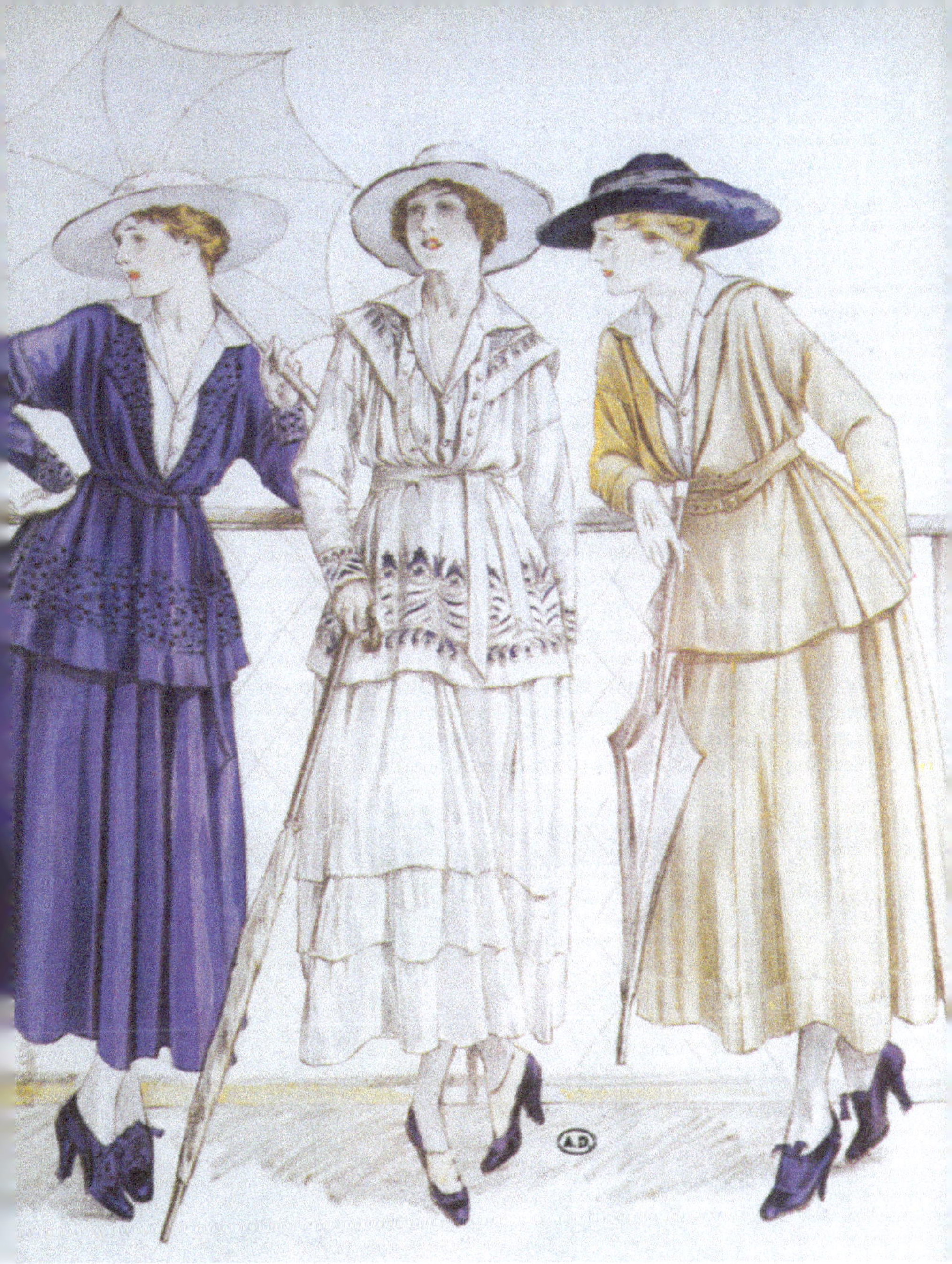
A.D.

dos, para uso ao ar livre. Além de comprarem roupas feitas a máquina, muitas mulheres também tricotavam peças para si e para suas famílias. Os decotes dos vestidos e blusas continuaram baixos, muitas vezes com profundos decotes em V, mas as *chemisettes* ou "recheios" eram, muitas vezes, presas por alfinete, em favor da modéstia, prática que se manteria durante toda a década de 1920.

Pode-se dizer que foi a jovem Gabrielle Chanel quem fez o máximo para transformar os modelos de moda da guerra, observando e desenvolvendo essas tendências rumo a um vestuário mais informal e esportivo. Depois de iniciar a carreira como chapeleira em Paris, Chanel abriu sua primeira loja, vendendo roupas para o dia e chapéus, em Deauville, em 1913, e logo atraiu clientela entre os refugiados ricos da região, que estavam fugindo das realidades da Paris em guerra. Capitalizando o sucesso dessa loja, ela abriu uma *maison de couture* em Biarritz, em 1915, e apresentou sua primeira coleção de alta-costura no outono de 1916. As roupas despojadas e esportivas de Chanel provariam ser ideais para os anos de guerra. Seus conjuntos de duas peças, capas e paletós de jérsei, versáteis, claramente usáveis, causaram sensação em virtude de sua simplicidade. O jérsei fora usado anteriormente para roupas esportivas e roupas de baixo masculinas, mas Chanel fez do prosaico tecido o máximo em moda. As mulheres adoravam suas roupas e os fabrican-

54. Durante a Primeira Guerra Mundial, as mulheres britânicas assumiram trabalhos diferentes, em casa e no fronte, e seu trabalho foi documentado por fotógrafos oficiais, ligados ao Ministério da Informação. Esta fotografia mostra um membro da Real Força Aérea Feminina.

tes logo reconheceram seu potencial comercial. Em 1917, a Perry, Dame & Company, com base em Nova York, ofereceu a seus clientes de reembolso postal, por apenas $ 2,75, "uma blusa de marinheiro, de caimento perfeito, toda em jérsei de lã", com colarinho, punhos e bainha de lã penteada – um estilo que lembrava claramente os modelos vistos nas coleções de Chanel.

Em 1917, um punhado de estilistas parisienses, que incluía Paquin, Doeuillet e Callot Soeurs, introduziram a saia-barril, mas esse estilo, um tanto extremado, de corte exageradamente largo nos quadris, que lembrava a forma cheia do *pannier* (vestido cesta) do século XVIII, teve pouco impacto, já que os modelos mais contidos eram considerados agradáveis e mais adequados aos tempos difíceis. Além disso, a participação das mulheres no esforço de guerra tornava essenciais as roupas práticas.

A partir de 1916, à medida que cada vez mais homens se alistavam, as mulheres foram encorajadas a entrar para a força de trabalho, realizando trabalho árduo, muitas vezes altamente especializado, nas indústria de munição, transporte e produtos químicos, além de nos hospitais e nos campos. Isso levou a novas abordagens do vestuário de trabalho. Tabus há muito vigentes contra roupas bifurcadas vieram por terra à medida que as mulheres, especialmente as jovens, adotavam culotes para o trabalho agrícola e calças, macacões e jardineiras folgadas para o trabalho nas fábricas e nas minas. Uma trabalhadora típica da indústria de munição vestia uma jaqueta três quartos de pano grosso, folgada, presa por cinto, calças até os tornozelos, meias pretas e sapatos de couro, com salto baixo, amarrados em cima. O cabelo muitas vezes era repartido ao meio, preso na nuca em um coque frouxo, coberto com uma touca de proteção.

As mudanças na linha e na forma das roupas exteriores foram acompanhadas por desenvolvimentos na roupa de baixo. Embora os espartilhos continuassem a ser usados, a ênfase mudou, passando da função de moldar o corpo para a de sustentá-lo. No Reino Unido, a grande fábrica Symington, em Leicester, introduziu um papel comprimido, chamado Fibrone, como substituto eficaz da armação e usou botões para o fecho no lugar das barbatanas metálicas. Além de economizarem recursos escassos, esses espartilhos eram particularmente úteis para as trabalhadoras das fábricas de munição, que não tinham permissão para usar roupas que contivessem metal. Em 1916, o sutiã havia se desenvolvido, a partir do corpete de busto.

Ao longo de toda a guerra, muitas oficinas e fábricas de roupas foram reformuladas para produzir uniformes militares padronizados – uma medida que teria impacto significativo na produção de roupas femininas. Livres da tirania das mudanças sazonais da moda, muitas empresas expandiram sua capacidade de produção e empre-

55. O primeiro sutiã, desenhado por Mary Phelps Jacob (Caresse Crosby) e patenteado por ela em novembro de 1914. Como todos os primeiros sutiãs, até meados da década de 1920, não tinha barbatanas e destinava-se antes a achatar que a enfatizar a forma dos seios.

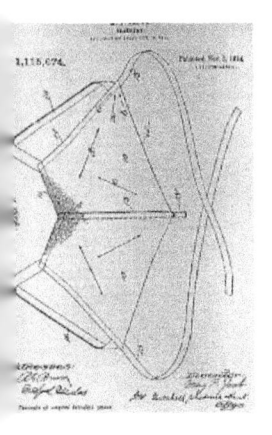

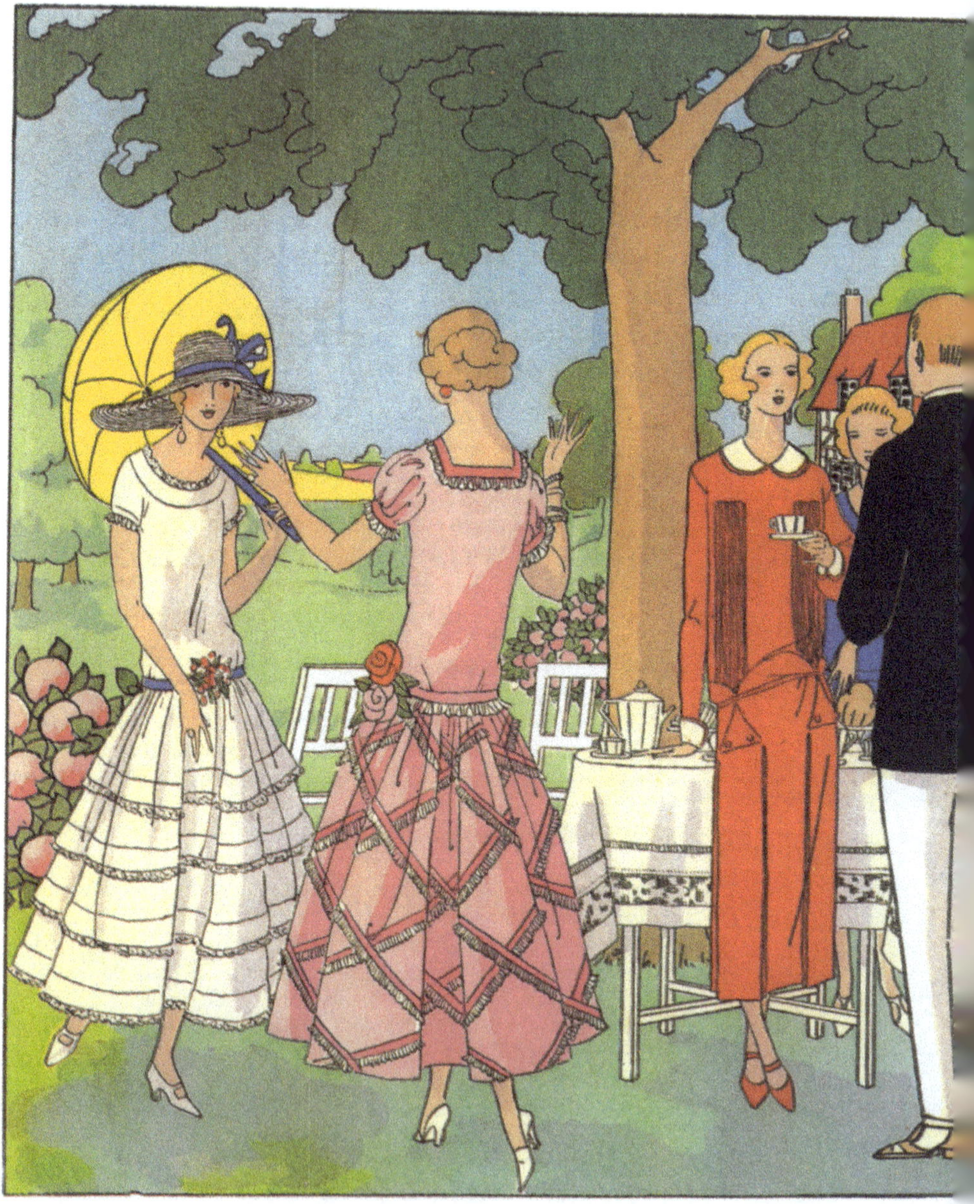

garam uma divisão de trabalho maior para conseguir produção veloz e em grande quantidade. Embora a maioria das unidades de produção tenha permanecido pequena (menos de dez empregados) e tenha se tornado intensiva antes na força de trabalho que na produção, algumas organizações maiores adotaram desenvolvimentos tecnológicos como a faca de fita (introduzida em fins da década de 1850 por John Barran, em Leeds, Inglaterra), que cortava grandes quantidades de pano de uma só vez. Em 1914, a Reece Machinery Company, nos EUA, inventou a máquina de casear. Usada inicialmente para o acabamento de uniformes militares, ela se revelaria indispensável para os produtores de moda dos anos pós-guerra. A indústria como um todo também se tornou mais bem organizada e, acompanhando o movimento nos EUA, formou-se na Grã-Bretanha, em 1915, o Sindicato de Alfaiates e Trabalhadores da Indústria de Roupas, para consolidar termos e condições de trabalho.

No pós-guerra, Paris continuou a dominar a moda internacional, e casas de alta-costura revitalizadas viram uma explosão de ven-

56. *Página ao lado*: a transição dos estilos românticos para os modernos é revelada nesta ilustração de 1924, pela comparação dos *robes de style* (esquerda e centro), altamente decorados, com o modelos *garçonne*, mais curtos e lineares (direita). Os *robes de style*, apesar de mais intimamente associados a Lanvin, eram feitos pela maioria dos costureiros da época. Estes exemplos são de Patou, ao passo que o traje mais simples é um modelo de Doucet.

57. Túnicas "mãe e filha" bordadas eram uma especialidade de Jeanne Lanvin. Lanvin começou a carreira como chapeleira, mas foi levada à alta-costura quando criou um guarda-roupa para a filha. Esta ilustração, "Vive Saint Cyr!", de Pierre Brissaud, para a *Gazette du bon ton*, julho de 1914, mostra a mãe usando um vestido romântico, com cintura e em camadas, enquanto a filha usa o estilo mais curto, reto, que acabaria por prevalecer.

58. Vestidos de noite de Lucile (Lady Duff Gordon). Lucile estivera à frente do estilo romântico e, mesmo em 1923, quando o novo visual, juvenil e masculinizado, estava começando a entrar na moda feminina, ela ainda produzia "vestidos-quadro" do tipo mostrado aqui. O fato de não ter acompanhado os tempos pode ter sido uma das causas do colapso de sua empresa, no mesmo ano. *Da esquerda para a direita*: tafetá azul e renda; *faille* cor de palha e renda prateada; crepe marfim com bordado dourado.

das. A grande procura por vestidos de casamento imediatamente após a guerra deu à indústria o impulso de que necessitava muito, assim como o fizeram as taxas de câmbio preferenciais de libra e dólar perante o franco, o melhor transporte aéreo e marítimo e a rede de comunicações cada vez mais refinada. O ano de 1921 testemunhou o lançamento bem-sucedido da *Vogue* francesa, que gerou grandes vendas dentro e fora do país. Muitos estilistas expandiram suas casas de moda, alguns empregando até 1.500 artesãos altamente habilidosos nos estúdios de alfaiataria e costura e nas oficinas de bordado e acessórios.

A indústria tornou-se ainda maior, à medida que os estilistas começavam a diversificar e produzir roupas e artigos esportivos de alta qualidade, prontos para uso, e passavam a introduzir linhas de difusão altamente lucrativas, como a de perfumes. Poiret havia lançado sua própria série de perfumes antes da guerra, mas Chanel foi a primeira estilista a colocar seu nome em um vidro de perfume. Lançado em 1921, o Chanel "No. 5" foi elaborado por Ernest Beaux, o perfumista que se tornou famoso pelo uso inovador de aldeídos sintéticos para ressaltar o aroma de ingredientes naturais caros, como o jasmim. A própria Chanel desenhou o recipiente, modernista, no estilo dos vidros farmacêuticos, provocando uma tendência de distanciamento dos recipientes preciosistas e curvilíneos. Outras casas seguiram imediatamente o exemplo e as vendas de perfume, desde então, mostraram-se altamente lucrativas.

Durante a primeira metade da década de 1920, a moda seguiu dois cursos – o tradicionalmente feminino e o mais modernista. Nos EUA, Tappé, em Londres, Lucile, e, em Paris, Paquin, Callot Soeurs, Martial et Armand e, principalmente, Jeanne Lanvin, estavam na dianteira do movimento romântico. Esses estilistas deliciavam-se em criar roupas sonhadoras, em tafetá ou anchamalote, organdi e organza, em tons pastéis, açucarados, enfeitados com fitas, flores de pano (muitas vezes na faixa da cintura) e renda. Os modelos valiam-se de fontes exóticas e históricas, culminando, muitas vezes, no *robe de style* ou "vestido quadro", com corpete armado, cinturado e com saias esvoaçantes, que chegavam pouco acima do tornozelo. Chapéus em estilo pastora, adornados com fitas e sapatos pon-

59. Capa de *La garçonne* (1922), de Victor Margueritte, o romance que, acredita-se, deu nome ao visual da moda da década de 1920. A ilustração representa a heroína escandalosa do livro, Monique Lerbier, que usava cabelos curtos, jaqueta masculina e gravata, e deu à luz fora do casamento.

60. Jovem *garçonne* da moda, usando um vestido de tarde em crepe-da-china malva, da Velly Soeurs, c. 1926.

tudos, atados com fitas de seda, completavam o visual. Vestidos "mãe e filha" de Lanvin, em cores pastel, são a síntese desse estilo e foram imortalizados nas refinadas gravuras de moda de Georges Lepape, Benito, André Marty e Valentine Gross, entre outros.

O que determinaria a moda do pós-guerra, porém, seria o visual *garçonne* – a própria antítese do estilo romântico. Dizem que o termo originou-se da novela sensacionalista de Victor Margueritte, de 1922, *La garçonne*, que conta a história de uma jovem progressista, que deixa a casa da família em busca de uma vida independente. O visual *garçonne* era antes uma aspiração que uma realidade já que relativamente poucas mulheres realmente experimentavam a liberdade social, econômica e política. No Reino Unido, por exemplo, apesar de mulheres acima de trinta anos, casadas, chefes de família ou com diploma universitário terem recebido o direito ao voto, foi só em 1928 que esse direito foi estendido a todas as mulheres bri-

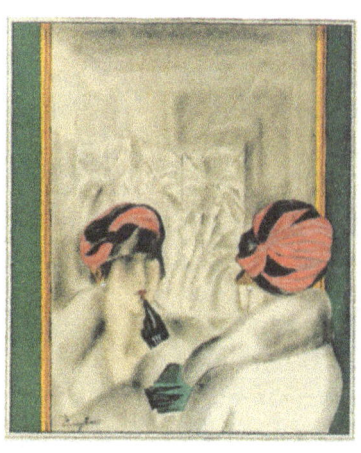

61. *Acima*: o *cloche* foi o modelo de chapéu mais popular da segunda metade da década de 1920. Esta versão inicial, do tipo turbante, feito de veludo, é de Marthe Collot, 1924-5.

62, 63, 64. *Esquerda, nesta página, e página ao lado*: modelos de Jacques Doucet, 1924-5. Da esquerda para a direita: vestidos de dia adaptados das linhas das túnicas de Doucet antes da guerra; um elegante vestido de cintura baixa, em tecido xadrez, usado com um casaco com forro combinando, e um chapéu *cloche*; um vestido de noite com bainha partida e irregular, e um vestido de noite com um dramático casaco de teatro, com colarinho alto. Estes modelos foram criados perto do fim da carreira de Doucet – ele morreu em 1929.

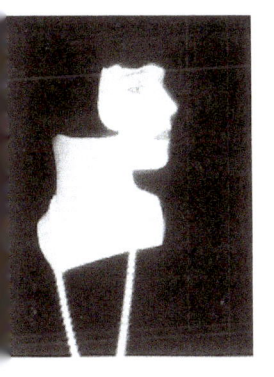

1914-1929: *LA GARÇONNE* E A NOVA SIMPLICIDADE **53**

tânicas. E, embora as mulheres americanas houvessem conquistado o direito de votar nas eleições presidenciais em 1920, sua independência, recém-conquistada, foi restringida após a guerra, quando, como as mulheres européias, foram encorajadas a voltar ao lar e reassumir o papel de esposas e mães em tempo integral e a abrir espaço para os homens que estavam voltando da guerra.

O visual *garçonne* ou *jeune fille* desenvolveu-se durante os anos imediatamente após a guerra e chegou ao seu auge em 1926, continuando, com poucas modificações, até 1929. Era um estilo jovial, meio moleque, que, por exigir uma figura pré-adolescente, trouxe uma mudança drástica no físico desejável para a moda e inundou as páginas de moda com adjetivos como "esbelta", "esguia" e "delgada".

Os penteados também seguiram a voga jovial e andrógina. As mulheres mais avançadas passaram a usar cabelo curto em 1917 e, no início da década de 1920, muitas outras acompanharam a tendência. Usava-se brilhantina para manter brilhantes e lustrosos os

65. A atriz de Hollywood, Louise Brooks, cuja vívida beleza, cabelos curtos e elegantes e vitalidade personificam a deusa da década de 1920.

cabelos curtíssimos. Cabelos longos eram geralmente penteados para cima, enfeitados para a noite com ornamentos como pentes espanhóis, com engastes altos, decorados e com longos dentes curvos. Em 1926, os penteados curtos tornaram-se a norma, e as mais atrevidas adotaram o corte conhecido como "Eton crop", que lembrava o corte usado pelos garotos nas escolas. Cabelos curtos, naturalmente, eram essenciais sob o onipresente chapéu *cloche*. Em forma de sino, geralmente de feltro, ficava justo na cabeça e cobria a testa. O rosto era ressaltado com cosméticos, usados agora com muito mais abundância do que antes. A indústria de beleza prosperou, à medida que jovens da moda começavam a depilar as sobrancelhas, até que se tornassem arcos finos, e a ressaltar os olhos com linhas escuras de *kohl* e a aplicar cores fortes nos lábios – às vezes, mesmo em público.

Ao longo de todo o período, as modelos profissionais (geralmente contratadas para uma casa de moda específica) foram geralmente anônimas, ao passo que as mulheres bonitas da alta sociedade, estrelas do cinema e atrizes eram celebradas em revistas de moda, recebendo, às vezes, cobertura mais extensa do que os estilistas cujas roupas endossavam. O cinema tornou-se um líder de estilo especialmente poderoso. O público ficava encantado com *vamps* do cinema mudo, como Theda Bara, Pola Negri e Clara Bow, embora não fosse adequado transpor suas aparições teatrais para a vida cotidiana. Contudo, após a introdução do som, em 1927, houve uma tendência para maior realismo. Quando estrelas como Joan Crawford, Louise Brooks e Gloria Swanson foram colocadas no papel de melindrosas, inspiraram milhões de mulheres a copiar suas roupas, penteados e cosméticos, além dos seus maneirismos. As revistas para fãs, surgidas pela primeira vez em 1911, revelavam as rotinas de beleza e os guarda-roupas dos astros. Atores como Rudolph Valentino e Douglas Fairbanks ofereciam novos padrões de estilo para os homens. Ina Claire levou o visual Chanel para a Broadway e a graciosa Gertrude Lawrence usou os conjuntos de pijama de Molyneux no palco.

A simplicidade que caracteriza o visual *garçonne* fica evidente antes no corte que no tecido. O vestido *chemise*, de corte reto, iria tornar-se a linha dominante para os trajes de dia e noite. Os trajes pendiam dos ombros, enquanto a cintura descia ao nível dos quadris. Chanel e Patou foram os principais expoentes do estilo *garçonne*, e a primeira, cuja aparência era o exemplo acabado de seus modelos, recebia a maior parte da cobertura da imprensa. Outras casas parisienses de primeiro nível incluíam Doucet, Jenny, Lanvin, Paquin, Doeuillet, Molyneux e Louiseboulanger. Embora Poiret se

66. Vestidas para uma ocasião especial, durante o dia, c. 1926, estas jovens da moda usam chapéus *cloche*, vestidos decorados, de cintura baixa, com casacos combinando. As longas fieiras de contas foram onipresentes no período.

adaptasse às tendências do pós-guerra, já não estava mais na vanguarda e as três barcas "Poiret", ancoradas no Sena durante a Exposição de Paris de 1925, onde foram exibidos roupas, perfumes e alimentos, seriam seu canto do cisne. Nos EUA, Hattie Carnegie, Omar Kiam e Richard Heller conseguiram sucesso financeiro, assim como, a partir de 1927, o recém-estabelecido estilista britânico Norman Hartnell. A nenhum deles, porém, foi concedida a posição nem o prestígio associados a Paris.

Ao longo de toda a primeira metade da década de 1920, houve incerteza quanto à direção futura da bainha. Chanel e Patou regularmente defendiam o comprimento menor, e essa moda fez muito para estimular a procura por meias. As meias de seda continuavam a ser as mais desejáveis, geralmente em cores lisas – branco, preto e tons neutros de bege e cinza eram os mais populares, com decoração normalmente limitada a pinhas discretamente bordadas. Modelos mais vistosos, em xadrez e tartã, eram usados com roupas esportivas. Os estilos de calçado mais comuns eram os escarpins com salto cubano e sapatos com tiras cruzadas e em T. O material dos sapatos incluía couros lisos ou em dois tons e peles de répteis, para o dia, e tecidos bordados e brocados, sedas e pelica dourada, para a noite, com fivelas de pedras preciosas e inserções decorativas nos saltos.

Embora o corte das roupas fosse geralmente despojado, os tecidos eram altamente decorados, especialmente depois do anoitecer. Desenhos *naïfs*, motivos folclóricos eslavos, ricamente coloridos, introduzidos em Paris por imigrantes russos, após a revolução de 1917, tornaram-se uma fonte notável durante os primeiros anos da década. Seguindo a abertura do túmulo de Tutancâmon, em fins de 1922, houve também uma voga por motivos egípcios, com escaravelhos e flores de loto entre os muitos motivos associados que inspiravam os tecidos da moda. Clientes ricos podiam escolher entre um enorme leque de padrões, que iam de audaciosos desenhos modernos a repetições baseadas em fontes históricas, muitas vezes do

67. *Abaixo, à esquerda*: a longa túnica assimétrica de *Les Tissus d'Art*, com echarpe combinando, usado sobre um vestido plissado, de c. 1923, revela a influência do antigo Egito no corte e nos motivos têxteis dos trajes da moda, depois da descoberta do túmulo de Tutancâmon, em fins de 1922.

68. *Acima*: conjunto de Paul Poiret, c. 1925. Embora o espírito da moda estivesse mudando, os desenhos decorativos de Poiret continuaram a ser desejáveis durante o início da década de 1920. O vigoroso desenho em preto e branco desta jaqueta de mangas abertas estava perfeitamente afinado com a voga de modelos com influências folclóricas russas, egípcias, indochinesas e européias.

século XVIII. Uma loucura por *chinoiserie* estimulou a produção de uma profusão de tecidos e estampas ornamentados e ricamente coloridos. Têxteis estampados *devoré* foram especialmente populares. O corte das roupas de noite era reto, às vezes em estilo de túnicas gregas, com inserções laterais e decotes baixos com alças finas nas costas. Sedas finas com brocados e lamês de ouro e prata, concebidos por grandes artistas têxteis e produzidos nas fiações de Lyon, eram combinados com finos ornamentos de bordado e contas, para demonstrar as habilidades da alta-costura com o máximo de efeito.

Também de Lyon vieram os exemplos mais dramáticos e sofisticados de xale – um acessório altamente popular do início da década de 1920 até o início da década de 1930. Caindo de várias maneiras sobre o corpo, muitas vezes com franjas de seda, os xales acrescentavam novas dimensões às formas colunares dos modelos vigentes. Também ofereciam calor e conforto por sobre os trajes finos da década. Além dos xales com brocados de Lyon, havia peças com ricos bordados, importadas da Índia e da China, além de versões pintadas a mão por artistas proeminentes.

Alguns estilistas criaram túnicas decoradas com contas brilhantes; outros acrescentaram franjas com contas ou bainhas franjadas, que enfatizavam os movimentos dos passos de dança da moda. Um recurso decorativo mais discreto assumiu a forma de "bordados torcidos" – tranças finas de tecido, aplicadas à superfície do traje em padrões decorativos ou acrescentadas às bainhas, formando bordas ou fímbrias decorativas. Os sapatos e as bolsas muitas vezes eram feitos de maneira que combinassem com os trajes de noite, e as bolsas tornaram-se maiores para acomodar acessórios que acabavam de entrar para a moda como estojos de cosméticos, cigarreiras e cigarrilhas.

É um mito da história da moda a afirmação de que as mulheres abandonaram os espartilhos durante a década de 1920. Alguns "brilhantes modelos jovens", muito propagandeados, realmente deixavam de lado os espartilhos e ligas, as meias sendo enroladas até acima do joelho – um visual muito satirizado nas caricaturas contemporâneas da mulher moderna –, mas, para a maioria das mulheres, espartilhos elásticos longos, cilíndricos, ofereciam sustentação e serviam para suprimir curvas femininas na busca pelo visual da moda. Também foram adotados substitutos mais macios do espartilho, como os "roll-ons" e "step-ins", com fechos de zíper na lateral. (O zíper, originalmente conhecido como "slide fastener" – fecho de correr –, foi inventado na década de 1890 e patenteado como *zipper* em 1923). A camisola de uma peça desenvolveu-se a partir da *chemise* e algumas versões tinham corte bem baixo nas

69. 'Le Chale Bleu Echarpe de Rodier", da *Gazette du bon ton*, 1923. O xale foi um acessório altamente desejável na década de 1920. Podia transformar um traje simples e ser usado a qualquer hora do dia, quase que em qualquer ocasião. O produtor têxtil de primeira linha, Rodier, usou a bela lã azul estampada para criar este vestido combinando com o xale.

costas para serem usadas com vestidos de noite. A seda e o algodão eram os tecidos mais populares para as roupas de baixo, e as cores mais vendidas eram branco, marfim e tons de pêssego. Eram decoradas com desenhos em ponto *à jours*, bordados ou apliques. Havia também cores mais vivas e tons de limão, malva, azul celeste, coral, verde, preto e rosa eram anunciados por lojas de *lingerie* e lojas de departamentos.

Jóias que eram orgulhosa e desafiadoramente falsas tornaram-se o novo acessório da moda na década de 1920. Tradicionalmente, a função das pedras artificiais fora oferecer cópias enganadoras de originais preciosos. Chanel, que abrira suas próprias oficinas de joalheria em 1924, zombava dessa convenção idealizando jóias com pedras de massa vítrea e pérolas falsas em cores e tamanhos que desafiavam a natureza. Ela acreditava que as jóias deviam ser usadas como enfeite, não como ostentação de riqueza. Virando a tradição de ponta-cabeça, ela mesmo usava, durante o dia, jóias que, normalmente, teriam sido consideradas adequadas apenas para a noite – colares de pérolas falsas ou seus característicos colares ou bro-

70. Jóias de Chanel, 1929. Chanel ajudou a tornar as jóias falsas aceitáveis para a elite da moda. A plumagem, os olhos e garras dos broches com um pássaro e um flamingo estilizados são ressaltados com pedras de vidro vermelhas e *diamanté*.

1914-1929: *LA GARÇONNE* E A NOVA SIMPLICIDADE

ches de pedras coloridas, inspirados em jóias renascentistas e bizantinas. Para a noite, freqüentemente evitava as jóias por completo.

Na enorme Exposition Internationale des Arts Décoratifs et Industriels Modernes, montada em Paris, em 1925, objetos *art deco* profusamente ornamentados, muitos quais se valiam de estilos que reviviam o século XVIII, foram exibidos juntamente com obras resolutamente minimalistas. Contudo, as linhas lisas, angulares e geométricas do modernismo logo dominaram a moda e o *design* têxtil. Branco, preto, cinza e bege neutros eram as cores mais na vanguarda e, nas raras ocasiões em que se usavam padrões, estes tendiam a ser lineares e geométricos. A artista Sonia Delaunay exibiu exemplos de seu trabalho em artes aplicadas na sua butique, Simultané, em Paris, que dividia com o costureiro e peleteiro Jacques Heim. Delaunay acreditava que as belas-artes deviam ser integradas ao cotidiano e desenvolveu projetos têxteis a partir de suas pinturas cubistas órficas, que exploravam a ilusão de movimento criada pela justaposição de cores e formas. Em contraste com a voga vigente dos tons neutros, seus tecidos eram caracterizados por padrões em diamante e círculo, em cores brilhantes, usados em roupas esportivas vistosas, com acessórios combinando. Na Rússia, os construtivistas, entre eles, Varvara Stepanova, propunham modelos de roupas e tecidos para a nova sociedade, combinando as imagens folclóricas tradicionais com desenhos tirados da indústria e da tecnologia modernas.

Em 1925, a fotografia em preto e branco substituíra as ilustrações como principal registro e comunicação da expressão da moda. A iluminação clara e o foco nítido permitiam que o corte, a construção e as texturas dos tecidos fossem mostrados com clareza, embora os editoriais tivessem de fornecer os detalhes de cor. Aos notáveis pioneiros da fotografia de moda, Baron de Meyer e Edward Steichen, juntaram-se recém-chegados criativos. Man Ray tirou fotografias surrealistas de modelos da exposição parisiense de 1925, exibidos em manequins de alfaiate, não modelos vivos. Cecil Beaton estabeleceu-se como fotógrafo de retratos da sociedade de alto nível, e George Hoyningen-Huene, que se tornou famoso pelas fotografias de roupas esportivas e pelo uso de ambientações clássicas, esteve entre os primeiros a fazer uso extenso de modelos masculinos.

A iconografia dos esportes e a criação de roupas esportivas tornaram-se um foco da nova modernidade. Os costureiros abriram departamentos especializados, e nenhum levou mais a sério esse aspecto do vestuário que Patou, que produzia criações para esportistas profissionais. Sua cliente mais famosa foi a campeã de tênis fran-

71. A campeã de tênis Suzanne Lenglen, que venceu as finais de Wimbledon de 1919 a 1926, teve uma associação bem próxima com o costureiro Jean Patou, que a vestia dentro e fora das quadras. Aqui, ela é vista em 1925, usando um traje de tênis de Patou. Sobre a saia plissada, ela usa um suéter sem mangas, derivado de um colete masculino, e, em volta da cabeça, um bandó – um estilo que foi muito copiado.

60 A MODA DO SÉCULO XX

72. Traje de banho de malha, de duas peças, de Patou, 1928, fotografado por George Hoyningen-Huene. Patou estava no auge do sucesso na década de 1920 e teve uma das maiores casas de moda, exibindo até 350 modelos por estação. Sua produção de roupas esportivas foi prodigiosa. Em 1925, ele abriu uma empresa especializada em roupas esportivas, a Coin des Sports.

cesa, Suzanne Lenglen, que ele vestia dentro e fora das quadras. Em 1921, Lenglen causara sensação ao fazer um jogo em uma roupa de Patou composto de um largo bandó na cabeça e uma saia plissada, com o comprimento logo abaixo do joelho, a qual, quando ela corria, revelava a parte de cima de suas meias (que iam até logo acima do joelho). Patou também criou roupas especializadas para natação, equitação, golfe e esqui, e a mistura de funcionalismo ergonômico e estilo influenciaram suas coleções para as linhas principais. Em 1924, aproximou-se do mercado americano ao importar seis americanas de aparência atlética para desfilarem suas roupas em Paris. Jane Regny, esportista, além de estilista, trouxe a

1914-1929: *LA GARÇONNE* E A NOVA SIMPLICIDADE **61**

própria experiência e conhecimento de roupas esportivas para suas coleções, e Lanvin e Lucien Lelong também foram excelentes nesse campo.

A loucura por atividades esportivas profissionais e amadoras coincidiu com o endosso científico das propriedades saudáveis da luz solar. Pela primeira vez, a pele bronzeada entrou na moda, evidenciando o lazer e a riqueza necessárias para obtê-la – idealmente em estâncias cosmopolitas à beira-mar. O *design* de roupas de banho passou por mudanças dramáticas durante os anos após a guerra, os novos trajes expondo audaciosamente o corpo à visão pública e ao sol. Roupas de banho de uma peça, feitas em malha, haviam surgido pela primeira vez em torno de 1918 e, em meados da década de 1920, as mulheres estavam descartando a desajeitada variedade composta de túnica e calções em favor de modelos menores de uma peça. À medida que a década avançava, os trajes foram se tornando ainda menores. As mangas foram eliminadas e os calções foram para o nível das coxas. As roupas, tanto para homens como para mulheres, tinham sobre-saias que ocultavam a virilha, mas essa modéstia fora geralmente abandonada em meados da década. Toucas de borracha também haviam se tornado disponíveis na mesma época, completando o visual esguio e dinâmico das modernas roupas de banho. Apesar de um clamor internacional contra a indecência de ambos os sexos brincarem juntos, tão parcamente vestidos, em praias públicas, as tentativas de legislação mostraram-se fúteis contra a poderosa onda da moda.

73. Detalhe de suéter em lã preta, com arco *trompe l'oeil* branco, de Elsa Schiaparelli, 1927. Este traje lançou a carreira de moda de Schiaparelli.

74. Grupo de amigos posa para um fotógrafo à beira-mar, no fim da década de 1920. Esta imagem capta a maior informalidade entre os sexos, a similaridade no estilo dos trajes de banho e a disseminação do *design*.

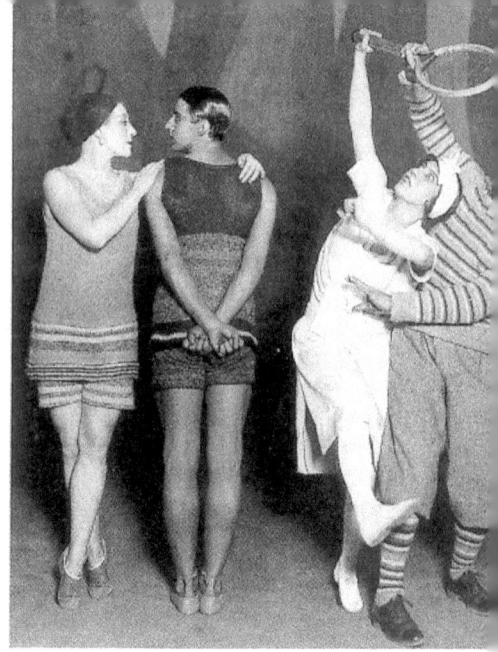

As casas de costura de Paris assumiram um papel de liderança na criação de roupas de banho da moda. Patou, Delaunay e a recém-chegada Elsa Schiaparelli introduziram modelos notáveis, usando listras e blocos de cor. Estes logo foram arrebatados pelos fabricantes e disponibilizados para o mercado de massa. As roupas eram construídas de algodão ou lã, embora esta fosse desconfortavelmente quente no verão e pesada ao se molhar. Em 1930, a companhia norte-americana Jantzen, na época principal fabricante mundial de roupas de banho, produzira roupas que se moldavam ao corpo, depois de desenvolver máquinas de tricotar que podiam fazer trajes com ponto canelado elástico em ambos os lados, o que oferecia elasticidade maior, embora mesmo isso não eliminasse os problemas de calor e retenção de água.

A obsessão por atividades ao ar livre e a abordagem mais informal para com o vestir revelou ser uma potente influência no desenho das roupas masculinas. Embora os tradicionalistas denunciassem o movimento a favor da maior informalidade como "desmazelo", este ganhou amplo apoio, encontrando seu maior expoente no príncipe de Gales, um formador de tendências. Entre as muitas modas popularizadas pelo príncipe estavam os calções de golfe *plus-fours* (chamados assim porque o tecido pendia 4 polegadas [10 cm] sobre a faixa do joelho), o colarinho de camisa *cut-away* ou à italiana e a "laçada windsor", em forma de triângulo, conhecida nos EUA como "bold look tie" [gravata de visual atrevido]. Ele tinha uma tendência por borzeguins com lingüetas franjadas e ressusci-

75. Modas masculinas de alto nível, 1926. As roupas de golfe (*esquerda*), os *plus-fours*, suéter e as meias com padrões vistosos (*direita*) mostram a influência do príncipe de Gales.

76. Os modelos de Chanel para a produção de *Le train bleu*, dos Ballets Russes, em 1924, também se inspiraram nas roupas esportivas do príncipe de Gales. Com esta produção, Diaghilev trouxe um realismo novo e modernista à dança: Picasso desenhou o programa e assinou a cortina do palco, uma ampliação de sua pintura, *Duas mulheres correndo na praia (A corrida)*. O escultor cubista Henri Laurens concebeu os cenários.

tou a moribunda indústria de malhas escocesa ao ser fotografado usando um vistoso e multicolorido suéter Fair Isle, enquanto jogava golfe em St. Andrew's, em 1922.

Em 1924, o estilo garboso do príncipe inspirou os modelos de Chanel para a montagem dos Ballets Russes de *Le Train bleu*. Esse balê, cujo nome vinha do luxuoso trem que fizera sua viagem inaugural entre Paris e Deauville em 1923, era ambientado na Riviera e tinha um tema esportivo. A natação, o tênis e o golfe estavam presentes e Chanel vestiu os bailarinos com roupas de banho em jérsei e conjuntos de cardigã, iguais aos de suas coleções de moda. Nijinsky dançou o papel feminino principal (baseado na jogadora de tênis Suzanne Lenglen), e o papel masculino principal, Leon Woizikovski, usou trajes diretamente extraídos de roupas popularizadas pelo príncipe de Gales.

Como no caso das roupas femininas, também as roupas esportivas masculinas tornaram-se cada vez mais aceitáveis como roupas informais, e as demarcações entre roupas para a cidade e para o campo, para o dia e para a noite, começaram a tornar-se gradualmente indistintas. *Blazers* não trespassados (às vezes listrados), com bolsos chapados e botões de metal brilhantes causavam impressão quando usados com camisas de colarinho aberto, calças de flanela cinza ou de linho branco, e sapatos brancos de amarrar.

Londres continuou a liderar a moda em roupas masculinas: um terno sob medida da Savile Row continuava a ser o mais desejável no mundo. Em nítido contraste com as linhas angulares das roupas femininas, os conjuntos formais masculinos eram quase simétricos, com cinturas altas, recortadas, com ombros acentuados e calças estreitas. Sapatos mais confortáveis, de biqueira arredondada substituíram os de biqueira fina, e os borzeguins eram amplamente usados durante o dia, embora, nos primeiros anos da década de 1920, as polainas fossem *de rigueur*.

Na Universidade de Oxford, um pequeno grupo de estudantes "estetas" adotou calças com pernas excepcionalmente largas (102 cm na bainha, nos casos extremos), que vieram a ser conhecidas como "Oxford bags". Os mais ostensivos usavam tons de lavanda, areia e verde-claro, embora azul-marinho, cinza, preto, creme e bege fossem mais comuns. As "Oxford bags" atiçaram o interesse da moda internacional e da imprensa de moda e a loucura logo se espalhou para as faculdades da Ivy League, nos EUA.

A reação contra os ditames da corrente principal da moda, muitas vezes alimentada por questões ligadas à saúde, à política e à estética, continuou a ser prerrogativa de artistas e da *intelligentsia* e continuaram a encontrar sua expressão mais excêntrica na Grã-

Bretanha. Ao contrário dos similares franceses, os "boêmios" britânicos não confraternizavam com os estilistas de moda, mas tendiam a formar colônias pequenas e exclusivas. Um exemplo famoso é o Grupo de Bloomsbury, cujos membros incluíam a pintora Vanessa Bell, uma figura característica nas suas roupas longas, folgadas e de cores brilhantes, a amiga e defensora do grupo, Lady Ottoline Morrell, com sua queda para túnicas turcas, e Roger Fry. Fry, quacre, que se recusara a combater por motivos morais durante a guerra. Usava roupas de fio cru Jaeger, sem forma, com gravatas de xantungue de cores brilhantes, chapéus de aba larga e sandálias – um estilo que manteve durante toda a vida.

Uma forma mais organizada de protesto veio do Partido da Reforma do Vestuário Masculino (Men's Dress Reform Party – MDRP), que fez campanha para conseguir a aceitação de um estilo de roupas masculinas que oferecesse "estética, conveniência e higiene". O MDRP sugeriu que os colarinhos duros, as gravatas de nós apertados e as calças fossem substituídos por camisas e blusas mais relaxadas e decorativas e por *shorts* ou calções. Também davam preferência antes a sandálias que a sapatos. Pretendia-se que essas reformas se aplicassem a todas as ocasiões. As lideranças por trás do grupo incluíam um eminente radiologista, membros da Liga da Luz Solar (que promoviam as propriedades saudáveis do ar puro e do sol), artistas e escritores. Havia na França uma organização similar, conhecida como Liga Anticolarinho de Ferro. Ao longo de todo o período, houve muitos debates discutindo se os colarinhos deviam ser duros ou moles, ligados à camisa ou soltos. No fim, o

77. Fotografia de cartão-postal, mostrando dois casais elegantemente vestidos, por volta do início ou meados da década de 1920. Revelando a disseminação do *design* de moda, as mulheres usam estilos *sportifs* relaxados, como promovidos por Chanel e Patou. Os homens vestem *blazers* de flanela listrados, camisas de colarinho aberto, calças creme e sapatos de cor clara, que formavam a base da roupa de praia na época.

78. Em contraste com a voga de roupas informais para o dia entre os mais jovens, estes cavalheiros mais velhos, em uma festa da Legião Americana em setembro de 1923, aceitam alegremente a formalidade prescrita para a roupa de dia.

79. Nina Hamnett e Winifred Gill vestem as roupas de padrões espetacularmente coloridos e audaciosos da Omega, posando diante da pintura de Vanessa Bell, *Banhistas em uma paisagem* (fins de 1913). Os artistas da Omega acreditavam que a arte devia ser espontânea e parte do cotidiano; assim, criaram vestidos e objetos de interior que refletiam a cor e a modernidade encontradas em sua pintura.

80. Membros do Partido da Reforma do Vestuário Masculino, em Londres, julho de 1937. Estes homens – todos vestidos em estilos aprovados pelo MDRP – estavam participando de um concurso de roupas, cujos resultados foram publicados na revista *The Listener*, em 14 de julho de 1937. O segundo a partir da esquerda foi premiado pelo seu conjunto.

que prevaleceu foi o colarinho mole, ligado à camisa, confortável e fácil de usar, e o MDRP dispersou-se em 1937.

Chanel continuou a ser manchete na moda ao longo de toda a segunda metade da década de 1920, trazendo muitos artigos do vestuário masculino – alguns dos quais haviam sido usados pelas mulheres durante os anos de guerra – para o guarda-roupa da mulher da moda. *Blazers*, camisas com abotoaduras, capotes e roupas de alfaiataria em *tweed* de lã grosso surgiam regularmente em suas coleções. Um dos desenvolvimentos mais radicais para as mulheres foi a aceitação gradual das calças, que não eram mais consideradas excêntricas ou estritamente utilitárias. Chanel fez muito para acelerar essa mudança e muitas vezes foi fotografada durante o dia usando calças folgadas, em estilo marinheiro, conhecidas como "pantalonas de iate". As jovens mais na moda começaram a usar calças em atividades de lazer, particularmente na praia, ou, à noite, em casa, estas na forma de conjuntos de pijama estampados, luxuosos, em estilo chinês. As calças femininas tinham corte folgado, muitas vezes com elástico ou cordões na cintura, e eram distinguidas das calças masculinas por fechos laterais.

Em 1926, com o lançamento do seu legendário "pretinho", Chanel promoveu o negro como a cor que podia ser explorada puramente pela sua elegância e capacidade de "cair bem". Tecidos foscos, como crepe e lã, eram populares à noite, às vezes acentuados com debrum *diamanté*. A *Vogue* norte-americana comparou o modelo desses vestidos ao automóvel Ford todo preto, produzido em massa, e previu que seriam adotados por um setor igualmente amplo do mercado. As modas de 1927 foram caracterizadas por bainhas desiguais, com pontas de lenço ou bainhas mais longas nas costas. Echarpes estreitas e longas, às vezes ligadas aos vestidos, também serviam para quebrar a linha da bainha de maneira decorativa. Conjuntos de cardigã de jérsei, tricotados, continuaram a ser o esteio dos guarda-roupas femininos durante toda a década. Alguns eram feitos de tecidos listrados horizontalmente, mas muitos eram lisos ou simplesmente adornados com uma cor contrastante.

Durante a década de 1920, os estilos disseminaram-se rapidamente dos salões dourados da alta-costura para as avenidas da Europa e da América. Um labirinto de casas de cópias circundava o distrito da moda em Paris, incluindo o estabelecimento de Madame Doret, na rue du Faubourg Saint-Honoré, que fez nome vendendo cópias baratas dos modelos das passarelas. As casas de costura tentaram assegurar os direitos autorais de seus modelos para impedir a pirataria, mas, como é ainda o caso, o comércio era impiedoso e copiava-se em grande volume. Muitos fabricantes e varejistas de alto nível posavam como compradores potenciais e roubavam modelos, desenhando disfarçadamente ou memorizando detalhes nas mostras. Os mais escrupulosos obtinham seus moldes comprando *toiles* – cópias em chita –, que os estilistas vendiam expressamente para reprodução. Alfaiates e costureiras de amostras cortavam estes em tamanhos padronizados para a indústria. O nível mais baixo do comércio, incapaz de visitar Paris, copiava os modelos vistos em lojas mais exclusivas. As publicações do comércio especializado fazia reportagens sobre os modelos e tecidos da próxima estação e previa as tendências futuras.

82, 83   O estilo *garçonne*, com seu corte folgado e reto, era fácil de fazer em casa, assim como de produzir em massa em tamanhos padronizados. Era econômico – apenas dois ou três metros de tecido bastavam para um vestido – e, como os trajes geralmente eram feitos de material leve, podiam ser montados em casa, com máquinas de costura. Costureiros domésticos tinham acesso a modelos criados por costureiros parisienses de primeiro nível. Entre 1925 e 1929, a McCall Pattern Company, nos EUA, tinha modelos de Chanel, Vionnet, Patou, Molyneux e Lanvin, entre outros. Na Grã-Bretanha, o *Weldon's Ladies Journal* publicava revistas que incluíam não apenas moldes gratuitos, mas também desenhos de moldes que podiam ser encomendados pelo correio. O aconselhamento de moda era dado por "Yvette – uma Mulher da Moda, rue de la Paix, Paris". O *Weldon's* também publicava edições especialmente dedicadas a vestidos de noite, chapéus para mulheres e crianças e modas para mulheres de tamanho médio e gordas. Pelos Estados Unidos e pela

81. Vestido de noite de Chanel, 1926. Em 1919, Chanel endossara a validade do preto na moda: sete anos depois, a *Vogue* norte-americana (10/1/26) ilustrava "O 'Ford' Chanel – o vestido que todo mundo vai usar" – um vestido de crepe-da-china preto, com frente nervurada. As linhas deste modelo discreto, sem mangas – desenhado no mesmo ano e mostrado no *Harper's Bazaar* – são suavizadas por duas caudas, uma das quais abaixo da bainha.

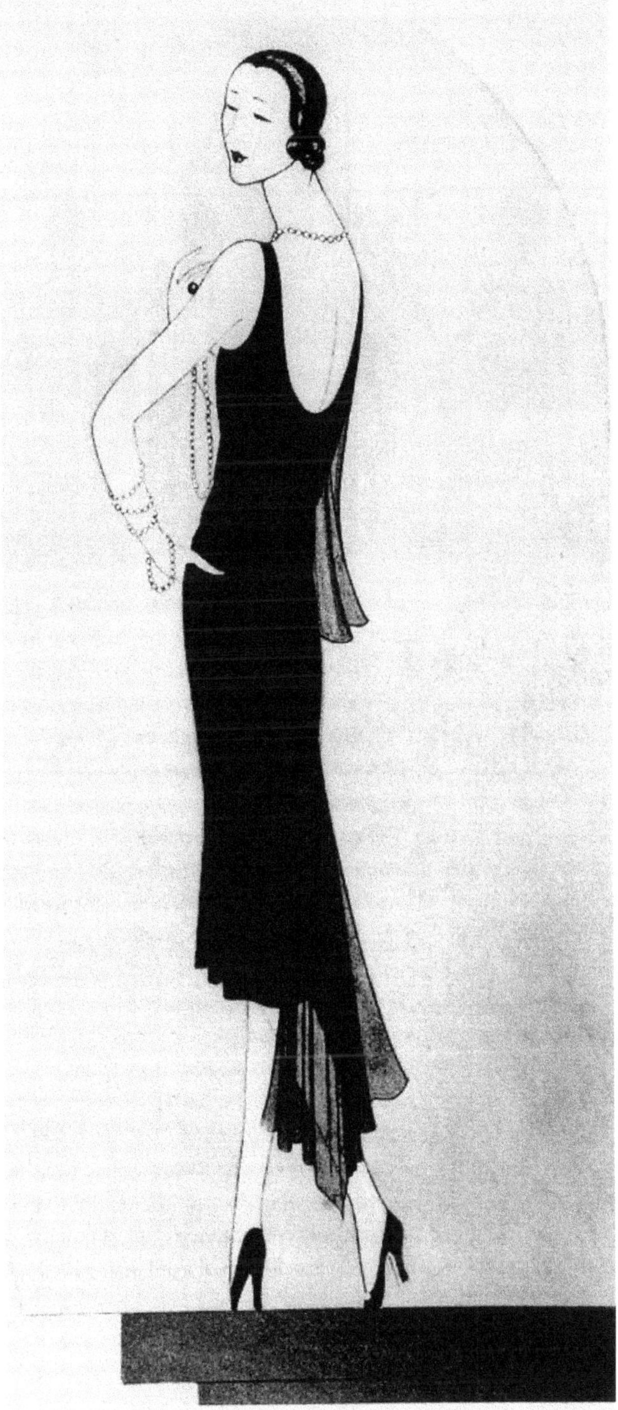

Europa, a imprensa de moda proliferava em todos os níveis. Através desses vários meios, os desenhos dos mais elegantes vestidos de noite da alta-costura eram filtrados até a mais barata das túnicas de *rayon*.

O desenvolvimento do *rayon* foi uma das descobertas têxteis mais significativas do período entre-guerras. Superficialmente, com a textura e a aparência da seda natural, o *rayon* tornou-se um grande bem do mercado de massa. Desde a década de 1880, haviam sido feitas tentativas de aperfeiçoar uma fibra artificial, mas com pouco sucesso. Inicialmente, teceram-se filamentos de viscose para criar uma um tecido conhecido como *art silk* (seda artificial). Esse termo, com a implicação de que a viscose era um substituto pobre da seda, foi abandonado em 1924, quando o nome genérico, *rayon*, foi adotado oficialmente. No início, o uso desse tecido limitava-se ao forro de séries mais baratas do vestuário, *lingerie* e enfeites, mas, subseqüentemente, foi empregado em grandes quantidades na produção de meias. Embora estas tivessem a vantagem do preço competitivo, eram sempre menos desejáveis do que a seda porque a malha se desfazia facilmente e porque tinham um brilho que não condizia com a moda. À medida que as técnicas progrediram, dis-

1914-1929: *LA GARÇONNE* E A NOVA SIMPLICIDADE **69**

82, 83. *Página ao lado e nesta página*: moldes de papel da Butterick Co., abril de 1928. Estes moldes elegantes para dia e noite, primavera, retratam estilos *garçonne* da moda para jovens entre quinze e vinte anos. O modelo n.º 2001 (terceiro a partir da esquerda) é um conjunto de duas peças, com o forro do casaco combinando com o vestido – um recurso favorito de Chanel.

ponibilizando um acabamento agradavelmente opaco em 1926, o *rayon* começou a ser usado em roupas para dia e noite, assim como para malhas da moda.

A principal característica da moda de 1929 foi a dramática queda das bainhas nas coleções de inverno – uma mudança amplamente atribuída a Patou. Afirmou-se muitas vezes que o comprimento das saias reflete a situação econômica e que, quando os tempos são ruins, as saias são longas, mas essa teoria tem de ser tratada com cautela. As coleções de inverno de 1929 haviam sido desenhadas e produzidas bem antes do colapso da Bolsa de Wall Street, em 24 de outubro de 1929, que causou, da noite para o dia, a bancarrota de multimilionários e de enormes companhias internacionais e trouxe um fim abrupto aos "Ruidosos Anos 20".

AQUASCUTUM COATS

AQUASCUTUM LTD. 100 REGENT ST. LONDON. W.1.

3. 1930-1938
RECESSÃO E ESCAPISMO

O colapso do mercado de ações de Nova York, que levou a uma depressão mundial e ao desemprego em massa, foi um começo nada auspicioso para a década de 1930. Durante longo tempo, a indústria da alta moda francesa fora dependente das exportações para os Estados Unidos. Após o "crash", as encomendas remanescentes das lojas de departamentos e de compradores privados foram canceladas e poucas encomendas foram feitas depois dos desfiles de dezembro do mesmo ano. Em um lance para enfrentar a Depressão, os estilistas reduziram seus preços – dizem que Chanel cortou os seus pela metade. Também diversificaram, introduzindo séries mais baratas, prontas para usar, e os nomes de primeira linha elevaram suas receitas endossando produtos relacionados com moda.

Durante o período inicial da década, os costureiros abandonaram as técnicas decorativas custosas, como o bordado, que requeriam mão-de-obra intensiva: o mestre bordador parisiense, Lesage, sobreviveu à crise adaptando temporariamente seus modelos a têxteis estampados mais baratos. O desemprego na indústria parisiense fora raro na década de 1920, mas, à medida que decrescia a procura e diminuíam de tamanho as casas de moda, muitos milhares de modistas, alfaiates, costureiras, bordadeiras e produtores de acessórios eram dispensados. Apesar desses reveses, porém, novas casas continuaram a surgir, incluindo a de Alix Barton, em 1933, e as de Jacques Fath e Jean Dessès, em 1937.

Embora Paris ainda dominasse a moda internacional, havia competição crescente de estilistas de Londres e Nova York. Em Londres, uma nova geração de costureiros gradualmente substituiu os costureiros da corte. Esses estilistas operavam em linhas similares às de seus colegas parisienses, mas em escala menor. A Molyneux (que tinha casas em Londres e em Paris) e Norman Hartnel juntaram-se a recém-chegados talentos, entre eles Victor Stiebel, que abriu sua casa em 1932 e especializou-se em trajes românticos para o dia e para a noite, e Digby Morton, que estabeleceu sua reputação com ternos de corte impecável, feitos em sutis lãs texturizadas. Morton iniciou sua carreira na Lachasse, mas saiu, em 1933, para estabelecer-se sozinho; foi sucedido por Hardy Amies. Giuseppe Mattli e Peter Russell abriram suas casas em meados da década – o

4. Anúncio de 1931 da firma Londrina Aquascutum (em latim, "escudo de água") mostra freqüentadores de corridas usando a capa de chuva exclusiva da companhia. Nessa data, a companhia servia às exigências dos militares e de um mercado civil rico, com consciência de estilo e que exigia roupas funcionais.

segundo especializando-se em roupas para esportes e viagem. Também se concentraram em roupas esportivas vários alfaiates e profissionais especializados, que incluíam Bernard Weatherill, que fornecia roupas de equitação de alto nível, feitas sob encomenda, Pringle, que fornecia malhas e roupas de golfe, e Barbour, Aquascutum e Burberry, que vendiam trajes de proteção impermeáveis.

Enquanto a Grã-Bretanha se destacava na alfaiataria e em roupas esportivas formais, os EUA monopolizavam o mercado de moda pronta para usar e de roupas esportivas informais. Em 1930, os EUA lideravam o mundo na produção em massa de tamanhos padronizados de roupas. O comércio de roupas por atacado era a quarta maior indústria do país e a primeira de Nova York. Na época, porém, a maioria dos estilistas de roupas prontas nos EUA eram anônimos porque a indústria norte-americana gostava de dar a impressão de que seus produtos tinham relação com Paris. Bergdorf Goodman era uma exceção ao promover estilistas da casa, entre eles Leslie Morris. Dorothy Shaver, presidente da Lord & Taylor, fez história na moda ao promover roupas de estilistas de moda esportiva americanos em jornais nacionais. Outros varejistas e a imprensa de moda gradualmente seguiram seu exemplo. Um dos estilistas que gradualmente alcançou a proeminência durante o período foi Claire McCardell, nomeada estilista-chefe da Townley Frocks, em 1931, e que, em fins da década de 1930, era conhecida por usar detalhamentos e tecidos masculinos em suas elegantes roupas informais para dia e noite.

No primeiro escalão do mercado de moda de Nova York estavam Valentina, Muriel King, Jessie Franklin, Elizabeth Hawes e Hattie Carnegie, cada uma delas com casas de moda exclusivas, assim como a importante chapeleira Lilly Daché. Muriel King ficou famosa por suas peças de roupa intercambiáveis, que podiam ser usadas de noite e de dia, e por seu uso refinado da cor. Os elegantes conjuntos de alfaiataria de Hattie Carnegie eram muito procurados.

A moda americana recebeu impulso quando Wallis Simpson escolheu o costureiro americano, estabelecido em Paris, Mainbocher, para desenhar seu vestido para o casamento com o duque de Windsor, em 1937. O antigo príncipe de Gales, que fora coroado rei Eduardo VIII em 1936 e abdicara no mesmo ano, continuou a ser reconhecido como *o* líder internacional de estilo masculino. Durante a década de 1930, continuou a ser ousado em seu amor por cores vivas, texturas e padrões audaciosos, especialmente em roupas esportivas. Comprava paletós em seu alfaiate londrino, Frederick Scholte, mas era em Nova York que comprava calças, que gostava de usar à maneira americana, com cintos em vez de suspen-

85. O príncipe de Gales, 1933. Ao vestir-se para jogar golfe – seu esporte favorito –, o príncipe dava vazão a sua queda para experimentos com cores e padrões. Com grande apruro, misturava livremente pintas, xadrez miúdo e grande, muitas vezes nas cores mais chamativas.

86. O duque e a duquesa de Windsor, fotografados no dia de seu casamento, no Château de Cande, França, 1937. A duquesa escolheu o costureiro americano, sediado em Paris, Mainbocher, famoso por suas modas refinadas e elegantes, para desenhar seu enxoval. Seu conjunto de casamento, um vestido de corte enviesado e jaqueta de alfaiataria de crepe de seda, criou uma voga que veio a ser conhecida como "azul Wallis". A famosa casa de chapéus francesa Caroline Reboux forneceu um chapéu combinando. O duque usou uma casaca de lã de casimira, preta, espinha de peixe, do alfaiate londrino Scholte, um colete cinza, uma camisa de listras finas, azuis e brancas, com colarinho branco, uma gravata em xadrez azul e branco, e calça de lã penteada, listrada, com cintura em estilo americano, da Forster & Son Ltd., Londres.

sórios. Ao longo de toda a vida adulta, suas calças tiveram sempre o mesmo corte, com cós reto, bolsos laterais e pregas. Em 1934, substitui os botões das calças por zíperes. Embora a Savile Row considerasse os cintos e braguilhas com zíper vulgares e capazes de arruinar o caimento de calças bem cortadas, o duque, como de costume, estava a frente de seu tempo e ambas as tendências tornaram-se estabelecidas depois da guerra.

Em 1930, os estilistas de moda feminina haviam abandonado o visual moleque, linear, da década de 1920, por roupas mais suaves, esculpidas, que acentuassem os contornos femininos. Os corpetes tornaram-se mais frouxos, os cintos enfatizavam a cintura – recolocada em sua posição original –, as saias tornaram-se suavemente rodadas. As bainhas desceram e, pela primeira vez, passaram a variar conforme o horário: nas roupas de dia, a cerca de 35 cm do chão; nas roupas de tarde, eram 5 cm mais curtas e, nos vestidos de noite, iam até o chão. Capas pequenas, envolvendo os ombros, e mangas de capa passaram a ser moda em roupas para todas as ocasiões.

Após anos de achatamento dos seios, os corpetes de busto foram substituídos por sutiãs moldados. As cinturas eram controladas e enfatizadas por espartilhos armados e amarrados leves ou por roupas de baixo elásticas, tornadas possíveis pelo novo fio americano de borracha elástica, o lástex (mais tarde conhecido como látex), introduzido em 1930. Cintas graciosas, de corte enviesado e combinações em tom pastel, em seda ou *rayon*, mais barato, com bordados e inserções de renda, eram muito populares. Embora a silhueta da moda fosse mais cheia, uma linha esguia ainda era desejável. Como na década de 1920, comerciantes de banhos de espuma redutores de peso e de tratamentos elétricos de moldagem de silhueta prometiam resultados miraculosos, assim como faziam os fabricantes de várias pílulas e preparados.

Ao longo de toda a década, a beleza tornou-se inextricavelmente ligada à saúde. Clubes de esportes, de saúde e naturistas foram estabelecidos para aprimorar corpo e espírito. Na Grã-Bretanha, a Liga Feminina de Saúde e Beleza, fundada em 1930, por Prunella Stack, organizava aulas de ginástica em massa em grandes espaços públicos. Clubes especializados eram fundados para promover atividades ao ar livre, como passeios e caminhadas. Os *shorts* tornaram-se vestimenta aceitável para as mulheres e as meias convencionais às vezes eram substituídas por meias soquetes. Os trajes de banho em lã e algodão tornaram-se menores, mais cavados na frente e nas costas e, com a ajuda de tecidos elásticos, passaram a mol-

87. *Abaixo*: Kestos anuncia suas cintas e o novo sutiã de linha alta, em *The Tatler*, março de 1939.

88. *Embaixo*: a Liga Feminina de Saúde e Beleza, ensaiando para uma apresentação em Londres, na década de 1930. As participantes estão vestidas com estilos esportivos modernos, dinâmicos.

1930-1938: RECESSÃO E ESCAPISMO **75**

89. A modelo americana Lee Miller, fotografada em Paris, em 1930, por George Hoyningen-Huene. Ela usa um vestido de noite de Vionnet, desenhado para acentuar as costas. Miller, mais tarde, seria uma jornalista e fotógrafa de sucesso.

dar a silhueta, apesar de ainda cederem quando molhados. A veneração do sol não deu sinais de enfraquecimento e os banhos de sol em montanhas tornaram-se a nova mania. Os óculos escuros eram acessórios altamente desejáveis, especialmente aqueles com armação de tartaruga, e muitas roupas de esporte e lazer tinham frentes únicas e alças cruzadas, que podiam ser removidas durante os banhos de sol. Tecidos brancos, que realçavam ao máximo uma pele levemente bronzeada, eram o máximo na moda.

O vestido de noite de costas descobertas até abaixo da cintura foi uma inovação da moda da década de 1930. Impiedosamente revelador, o estilo permitia apenas roupas de baixo mínimas. Tecidos lisos, como cetim e *charmeuse*, muitas vezes em tons marfim e pêssego, recebiam corte enviesado para moldar o corpo e cair em drapeados suaves. A complexa conformação e junção das peças desses trajes implicava que, quando se usavam tecidos estampados, os padrões eram geralmente pequenos, abstratos ou "espalhados", sem nenhuma repetição evidente. Os estampados florais eram especialmente populares e estiveram na moda durante toda a década. Em 1934, como parte da voga de estilos de meados e fins do século XIX, foram reintroduzidos vestidos de noite com crinolina e anquinhas.

As sedas, lãs e linhos finos continuaram a ser os tecidos da moda mais exclusivos. As peles eram usadas extensamente para fa-

90. *Abaixo*: trajes de dia, inverno, 1930, mostrando a nova silhueta, cinturada e com a bainha mais comprida. *Esquerda e centro*: dois conjuntos Patou: "Pullman", conjunto *chiné* para a manhã, e "Cruiser", um conjunto de alfaiataria. *Direita*: "Gamine", vestido de lã para a manhã, de Premet.

91. *Página ao lado*: elegantes modas parisienses para a praia, verão de 1931, incluindo um conjunto de calças, *blazer* e listras em jérsei, que mostra como elementos do guarda-roupa masculino haviam entrado na moda feminina.

1930-1938: RECESSÃO E ESCAPISMO **77**

92. Ilustração de *Le Petit Echo de la mode*, 11 de novembro de 1934. Esse jornal de moda exibia estilos para a costureira doméstica. *Esquerda*: vestido de noite de seda chamalote verde, com corpo e laço em cetim verde. Com o decote V das costas coberto, este desenho é mais modesto do que muitos modelos de alta-costura do período. *Direita*: Elegante casaco de noite em veludo flexível amarelo, com colarinho em gravata, mangas plissadas e debrum de pele.

zer e ornamentar trajes, com peles mais achatadas para trajes de dia e as de pêlo mais longo para os trajes de noite. As mais desejáveis na década foram as de astracã, raposa prateada e macaco. A qualidade do *rayon* melhorou muito na época, mas, apesar das bravas tentativas dos fabricantes de promovê-la como comparável ou mesmo superior à seda, esta continuou em alta. Quando o *rayon* era usado por estilistas de primeira linha, inevitavelmente, era combinado com uma fibra natural. A introdução de tecidos mais informais para trajes de noite foi um enunciado de moda radical, além

1930-1938: RECESSÃO E ESCAPISMO **79**

93. Conjunto de alfaiataria de Jacques Heim, fins da década de 1930. Esta fotografia promocional do Secretariado Internacional da Lã mostra uma modelo usando calças de flanela xadrez e jaqueta de *tweed* azul-brilhante, com três bolsos de aba em cada lado do peito e dois abaixo da cintura.

de econômico. Chanel foi convidada a ir a Londres para promover algodões da Ferguson Brothers Ltd.: para a primavera/verão de 1931, ela apresentou trinta e cinco vestidos de noite em piquê de algodão, cambraia, musselina e organdi.

Os fabricantes inovadores continuaram a trabalhar intimamente com os costureiros para criar tecidos de alta-costura únicos. Isso foi especialmente verdadeiro na França, onde os produtores beneficiavam-se de subsídios governamentais. Para Schiaparelli, Colcombet produziu, em 1934, um cetim de plissado permanente que lembrava casca de árvore, além de edições limitadas de estampas novas, como as de seu modelo com pauta musical, de 1937. O *rhodophane*, material semelhante ao vidro, feito de celofane e outros sintéticos, foi desenvolvido por Colcombet na década de 1920, mas só se tornou notícia na moda em 1934, quando a ousada cliente americana de Schiaparelli, a sra. Harrison Williams, usou uma túnica de *rhodophane* cor-de-rosa sobre um vestido de tafetá.

Casacos e conjuntos de alfaiataria eram amplamente usados, na cidade e no campo. Os estilistas britânicos eram excelentes em conjuntos clássicos, e as fiações irlandesas e escocesas serviam a procura internacional, tanto de lãs e *tweeds* tradicionais como de produtos mais abertamente inseridos na moda. As saias eram longas e estreitas ou rodadas, e as jaquetas eram curtas e cinturadas ou mais longas e sinuosas. Conjuntos com saias até o chão eram usados à noite. Os costureiros criavam os modelos da moda; estilos mais discretos eram feitos sob medida por um alfaiate, enquanto a expansão do comércio de roupas prontas atendia à procura dos setores médios e baixos do mercado.

Os acessórios serviam para atualizar e para acrescentar distinção a trajes muitas vezes simples e versáteis. Os chapéus ainda eram

94. Bolsas de mão em modelos brilhantes e refinados como este eram o máximo na moda da década de 1930. Este modelo foi feito em *shagreen*, termo aplicado ao couro não curtido, com acabamento granulado, ou a certos tipos de pele de tubarão. Era tingido com cores brilhantes – geralmente verde.

95. Sandálias de presilha de salto alto em dois tons, de couro e pelúcia, década de 1930. O sapato de dois tons foi introduzido na década de 1920, mas atingiu o auge da popularidade, para homens e mulheres, na década seguinte. A biqueira aberta, usada primeiro na praia, tornara-se o máximo do *chic* para uso cotidiano, por volta de meados da década de 1930, apesar das preocupações com a higiene e a segurança.

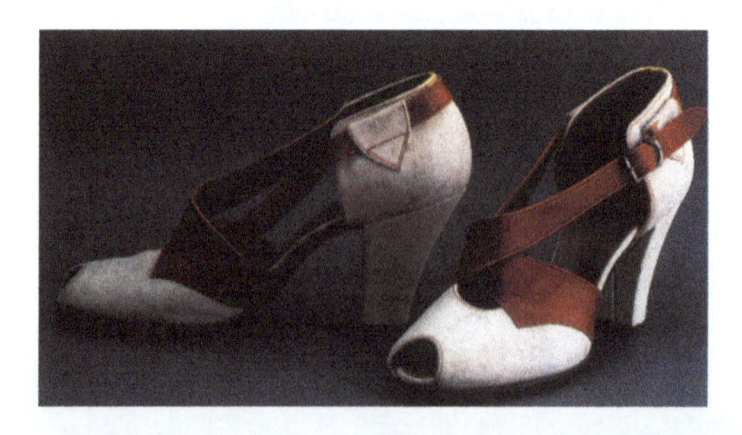

1930-1938: RECESSÃO E ESCAPISMO 81

comuns para uso fora de casa e os estilos eram diversos, incluindo o fez e o chapéu de marinheiro, assim como boinas, tricornes e toques. Em 1936 a chapelaria chegou a novos e dramáticos limites, e os modelos mais extremos refletiam a influência do surrealismo. À medida que a cintura voltava a ser foco de atenção da moda, os cintos tornavam-se acessórios importantes, muitas vezes produzidos de maneira que combinasse com o traje e, às vezes, exibindo fechos ou fivelas de metal com pedras ou de plástico brilhante. Os plásticos moldados também eram usados para criar bolsas modernistas, ao passo que modelos mais tradicionais, com fechos de pedras e alças curtas de corrente, utilizavam couros finos ou tecidos decorados com bordado *petit-point*. As bolsas de mão, em forma de envelope, também eram populares. Sandálias de tira, com salto alto, eram usadas com vestidos de noite e muitas vezes eram feitas de tecidos e couros combinando com a cor do vestido. Sapatos com tira traseira no tornozelo estavam na moda e os modelos com biqueira aberta foram introduzidos por volta de 1931. Credita-se ao desenhista de sapatos francês Roger Vivier a criação dos primeiros saltos-plataforma, em meados da década, e, em 1936, o inovador sapateiro italiano Salvatore Ferragamo criou o salto em cunha original.

Na estrutura dessas tendências gerais da moda, boa parte da inspiração dos estilistas vinha de fontes históricas e escapistas: o glamur hollywoodiano, o neoclassicismo, a revivescência vitoriana, o surrealismo e tradições de vestuário étnicas. Essas influências também ficaram evidentes em outras áreas das artes aplicadas, assim como nas exibições de salões e vitrines, na fotografia e na ilustração de moda.

Além das indústrias de moda de Nova York, os Estados Unidos tinham a vantagem única de Hollywood, cujos filmes exerceram forte influência na moda da década. O vestuário era central no sucesso de um filme e vastas somas eram gastas nos guarda-roupas das atri-

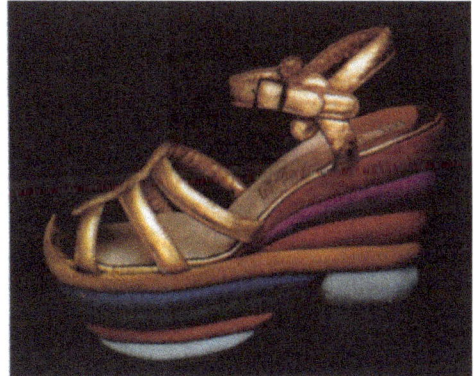

96, 97. Dois modelos inovadores de 1938, do mestre sapateiro italiano Salvatore Ferragamo. *Esquerda*: sapato de amarrar em *patchwork* de pelúcia e salto anabela de cortiça forrada com pelúcia. *Direita*: em modelo vistoso, com a parte de cima em pelica dourada e sola plataforma de cortiça em camadas, coberta de pelúcia brilhantemente colorida. Este provavelmente foi desenhado para o cinema ou para o teatro.

zes (embora, muitas vezes, os atores tivessem de fornecer suas próprias roupas). Os produtores e estilistas aproveitavam a oportunidade para produzir modas usáveis e lucrativas, inspiradas nos filmes.

Por um bom tempo, os estúdios de Hollywood haviam seguido e adaptado as modas de Paris, mas foram pegos de surpresa quando as bainhas desceram. Milhares de rolos de filme tornaram-se instantaneamente antiquados e obsoletos. Para impedir uma repetição desse custoso episódio, dezenas de estilistas foram enviados a Paris para transmitir aos estúdios mudanças atualizadas da moda. A solução de Samuel Goldwyn parecia ainda melhor: convidar um costureiro parisiense de fama mundial a ir para Hollywood. Ele escolheu Chanel, certo de que seus modelos clássicos continuariam a ser atraentes durante o ano ou mais que levaria a produção de um filme. A estilista aceitou a avassaladora oferta de um milhão de dólares por ano para desenhar os guarda-roupas, para dentro e fora das telas, dos artistas de primeira linha da Metro Goldwyn Meyer, que incluíam Greta Garbo, Gloria Swanson e Marlene Dietrich. Ocorreu, porém, que Chanel trabalhou em apenas três filmes de Hollywood – *Tonight or Never* (1931), com Gloria Swanson; *Palmy Days* (1932), com Charlotte Greenwood; e *The Greeks Had a Word for Them* (1932), com Ina Claire – e seus trajes foram ignorados inteiramente ou criticados por serem muito discretos.

Vários estilistas internacionais trabalharam em Hollywood, com graus variáveis de sucesso, mas tornou-se cada vez mais evidente que a criação de trajes de filmes e de moda de elite requeriam habilidades diferentes. A partir do início da década, portanto, os estúdios começaram a promover o talento de seus próprios estilistas, que incluíam Adrian, na MGM, Travis Banton, Walter Plunkett e Edith Head, na Paramount, e Orry-Kelly, na Warner Brothers. Logo esses estilistas estavam não apenas criando trajes que se ajustavam aos enredos e expressavam a personalidade dos personagens, mas também estabelecendo novas tendências e endossando modas existentes.

Talvez o mais famoso traje cinematográfico da década seja o vestido de noite branco, com mangas de babados, criado por Adrian para Joan Crawford, no filme de 1932, *Letty Lynton*: dizem que a Macy's, loja de departamentos de Nova York, vendeu meio milhão de cópias dele. Muitos atribuíram ao modelo, que enfatizava os ombros naturalmente largos de Joan Crawford, a voga das ombreiras pois, embora Marcel Rochas e Schiaparelli já houvessem usado ombreiras em suas coleções (a segunda inspirada pelos trajes indochineses exibidos na Exposition Coloniale de Paris, em 1931), foi só depois da aprovação de uma estrela de Hollywood que elas realmente"pegaram".

98. Joan Crawford, no filme de 1932, *Letty Lynton*, usando o famoso vestido "Letty Lynton", um dos estilos mais copiados da década de 1930. O ponto focal de um traje para o cinema muitas vezes ficava perto do rosto, para permitir apreciação plena nas tomadas em *close-up* e imóveis, e é por isso que o tema de babados deste vestido alcança o maior efeito nos ombros.

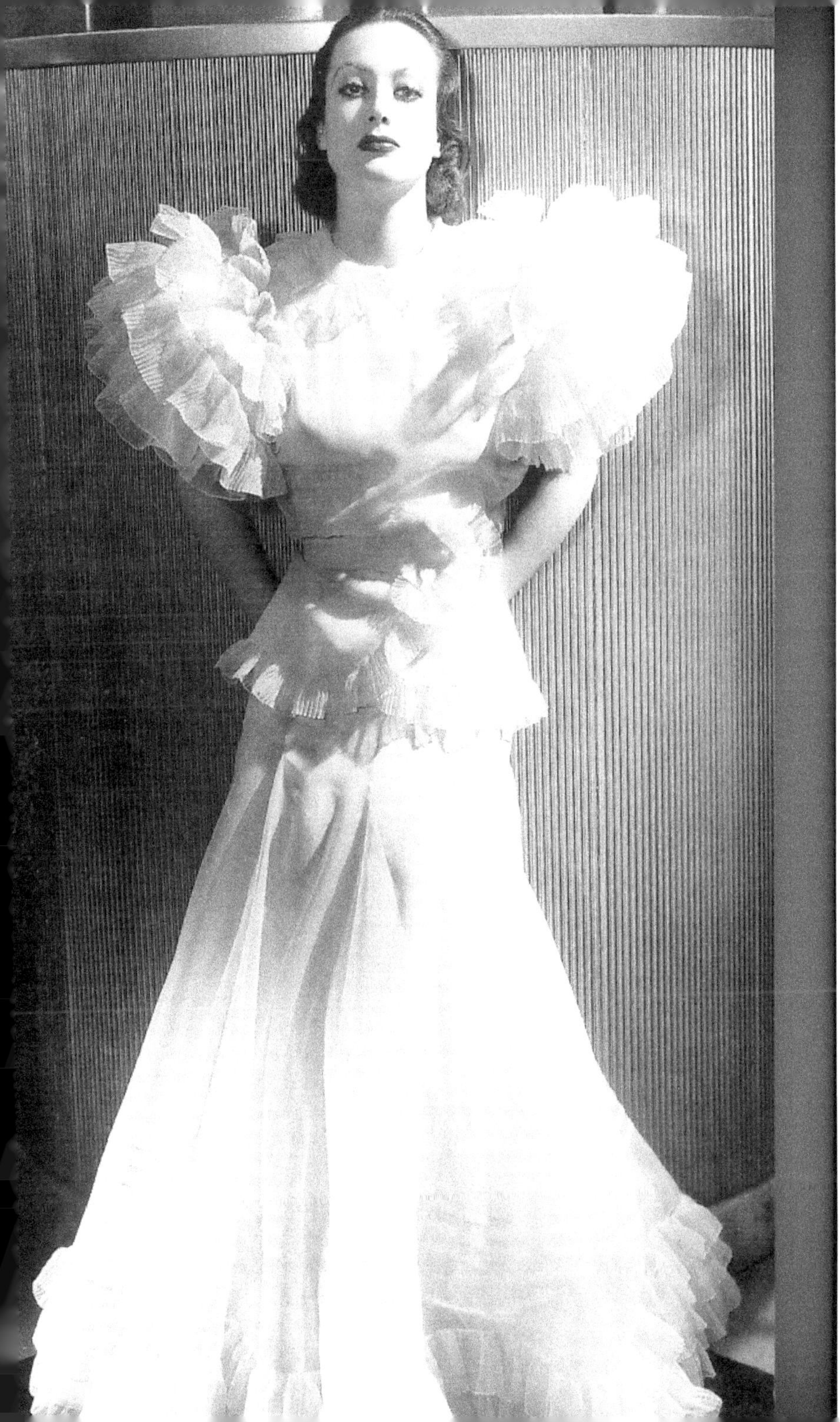

Às vezes, Hollywood esteve à frente dos costureiros. A partir de 1933, Travis Banton desenhou para Marlene Dietrich conjuntos de casaco e calças com ombros largos e ombreiras, que eram, simultaneamente, masculinos e femininos. (Foram admirados na época, embora os conjuntos com calças só se difundissem na moda depois que Yves Saint Laurent introduziu os primeiros conjuntos "le smoking", em 1966). Os filmes também influenciavam as roupas de esporte e lazer. Para o filme *The Jungle Princess* (1936), Edith Head vestiu Dorothy Lamour com sarongues, e modelos similares surgiram nas coleções americanas nos quinze anos seguintes.

Embora não fosse sempre adequado reproduzir conjuntos inteiros, era fácil copiar detalhes e acessórios de trajes de filmes para o consumo de massa. A influência de Garbo na chapelaria foi enorme: após seu papel em *The Kiss* (1929), ela criou uma voga de boinas; *Romance* (1930) impulsionou a moda do chapéu princesa Eugénie; *Mata Hari* (1931) popularizou o barrete com pedras, e os toques com véu tiveram grande voga depois que ela os usou em *The Painted Veil*, em 1934. Os calçados das estrelas de cinema também foram influentes: a voga, de fins da década, de borzeguins de duas cores, conhecidos como "co-respondent shoes" no Reino Unido e

99. Mesmo antes de ser famosa, Greta Garbo era elegantíssima. Esta fotografia foi tirada antes que se mudasse para Hollywood, numa época em que ela ganhava a vida ensaboando o rosto dos homens em um salão de barbeiro. Ela usa um conjunto de alfaiataria trespassado e chapéu com aba – um visual que a tornaria famosa mundialmente. Durante a década de 1930, muitos atribuíram a ela o impulso à indústria de chapelaria dos EUA.

100. *Página ao lado*: página de moda da *Esquire*, junho de 1938. Lançada em 1933, esta famosa revista americana de moda exibia *prêt-a-porter* de primeira linha, como as roupas de lazer relaxadas, coloridas e estampadas exibidas aqui. Esta ilustração mostra a influência dos filmes de Hollywood e das revistas para fãs, que muitas vezes mostravam os ricos e famosos "divertindo-se" em estâncias de veraneio da moda como Newport, Palm Springs, Palm Beach e Nassau, nas Bahamas.

SUMMER NOTES

At southern resorts this past season well-dressed men wore:

1—Paisley printed swimming trunks.
2—The new Jippi Jappa hat with telescope crown and India Madras half sleeve shirts.
3—Colorful corduroy slacks with crew neck half sleeve colored stripe lisle shirts, and brown and white versions of the Norwegian peasant slipper.
4—For evening wear—the bone color silk double breasted dinner jacket with one-button front, peak lapels and cocoanut straw hat with wide white puggree band.

(For answers to all dress queries, send stamped self-addressed envelope to Esquire Fashion Staff, 366 Madison Ave., N.Y.)

"spectator shoes" nos EUA foi promovida, sem dúvida, por sua associação com Fred Astaire. Carmen Miranda fez muito para popularizar os saltos-plataforma.

Os desdobramentos comerciais lucrativos para os fabricantes eram por demais evidentes e "Miss Hollywood" e "Studio Styles" estiveram entre as muitas empresas fundadas para produzir modas inspiradas por Hollywood. Os produtos eram vendidos no varejo em Departamentos de Moda Cinematográfica, em lojas de toda a América do Norte e Europa. As modas dos filmes também eram disponibilizadas por meio de catálogos de encomenda postal. Durante toda a década de 1930, a companhia americana Sears, Roebuck enviou cerca de sete mil catálogos bienalmente, com estilos cinematográficos e modas endossadas por estrelas. Fanzines internacionais ajudavam a disseminar o estilo hollywoodiano – não surpreendentemente, seus editoriais promoviam antes Hollywood que Paris como centro da moda internacional. Muitas dessas revistas anunciavam sua própria série de modas cinematográficas prontas para uso, além de moldes de papel para quem costurava em casa.

Para as muitas mulheres que viviam na pobreza, incapazes de comprar roupas novas de qualquer tipo, era, pelo menos, possível aproximar-se do estilo de penteado e de maquiagem de suas estrelas favoritas. O penteado curto de Garbo e a mecha na testa de Claudette Colbert foram amplamente copiados e, quando Jean Harlow surgiu como loira platinada no filme de 1930, *Hell's Angels*, as vendas de peróxido dispararam. A Califórnia liderava o mundo no campo dos cosméticos, com muitos estilos originalmente criados por ou para uma estrela: a voga de sobrancelhas finamente arqueadas, marcadas com lápis, por exemplo, foi iniciada por Marlene Dietrich. Os cílios e unhas postiços, ambos desenvolvidos na década de 1930, também tiveram origem em Hollywood. Max Factor, o talentoso produtor de perucas e especialista em beleza russo, empregado pelos estúdios, tornou-se um grande nome na florescente indústria de beleza americana, lançando sua própria linha de cosméticos e estabelecendo salões de beleza por toda a Europa e Estados Unidos, nos quais as mulheres podiam ter a maquiagem aplicada por especialistas.

O esmero no vestir-se também era importante para os homens, fornecendo o toque final ao corte esguio do período. Embora a ênfase de Hollywood recaísse sobre os trajes femininos, a indústria do cinema fez muito para reforçar e moldar as atitudes para com o vestuário masculino. Assim como o público feminino estudava o estilo das atrizes, muitos homens buscavam dicas sobre roupas em grandes astros como Ronald Colman, Cary Grant e Gary Cooper. O es-

101. *Página ao lado*: talvez mais conhecida pelas roupas esportivas e para chuva, a firma britânica Burberry também vendia roupas finas, como os conjuntos trespassados e não trespassados exibidos aqui, tirados de um anúncio da década de 1930. Levando em conta o efeito da depressão, a companhia enfatizava as virtudes do desenho clássico, dos materiais e do corte de alta qualidade. "Um conjunto com vida longa é desejável nestes tempos. Mais motivo, então, para que o conjunto agrade e não canse nem irrite seu proprietário de nenhuma maneira."

102. *Direita*: madame Louis Arpels, fotografada em Paris, em 1936, usando um discreto vestido de Maggy Rouff, com duas presilhas no pescoço, mangas abotoadas e detalhe franzido na cintura. Acessórios elegantes completam o visual: ela usa sapatos de salto alto, com luvas longas combinando, ambos os quais complementam o chapéu de aba larga de Caroline Reboux.

tilo britânico e a alfaiataria da Savile Row, em particular, eram apresentados como o máximo em sofisticação, ao passo que as roupas informais americanas eram usadas para transmitir uma imagem mais rude. Os modelos masculinos para verão e férias tornaram-se, em geral, mais relaxados, especialmente por influência americana. A sociedade da moda reunia-se em Palm Beach, Monte Carlo, Cannes e outras estâncias destacadas, e os adeptos do sol com estilo preferiam *blazers*, combinados com calças ou *shorts* de linho, de corte folgado. A voga de camisas pólo, esportivas, de golas moles, também testemunhava a mudança rumo a um vestuário mais informal.

Para ocasiões formais, os homens continuaram a usar ternos, geralmente em cores escuras, com camisa e gravata. Como as mo-

103. Vestido de noite Vionnet, fotografado por George Hoyningen-Huene, para a *Harper's Bazaar*, 1936. Feito de cetim de *rayon* branco, este vestido assimétrico exibe um colarinho-capa no ombro esquerdo, contrabalançado por uma linha de laços *diamanté* ao longo do lado direito.

104. *Página ao lado*: vestido de noite Vionnet, ilustrado por René Gruau, para a revista *Femina*, dezembro de 1938. Na década de 1930, a fotografia tornara-se a forma dominante de representação da moda, mas as ilustrações diretas e elegantes de Gruau perpetuavam a tradição estabelecida por ilustradores de moda Art Deco, como Georges Lepape.

das femininas, o vestuário masculino exagerava o físico, para criar uma aparência forte e atlética. Isso era especialmente verdadeiro no terno "drapeado" ou de "corte londrino", criado por Scholte, alfaiate do duque de Windsor, que dominou a forma do vestuário masculino na década de 1930 e tornou-se sinônimo de estilo americano. O paletó tinha ombros largos (com ombreiras mínimas) e um bolso no peito. Era cinturado e razoavelmente justo nos quadris. Podia ser trespassado ou não, embora a forma trespassada fosse

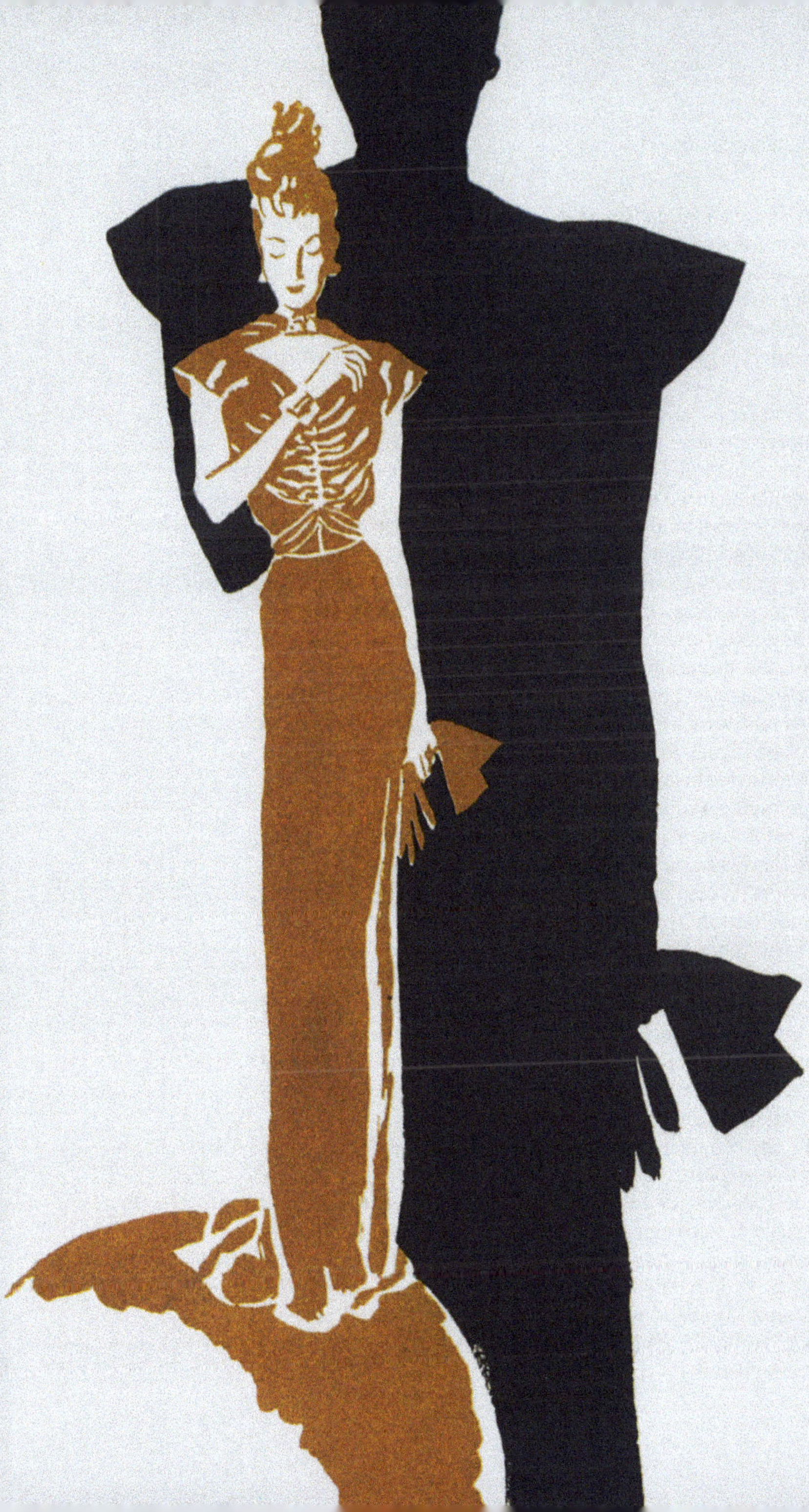

particularmente preferida. O colete era curto, com seis botões e abertura em V. As calças tinham cintura alta e corte folgado, com pregas duplas e barra italiana, e eram sustentadas por suspensórios. Apesar de no início haver certa resistência ao corte folgado, os homens gradualmente passaram a apreciá-lo por causa do conforto e comodidade. Os estilos de chapéu mais populares eram o *trilby* e o *fedora*.

Apesar de ser possível discernir tendências no vestuário masculino, ele não estava sujeito à diversidade de influências que determinava a moda feminina. A partir de 1930, os estilos da Antiguidade clássica inspiraram muitos costureiros, especialmente os parisienses. Seda e *rayon* de jérsei fluidos, crepe, *chiffon* e veludo macio eram plissados, drapeados e dobrados, muitas vezes diretamente no corpo, para conseguir trajes aparentemente simples, mas, na verdade, altamente complexos. Essas modas refinadas foram imortalizadas por grandes fotógrafos, como Man Ray e George Hoyningen-Huene, em cenários que incorporavam colunas coríntias, capitéis, folhas de acanto e estátuas clássicas. Entre os estilistas franceses que contribuíram para a voga neoclássica estavam Alix, Vionnet, Maggy Rouf, Lucien Lelong, Robert Piguet, Jean Patou e Augustabernard.

Alix e Vionnet estavam na vanguarda do estilo neoclássico. Alix, nascida Germaine Krebs, tivera ambições de tornar-se escultora, frustradas pelos pais, e, como resultado, canalizou sua criatividade para a arte da costura, inicialmente fazendo *toiles*, depois servindo como aprendiz na casa parisiense de Premet. Em 1933, juntou forças com Julie Barton: quando a sócia a deixou, um ano depois, a casa tornou-se conhecida simplesmente como Alix (em 1941, Krebs mudaria de nome outra vez, para Madame Grès). Em uma tentativa de capturar algo da elegância atemporal da escultura clássica, ela criou vários vestidos brancos que moldavam a figura e caíam em pesados drapeados e dobras. Ela trabalhava diretamente no corpo e muitas vezes comparava seu trabalho no tecido com a manipulação de materiais de um escultor.

A grife de Vionnet representa uma imagem clássica, de uma mulher em uma coluna, erguendo as alças da túnica sobre sua cabeça. Desde 1924, seus modelos de bordado eram inspirados pelas urnas gregas e afrescos egípcios e, no início da década de 1930, ela havia, em boa parte, abandonado seu famoso corte enviesado, dando preferência a drapeados e dobras de estilo clássico. Muitos de seus trajes eram construídos engenhosamente em uma única peça, destituída de fechos. Vionnet era excepcional pelo fato de não costurar seus drapeados e esperar que as clientes executassem uma

1930-1938: RECESSÃO E ESCAPISMO **91**

105. Lady Rosse usa um "Vestido de baile neo-georgiano" de Norman Hartnell, 1939. Um baile de fantasias, na Osterley House, em Londres, que teve o século XVIII como tema, inspirou Hartnell a desenhar este vestido de veludo preto *décolleté*, com um painel de cetim incrustado com rendas guarnecidas de pérolas e diamantes.

série de manobras habilidosas para alcançar o visual desejado. Geralmente trabalhava em cores neutras, mas também adorava terracota, verde-escuro e preto.

Em 1936, as casas de costura parisienses foram atingidas por uma onda de greves organizadas pela CGT (La Confédération Générale de Travail), em campanhas por melhores condições para seus trabalhadores. Apesar dessas disputas, porém, a sorte das casas de costura e indústrias auxiliares foi grandemente impulsionada pela mania de bailes a fantasia exuberantes, assim como pela procura pelo que se tornou conhecido como vestuário neovitoriano. O interesse pelos estilos do período entre a década de 1850 e o fim do século XIX surgiu por volta de 1934 e chegou ao apogeu em 1938. Ficou especialmente evidente na decoração de interiores e na moda. Os devotos do neovitorianismo rejeitavam o purismo despojado do modernismo internacional em favor da teatralidade e da ornamentação. Filmes hollywoodianos de época, entre eles *Little Women* (1933) e o épico *Gone With the Wind* (1939), alimentaram-se dessa voga, assim como peças teatrais, como *The Barretts of Wimpole Street* (1934), com trajes de Lelong. Enquanto a mobília vitoriana original era muitas vezes usada em interiores, os estilistas traduziam estilos do período em vestidos de noite para ocasiões especiais e vestidos de noiva ultra-românticos, que usavam enormes quantidades de seda e renda e destinavam-se a tornar a figura feminina elegantemente voluptuosa.

Vestidos com espartilho, deixando os ombros nus, com saias de crinolina e anquinhas eram criados em seda diáfana, tafetá farfalhante, veludo, tule e rendas finas, às vezes salpicadas com faixas brilhantes de celofane. O volume era conseguido com o corte habilidoso, enchimento e aros leves, em vez das desajeitadas anáguas de crina dura, que haviam sustentado muitos vestidos do século XIX. Os estilistas também colocavam grandes arcos na parte de trás dos vestidos, para criar uma silhueta lembrando a produzida pelas anquinhas, e acrescentavam acessórios como véus e luvas de renda,

106, 107. As idéias de Salvador Dalí muitas vezes influenciaram modelos de Elsa Schiaparelli. Em 1936, ele produziu a *Vênus de Milo com gavetas* e o *Gabinete Antropomórfico* (fundido em 1982), mostrado abaixo. A série de gavetas foi a inspiração para o Conjunto-Escrivaninha de Schiaparelli (*centro*). Algumas das gavetas no conjunto de Schiaparelli funcionavam como bolsos, ao passo que outras eram falsas.

108. *Abaixo, direita*: esboços para chapéus de Schiaparelli, incluindo o famoso Chapéu-Sapato (embaixo, esquerda), também o resultado da colaboração entre Schiaparelli e Salvador Dalí, 1937.

sem dedos, até a altura dos ombros. Os estilistas também reintroduziram os leques. Até mesmo Chanel, que havia rejeitado tão determinadamente o *frou-frou* no início de sua carreira, fez a festa com o novo romantismo. Embora menos evidente nas roupas para o dia, essa voga deu origem às mangas-presunto nas jaquetas de alfaiataria e, nos acessórios, aos regalos e às redes para cabelo de crochê à moda da década de 1860.

Norman Hartnell foi uma figura central no movimento neovitoriano. Após a coroação do rei Jorge VI, em 1937, Hartnell recebeu a prestigiosa garantia real e foi convidado a desenhar o guarda-roupa da rainha para sua visita a Paris, no ano seguinte. Inspirado pela magnífica Coleção Real de pinturas, que incluíam retratos de Winterhalter, decidiu vestir a cliente com crinolina. Enquanto os vestidos estavam sendo feitos, porém, a condessa de Strathmore morreu e a corte mergulhou no luto, o que significava que os tecidos altamente decorados já escolhidos pela rainha não eram mais adequados. Hartnell, relutando em usar o preto e o roxo do luto, apresentou, em vez disso, uma aclamada coleção em branco, uma cor de luto menos usada.

Em conformidade com o novo clima romântico, flores reais e artificiais eram usadas em abundância em corpetes, buquês, colares e braceletes, assim como na decoração de bolsas e chapéus para noite. Para eventos noturnos especiais, os cabelos eram penteados para cima, com cachos presos em um pente de flores perfumadas mistas, ou era preso em um chinó encimado por flores. As gargantilhas florais também entraram na moda e pedras preciosas, reais e falsas, muitas vezes eram arranjadas em motivos e formas florais.

A partir de meados e até fins da década, a influência do surrealismo fez-se notar em shoots e anúncios de moda, assim como nas vitrines e salões. Embora o movimento date de 1924, quando foi publicado o primeiro *Manifesto surrealista*, de André Breton, apenas depois de exposições importantes serem montadas em Londres, Paris e Nova York, entre 1936 e 1938, é que o grande público veio a conhecer as imagens surrealistas. Os modelos de Schiaparelli na segunda metade da década não têm rivais na exploração inovadora desses recursos.

Schiaparelli colaborou com muitos artistas, entre eles Christian Bérard e Jean Cocteau, mas suas modas mais impressionantes foram criadas em conjunção com Salvador Dalí. Em muitos casos, há vínculos diretos entre a obra artística dele e os modelos espirituosos e surpreendentes dela. Em 1936, Dalí completou sua escultura *Vênus de Milo com gavetas*: no mesmo ano, colocou um urso empalhado, tingido de rosa-choque (a cor-assinatura de Schiaparelli), com gavetas instaladas no torso, na vitrine da boutique de Schiaparelli. Isso, por sua vez, inspirou o estiloso "conjunto-gaveta", com bolsos verdadeiros e falsos, habilmente bordados por Lesage em um desenho *trompe-l'oeil* lembrando gavetas.

O "vestido-rasgão", de 1937-8, justapõe violência, farrapos e luxo de elite. Feito de crepe de seda, exibe uma estampa em roxo-hematoma e rosa sobre fundo cinza, representando faixas de carne dilacerada. O xale de organza, usado sobre a cabeça, tem apliques de abas de seda amarela. Esse modelo foi inspirado pela pintura de Dalí *Três jovens surrealistas segurando nos braços as peles de uma orquestra* (1936), no qual uma das figuras usa um vestido semelhante a uma pele, coberto de rasgões que revelam o corpo.

O surrealismo influenciou antes a ornamentação superficial das roupas de Schiaparelli do que o corte, que se conformava às tendências gerais da década de 1930. Foram os chapéus que ofereceram à estilista uma oportunidade de explorar novas formas. Em 1936, ela apresentou seu chapéu-sapato, um modelo invertido de um escarpim de salto alto, feito de veludo preto ou preto com rosa-choque. Esse modelo extraordinário foi visto como objeto fetichista e como exemplo de deslocamento surrealista: há uma fotografia famosa de Dalí com um sapato equilibrado na cabeça. Schiaparelli conjugou o

1930-1938: RECESSÃO E ESCAPISMO **95**

sapato com um conjunto de coquetel preto, com apliques eróticos de lábios ao redor da abertura do bolso. Também desenhou um "Chapéu-Costeleta de Carneiro", em 1937, refletindo a obsessão de Dalí por carne, e um estranho "Chapéu-Tinteiro" em 1938.

Credita-se a Schiaparelli o fato de ter sido a primeira estilista a introduzir coleções temáticas. A primeira delas, para o outono de 1937, celebrava a iconografia musical. As coleções subseqüentes inspiraram-se no circo, no paganismo, nos arlequins e na astrologia. Todas as coleções exibiam bordados impressionantes, concebidos e executados por Lesage, e os temas eram reforçados por novos botões. Schiaparelli também foi inovadora no uso do zíper. Embora esse tipo de fecho houvesse sido patenteado já em 1893, seu uso

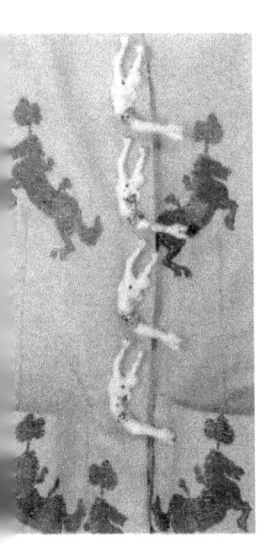

109

110

109. Detalhe de jaqueta da Coleção Circo, de Schiaparelli, 1938. Acrobatas de metal fundido pintados parecem pular pela frente desta jaqueta de sarja de seda cor-de-rosa, com desenho tecido de cavalos empinados. Os acrobatas são atravessados por parafusos de bronze ligados a fechos de correr.

110. Anúncio dos zíperes Lightning, endossados por Schiaparelli, 1935.

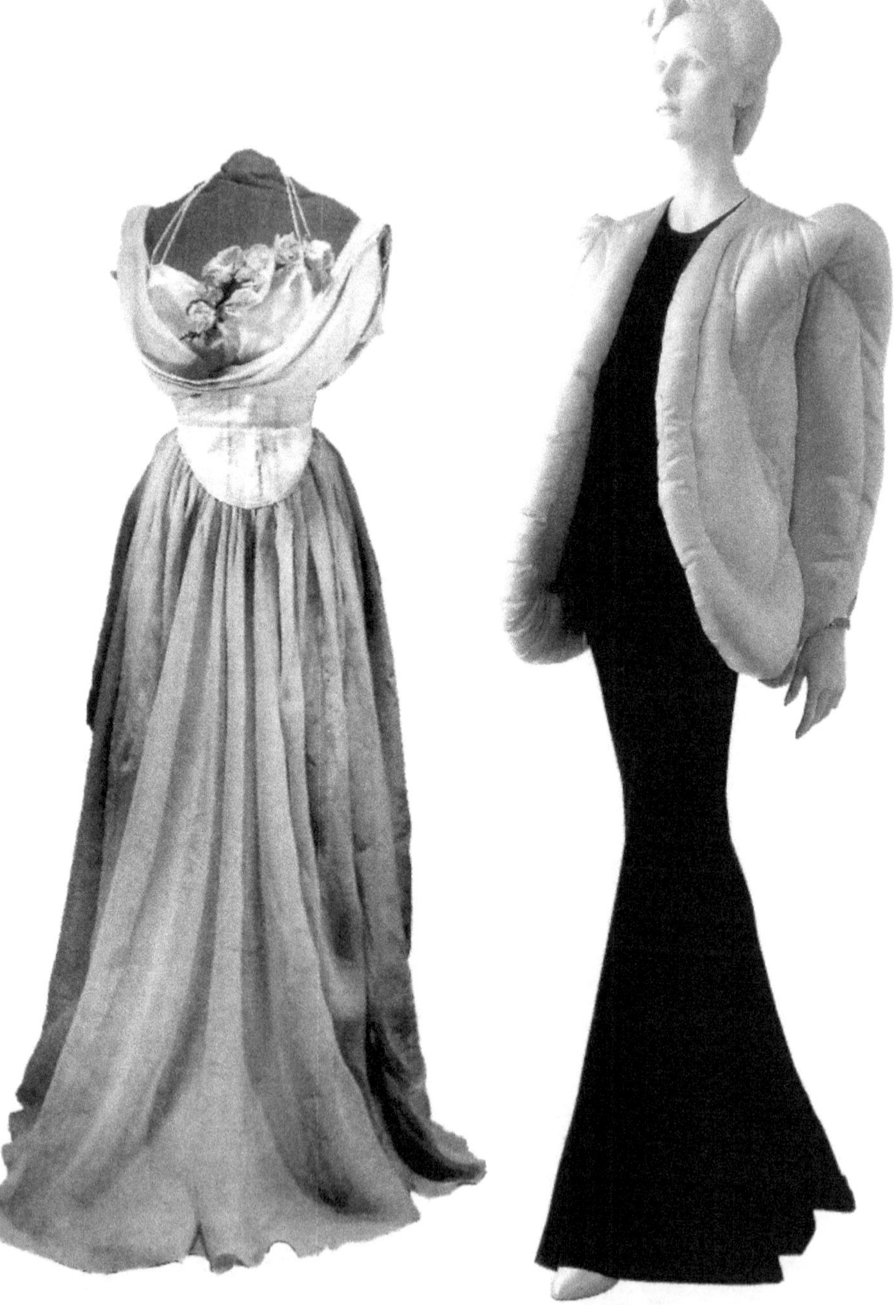

1930-1938: RECESSÃO E ESCAPISMO 97

restringira-se a roupas de baixo, trajes utilitários e bagagens. Tradicionalmente, a moda refinada ocultava os fechos, de modo que foi uma manobra radical da parte de Schiaparelli usar o zíper em roupas de alta-costura e, além disso, enfatizá-lo usando cores vivas e contrastantes. Os zíperes surgem pela primeira vez nos modelos de Schiaparelli nos bolsos de sua jaqueta de praia atoalhada de 1930 e, subseqüentemente, foram incorporados a suas coleções de roupas formais para dia e noite.

O estilista anglo-americano Charles James também foi um dos primeiros defensores do zíper. Nascido na Grã-Bretanha, James trabalhou como chapeleiro e costureiro em Nova York, entre 1924 e 1928, e, em 1929, abriu suas instalações em Londres. Durante o início da década de 1930 viajou muito entre Londres e Paris, onde estabeleceu uma filial em 1934. Como Schiaparelli, foi amigo de Dalí e usou influências surrealistas em seus modelos.

James era fascinado pelo corte de vestidos históricos e explorou formas inovadoras na construção dos trajes, como o drapeado em espiral. Entre seus trabalhos mais importantes estão o vestido-táxi, a jaqueta amolfadada pneumática e o vestido-sílfide. Ele atualizou seu primeiro modelo "táxi" (assim chamado porque era tão fácil entrar e sair dele como entrar e sair de um táxi), de 1929, em 1933-34, colocando um zíper ao redor do torso. Esses vestidos eram vendidos pré-empacotados, em dois tamanhos, para sustentar a crença de James de que um traje bem cortado podia ajustar-se perfeitamente, mesmo já pronto. Sua famosa jaqueta de cetim branco almofadado, de 1937, tinha uma forma escultural excepcionalmente volumosa. Sua construção era igual à dos edredons e, na década de 1970, atingiu a condição de *cult*, como precursora dos casacos almofadados dessa década.

112

111, 112, 113. Modelos de Charles James e Cristobal Balenciaga. *Esquerda*: vestido de noite "Corselete" ou "Sílfide", de Charles James, 1937. O *top* espartilho deste vestido fornece um primeiro exemplo de roupa de baixo usada visivelmente, uma tendência que muitos estilistas exploraram a partir da década de 1980. *Centro*: O lendário modelo de James de jaqueta de noite de cetim branco e vestido de noite de corte enviesado, de 1937. No ponto mais extremo, a profundidade dos arabescos afilados desta jaqueta escultural chegam a 7,6 cm. Para facilitar os movimentos, o acolchoamento era menos pesado ao redor do pescoço e das axilas. *Direita*: Vestido de jantar Balenciaga, do início da década de 1930, em crepe de seda pálido, enfeitado com renda preta. Rosa e negro era a combinação de cores favorita desse estilista. Espanhol de nascimento – abriu sua primeira empresa de moda em San Sebatián em 1919 –, inspirou-se na sua terra-natal: a influência das touradas, por exemplo, pode ser vista no uso vistoso das cores e no amor pelo bordado e por enfeites de âmbar negro. Conseguiu reputação com vestidos de dia discretos e modelos de noite dramáticos, como o exibido aqui.

O forte de James era a criação de vestidos de noite luxuosos, de
111 saia plena. O vestido de noite "corselete" ou "sílfide", também de
1937, é um excelente exemplo. Feito de organza amarelo-canário,
com um decote frente única com alça fina, em rosa-claro, o vestido
tinha um corpete externo, puxado por um espartilho decorativo
amarelo, almofadado, de amarrar nas costas. Em 1938, *tops* de tipo
espartilho similares haviam surgido nas coleções de Balenciaga,
Maggy Rouff, Lelong, Jacques Heim, Molyneux e Mainbocher, entre outros.

Durante o fim da década, Balenciaga revelou talentos que o tornariam um dos principais estilistas internacionais do período pós-guerra. Já bem conhecido na Espanha antes de mudar-se para Paris, em 1937, logo estabeleceu reputação por causa da costura sóbria e refinada, contrabalançada por vestidos de noite elaboradamente decorados.

113 Durante a década de 1930, as tradições do vestuário étnico exerceram uma poderosa influência. Desde 1934, o estilo chinês-decô tornou-se especialmente visível no trabalho de Valentina, Mainbocher e Molyneux, que se inspiraram nas cores brilhantes da porcelana chinesa e das gravuras florais japonesas. Todos os três empregaram xantungue de seda para criar vestidos e conjuntos que exibiam colarinhos mandarim, faixas para a cintura, mangas japonesas, e saias tubulares estreitas, com fendas e caudas bifurcadas. Botões de bambu e chapéus de camponês oriental completavam o visual. Alix inspirou-se em uma multiplicidade de culturas, usando elementos do corte de quimonos, caftãs, saris e *dhotis*.

De meados até fins da década testemunhou-se a proliferação de estilos camponeses austríacos e alemães – chapéus tiroleses, saias camponesas, blusas camponesas bordadas e lenços de amarrar no pescoço. Apesar de aparentemente inocentes na época, essa voga foi, subseqüentemente, vista com implicações sinistras, já que coincidiram com a ascensão de Hitler ao poder. Em fins da década de 1930, porém, era apenas uma entre muitas tendências da moda. O conselho das revistas era que as leitoras podiam escolher entre parecer uma coluna grega em jérsei ou uma ancestral vitoriana em cetim ou tule. Os estilos híbridos juntavam elementos de diferentes movimentos: as dobras estatuescas do classicismo combinadas com o espartilhamento coquete da revivescência vitoriana, por exemplo. Alguns estilistas recuavam ainda mais na história: Balenciaga alternava as saias *pannier* de Velazquez com as anquinhas da década de 1880; Lelong desenhava estilos sack-back, à maneira de Watteau; Maggie Rouff reconhecia sua dívida para com Boucher, e Vionnet inspirava-se em madame Récamier.

Talvez refletindo as circunstâncias políticas tumultuadas e a realidade iminente da guerra, a passamanaria em estilo militar, de borlas a galões de almirantes, foi extensamente exibida nas coleções de 1939, e as cores da moda assumiram tons sinistros: azuis ameaçadores, cinzas brumosos, verdes e roxos tempestuosos. Em 3 de setembro de 1939, após a invasão da Polônia por Hitler, a Grã-Bretanha e a França declararam guerra à Alemanha.

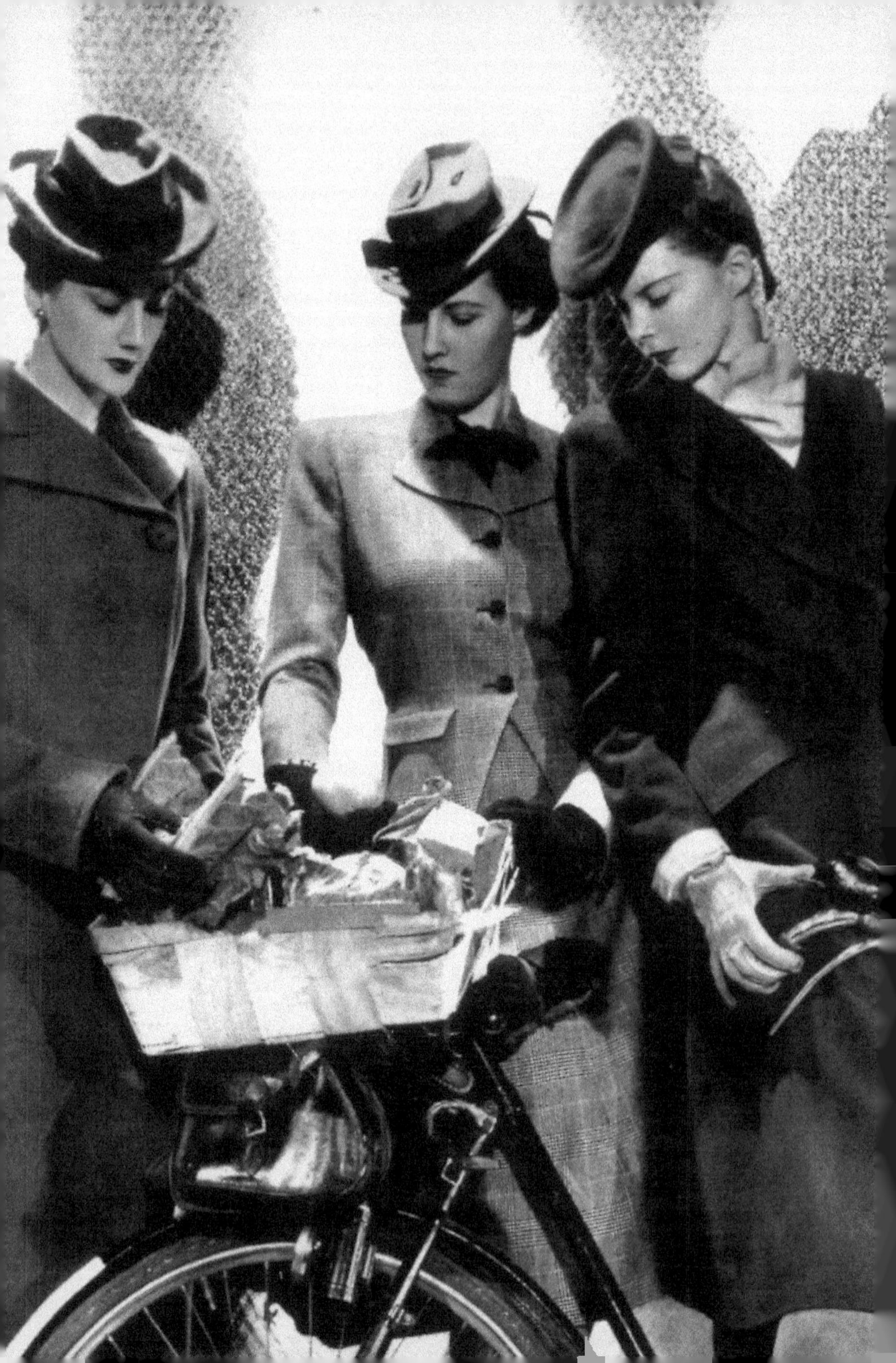

4. 1939-1945
A MODA RACIONADA
E O ESTILO CASEIRO

Em tempo de paz, o gasto em moda sempre foi motivado pelo consumo ostensivo; em tempo de guerra, é determinado, em boa parte, pela necessidade. Durante a Segunda Guerra Mundial, as mulheres precisavam de um guarda-roupa mínimo e de versatilidade máxima. Apesar dessas restrições, os estilos não foram destituídos de brilho; na verdade, a imprensa de moda enfatizava que trajes com espírito continuariam a ser desejáveis ao longo de toda a guerra.

Durante o período de hostilidades, a produção de tecidos voltou-se para fins relacionados com a guerra. Os fornecimentos de lã eram requisitados para a produção de milhões de uniformes, e a seda era confiscada para a produção de pára-quedas, mapas e bolsas de pólvora. Para garantir o fornecimento, os tecidos para o vestuário civil eram, muitas vezes, feitos de viscose e *rayon*. Ao longo de toda a década de 1930, a gigante têxtil americana Du Pont pesquisara a manufatura de uma nova fibra sintética, feita inteiramente de fontes minerais. Em outubro de 1938, a companhia anunciou, em uma página inteira no *New York Herald Tribune*, a introdução do *nylon*. Inicialmente, a contribuição mais importante dessa fibra foi para a fabricação de meias – as meias de *nylon* foram apresentadas ao público americano em maio de 1940 – e, após satisfazer as necessidades do tempo de guerra (usada primordialmente como material de pára-quedas), foi desenvolvida como tecido de manutenção fácil para o vestuário e roupas de baixo.

Semanas após a declaração de guerra, os estilistas de Paris e Londres apresentaram modelos que enfatizavam a praticidade. Molyneux e Piguet apresentaram casacos com capuzes aconchegantes, conjugados com pijamas de cetim ou lã, "para abrigar". Os conjuntos de Schiaparelli, com grandes bolsos "desabados", eram usados sobre *shorts* bufantes de tecido canelado, para oferecer mais calor. Digby Morton exibiu "conjuntos-sirene", com zíper e capuz, em tartan Viyella, que podiam ser vestidos rapidamente sobre as roupas de dormir durante os bombardeios aéreos. A chapeleira parisiense Agnès criou turbantes "touca de dormir" em jérsei; as bol-

14. A *Vogue* (outubro de 1942) elogiou estes modelos utilitários "distintos, funcionais e simples", da Incorporated Society of London Fashion Designers. Da esquerda para a direita: um casaco de alfaiataria revera, em lã castanha, com três botões e bolsos embutidos; conjunto xadrez com jaqueta de decote aberto e saia em omos; casaco trespassado de sarja de lã vermelha, com meio-cinto nas costas. Fotografia de Lee Miller.

sas eram espaçosas o suficiente para acomodar máscaras contra gás e os sapatos eram produzidos em estilos práticos, atarracados, com biqueiras curtas e saltos relativamente baixos.

Durante o período inicial da "Guerra Falsa", o governo francês concedeu duas semanas aos estilistas empregados no trabalho de guerra para permitir que preparassem as coleções para o outono de 1940. A Grã-Bretanha e a França exploraram as habilidades de seus estilistas de alta moda para criar coleções luxuosas para exportação, especialmente para os EUA, para aumentar a receita de dólares. Os modelos para os mercados em tempo de guerra incluíam culotes para ciclismo, robustos conjuntos de *tweed* e vestidos de noite com mangas longas e pescoço alto, em sóbrios tecidos de lã e jérsei. Os modelos mais elaborados exibidos, entre eles vestidos decotados, estilo *polonaise*, em sedas farfalhantes, destinavam-se principalmente para exportação.

Em junho de 1940, as forças alemãs ocuparam Paris e interromperam bruscamente seu domínio da moda internacional. Os estilos continuaram a evoluir, mas as notícias das últimas criações não eram mais comunicadas instantaneamente ao mundo exterior. Muitos estilistas não franceses deixaram Paris: Schiaparelli embarcou em uma viagem para proferir palestras nos Estados Unidos, mas manteve sua casa aberta; Creed e Molyneux retornaram a Londres e Mainbocher e Charles James restabeleceram-se em Nova York. Chanel fechou seu salão de moda e passou o período no Hotel Ritz, com seu amante nazista, enquanto Jacques Heim, que era judeu, escondeu-se.

Como parte da tentativa de transformar Berlim na capital cultural do mundo, Adolf Hitler planejava mudar a prestigiosa indústria de moda de Paris para a capital alemã. Foi só depois de prolongadas discussões com Lucien Lelong, presidente da Chambre Syndicale, que se convenceu de que isso não seria prático, e ficou decidido que a costura permaneceria em Paris e serviria uma clientela franco-germânica aprovada pelos nazistas. Mais de cem casas permaneceram abertas, entre elas Paquin, Jeanne Lanvin, Worth, Pierre Balmain, Marcel Rochas, Nina Ricci, Lelong, Jacques Fath e Balenciaga, assegurando, assim, a subsistência de cerca de doze mil trabalhadores. Quando Madame Grès apresentou uma coleção desafiadora, com as cores da bandeira francesa, sua empresa foi temporariamente fechada pelos alemães.

Como quantidades enormes de bens de luxo eram exportados da França para a Alemanha, tecidos e acessórios de primeira linha foram muito valorizados e os preços da alta-costura parisiense dispararam. Apesar da escassez de recursos, os estilos eram extrava-

115, 116. Na década de 1930, a moda alemã enfatizava a mulher jovem e robusta, muitas vezes colocando-a em um cenário pastoral. *Esquerda*: Para a capa de uma edição de 1937 de *Mode und Heim*, a modelo é exibida segurando um ramalhete de margaridas e usando um vestido florido com faixa na cintura. Ao seu lado, um chapéu de palha ornado com um laço e flores. Um anúncio de têxteis, c. 1940 (*direita*) mostra uma jovem similarmente carregada de flores, também em um cenário campestre.

gantes. Trajes profusamente decorados tinham corte completo e eram drapeados com generosidade. Os ombros eram arredondados; as mangas, extralargas, do tipo bispo ou asa de morcego, eram presas em faixas apertadas nos pulsos; corpetes cheios tinham cintura estreita e moldada, e as saias eram cheias. Refletindo os interesses culturais dos ocupantes nazistas, alguns projetistas de moda e de têxteis inspiravam-se em idéias romantizadas dos trajes camponeses e medievais. Rejeitando como decadente a silhueta esbelta que caracterizava a elegância parisiense, os nazistas retratavam um ideal de feminilidade robusta e atlética – adequada para trabalhar a terra e conceber filhos. Desde meados da década de 1930 e durante os anos da guerra, deu-se preferência a estilos "camponeses" modestos, promovidos por obras de arte aprovadas pelo nazismo, e sua influência na alta moda pode ser vista na voga de blusas bordadas, lenços para o pescoço, conjuntos para caça com suspensórios bordados e capas loden, assim como em vestidos de noite mais ostensivamente glamurosos, em tecidos com, por exemplo, desenhos de flores dos prados e feixes de trigo.

Em 1941, os estoques franceses de couro, necessários para as botas dos combatentes, estavam virtualmente esgotados, e os sapatos civis estavam entre as mercadorias preciosas comerciadas ilicitamente no florescente mercado negro. Para poupar couro, enormes quantidades de sapatos femininos eram feitas com solas de madeira, atarracadas, em forma de cunha. Esse peso nos calçados, um tanto masculino, era compensado por chapéus altos, profusamente decorados. Quando o feltro, as plumas e o tule se acabaram, os chapeleiros voltaram-se para materiais menos convencionais como celofane, aparas de madeira e papel trançado, tanto na construção como na decoração dos chapéus.

Embora as modas fossem em escala grandiosa, a administração nazista decretou que os estilistas deviam limitar as coleções a cem modelos; o número foi reduzido para sessenta em 1944, quando a escassez de material chegou ao ponto crítico. Clientes potenciais de alta-costura tinham de requerer passes especiais – durante os quatro anos da ocupação, uma quantidade assombrosa, vinte mil, desses passes foi emitida para francesas ricas, colaboracionistas e esposas e amantes de oficiais alemães.

A maioria da população sofreu privações assustadoras por causa da escassez de alimentos e outros bens vitais, inclusive roupas. Muitas fábricas de roupas geridas por famílias judias foram fechadas e seus proprietários enviados para a morte nos campos de concentração. Era especialmente difícil obter roupas masculinas, já que boa parte do comércio, tanto de uniformes como de roupas civis, era redirecionada para a Alemanha. Para os franceses, o mercado de roupas usadas tornou-se um meio vital de suplementar os escassos guarda-roupas. Mulheres inventivas e com consciência de estilo refaziam roupas velhas com novos estilos: em 1942, houve uma voga do "robe à mille morceaux" – um vestido multicolorido que combinava peças tiradas de vários trajes velhos.

A partir de 1941, o consumo de roupas na França foi rigorosamente controlado pelas várias medidas de racionamento e, em julho do mesmo ano, foram emitidos cupons. Cada artigo de vestuário tinha um valor de cupom, e os cupons tinham de ser entregues junto com o dinheiro por ocasião da compra de roupas novas. Inicialmente, destinavam-se cem cupons a cada pessoa, trinta dos quais imediatamente utilizáveis. Era uma concessão tremendamente inadequada, permitindo a quem podia pagar por novas roupas a compra anual de pouco mais que um casaco ou conjunto ou alguns artigos menores. A regulamentação dos fios de tricô foi especialmente ressentida: cupons especiais eram concedidos apenas a mulheres grávidas ou com filhos com menos de três anos. Em abril de 1942, o desenho das roupas também foi regulamentado. Limites estritos de metragem foram estabelecidos para trajes específicos e os detalhes irrelevantes foram colocados fora da lei. O efeito sobre o vestuário masculino foi que os ternos não podiam mais ter paletós trespassados e os bolsos com pregas ou pences foram banidos. As calças limitavam-se a um único bolso nos quadris; as barras italianas foram proibidas e as bainhas estreitadas.

Isolada do mundo exterior, Paris perdeu a posição de epicentro da moda. Após angústias iniciais, os estilistas em Londres e Nova York reconheceram que isso lhes oferecia a oportunidade de afirmar seus próprios talentos, mesmo diante da escassez e das restrições. Na Grã-Bretanha, com o início da guerra, deixou de ser possível contar com matérias-primas e alimentos importados. Tornou-se vital economizar os estoques existentes e, ao mesmo tempo, liberar mão-de-obra, matérias-primas e espaço de fábrica para o esforço de guerra. Para assegurar o melhor uso dos recursos de vestuário, o Conselho do Comércio controlava os fornecimentos, restringia a procura e impunha regulamentos aos modelos. As medidas iniciais incluíam a Ordem do Algodão, Linho e *Rayon*, em abril de 1940, e a Ordem de Limitação de Fornecimentos (Sortidos), em junho de 1940, que reduziam os estoques de tecidos no varejo. Os Esquemas de Concentração, ampliados em julho de 1942, cortaram o número de fábricas de roupas e impediram a criação de novas empresas.

Para reduzir a procura e assegurar uma distribuição eqüitativa de bens, a primeira Ordem de Racionamento de Consumo foi introduzida em 1º. de junho de 1941 (e durou até março de 1949). Durante o primeiro ano de racionamento, sessenta e seis cupons eram emitidos para cada homem, mulher e criança – uma cota estimada para fornecer metade das roupas compradas em tempo de paz.

Com essa cota de cupons, um homem podia comprar pouco mais do que as roupas do corpo: um sobretudo requeria 16 cupons; uma jaqueta ou *blazer*, 13; um colete ou suéter, 5; um par de calças, 8 (que não fossem de fustão ou cotelê, que exigiam 5); uma camisa, 5; uma gravata, 1; camiseta e cuecas em lã, 8; meias, 3 e sapatos, 7. Uma mulher podia escolher um sobretudo por 14 cupons, uma blusa e um cardigã ou suéter, por 5 cupons cada; uma saia por 7; um par de sapatos por 5, dois sutiãs e uma cinta por um cupom cada e um saiote, combinação ou *camiknicker* por 4 cupons. Os 12 cupons restantes podiam ser usados para comprar apenas seis pares de meias.

Muitas mulheres haviam se acostumado a comprar um novo par de meias a cada semana – no ritmo do período anterior à guerra, o consumo de meias, sozinho, exigiria 104 cupons. Para economizar as meias, muitas mulheres usavam meias de lã durante o inverno e pernas desnudas em tempo de calor e em casa. Quando o uso da seda foi proibido no vestuário civil, em 1941, o *rayon* tornou-se o substituto menos desejável. A partir de 1942, soldados

117. Em 1940, em resposta à escassez da guerra, a Max Factor introduziu um preparado colorido que tingia as pernas para dar a impressão de meias. Pintar uma costura nas costas da perna – o toque final – exigia mão firme e era muito difícil de fazer no próprio corpo

americanos estacionados na Grã-Bretanha trouxeram consigo estoques de meias de *nylon*, altamente desejáveis. O *nylon* era vendido como a nova fibra miraculosa, parecida com a seda, mas mais durável. (Foi só em 1946 que a Grã-Bretanha passou a produzir *nylon*). Cosméticos especiais eram produzidos para escurecer as pernas nuas, embora o escurecimento com molho ou cacau fossem possibilidades mais baratas. Escurecidas as pernas, uma costura postiça era laboriosamente pintada na parte de trás das pernas. Muitas mulheres mais jovens escolhiam a alternativa menos trabalhosa de usar meias soquetes.

118, 119. Moldes para suéter, luvas e botoeira, britânico e americano, do período de guerra. Embora a lã fosse racionada (na Grã-Bretanha, era preciso um cupom para comprar duas onças de fio), menos cupons eram necessários para comprar lã do que para comprar a roupa pronta. Necessariamente curtos e justos, os suéteres ficavam mais vivos graças ao padrão e à textura, assim como pela cor (o que também permitia o uso de pequenas quantidades de restos ou de fios desembaraçados).

O segundo ano de racionamento viu a alocação de cupons temporariamente reduzida a quarenta e oito e o valor de certos artigos reajustado. Em uma tentativa de economizar couro, os sapatos com solas de madeira foram reajustados para apenas dois cupons. As lacunas iniciais do sistema também foram fechadas: os aventais industriais e os tecidos para móveis, não racionados, receberam um valor em cupons quando se tornou evidente que estavam sendo usados para suplementar as cotas de vestuário. Contudo, o tecido de *black-out* permaneceu não racionado durante a guerra e muitas vezes foi usado ilicitamente para fazer roupas. Como sempre, os trabalhos de costura e crochê domésticos ofereciam uma oportunidade de individualidade e economia financeira, além de oferecer um meio de economizar cupons. Uma saia podia ser feita em casa com 68cm de tecido no valor de apenas três cupons e meio; comprada pronta, custava o dobro.

Embora os chapéus não fossem racionados – para permitir às mulheres pelo menos um enunciado de moda –, os modelos eram

118
119

pequenos. Toques com véu eram populares, assim como as boinas, toucas que moldavam a cabeça e chapéus-miniatura com abas minúsculas – todos eram usados em um ângulo maroto. Entre os adornos populares estavam as plumas – de penas individuais a pássaros inteiros – e vivazes fitas de alfaiataria. Para o verão, modelos de palha esmaltados eram decorados com flores de pano. Apesar da falta de regulamentação, a venda de chapéus não exibiu nenhum aumento apreciável durante a guerra. Muitas mulheres achavam os preços proibitivos, outras consideravam os chapéus frívolos e irrelevantes em tempo de guerra e preferiam redes, turbantes e lenços, mais práticos, que cobriam o cabelo e, portanto, eram seguros para o trabalho nas fábricas, além de adequados ao uso tanto dentro de casa como ao ar livre.

Uma aliança entre comerciantes de tecido empreendedores e artistas talentosos levou à produção de modelos têxteis patrióticos durante a guerra, além de modelos inspirados pelas belas-artes. Para sua série de alegres lenços de cabeça, Jacqmar fez uso de emblemas e *slogans* aliados, como o desenho de propaganda do cartunista da *Punch*, Fougasse, intitulado "Conversa descuidada custa vidas". O Centro de *Design* e Estilo do Conselho do Algodão e a companhia têxtil londrina Ascher comissionaram artistas e estilistas importantes, entre eles Henry Moore e Graham Sutherland, para conceber estampas têxteis modernas, características. Para evitar desperdício durante o corte, os padrões repetidos, tecidos e estampados, eram pequenos.

O Esquema Utilitário foi introduzido pelo Conselho do Comércio em 1941, para assegurar que bens de consumo de baixa e média qualidade fossem produzidos com os mais elevados padrões, a preços "razoáveis", compatíveis com as restrições de matéria-prima e mão-de-obra. A palavra "utilitário" era aplicada a trajes feitos de tecido utilitário, definido em termos de níveis de qualidade mínima (peso e conteúdo de fibra por jarda quadrada) e preços de varejo máximos permitidos. Os panos utilitários eram identificados pelo característico rótulo com crescente duplo, CC41 (Civilian Clothing [Vestuário Civil] 1941). Depois que os fabricantes haviam cumprido suas quotas utilitárias – cerca de 85% da produção total –, tinham permissão para fazer roupas sem usar o tecido utilitário, mas eram obrigados a seguir os mesmos regulamentos de estilo. Para economizar ainda mais os recursos em diminuição, as Ordens de Restrições na Feitura de Vestuário Civil foram decretadas em 1942. Estas proibiam os cortes que causassem desperdício e estabeleciam uma lista de restrições sob as quais costureiras, alfaiates e fabricantes eram obrigados a trabalhar. Um vestido, por exemplo,

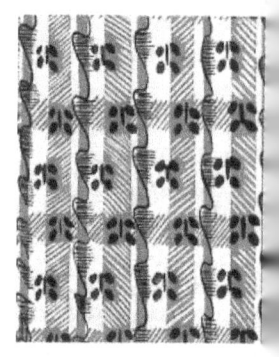

120. Desenhos têxteis britânicos de outubro de 1943. *De cima para baixo*: "Paz e fartura", figuras brancas e pretas em fundo vermelho; faixa e contrafaixa; estampa fora de registro.

não podia ter mais de dois bolsos, cinco botões, seis costuras na saia, duas pregas invertidas ou de tipo caixa (macho) ou quatro pregas do tipo faca (tombadas), e 4 metros de costuras. Nenhuma decoração supérflua era permitida.

Para demonstrar que as limitações do esquema utilitário não excluíam estilo e resultado no vestuário padronizado, o Conselho do Comércio recrutou os principais estilistas de moda de Londres para criar uma coleção-protótipo. Trabalhando sob os auspícios da recém-fundada Sociedade Incorporada dos Estilistas de Moda de Londres, Hardy Amies, Digby Morton, Bianca Mosca, Peter Russel, Worth (Londres) Ltd., Victor Stiebel, Creed e Edward Molyneux foram comissionados para criar um guarda-roupa para o ano inteiro, compreendendo um sobretudo, um conjunto (com camisa ou blusa) e vestido de dia. Foram feitos moldes em tamanhos graduados desses desenhos e eles foram disponibilizados para os fabricantes, por uma pequena taxa, a partir de outubro de 1942. Nesse mês, a *Vogue* louvou o fato de que roupas concebidas por estilistas de primeira linha eram amplamente disponíveis e que as restrições de estilo negativas haviam sido transformadas em positivos triunfos.

Com o foco centrado no corte e nas linhas, a coleção distinguia-se pela sua elegante simplicidade. Embora poucas mulheres pudessem ter esperança de igualar a sofisticação retratada na *Vogue*, esses modelos estabeleceram as linhas do vestuário britânico durante o período da guerra. A silhueta era estreita e ajustada, com ombros pronunciados e cintura marcada. As jaquetas eram curtas e quadradas ou longas e próximas ao corpo. Os quadris eram acentuados com linhas de túnica, drapeados e bolsos inclinados e chapados. As saias eram retas, com pregas invertidas ou com porções rodadas para facilitar o movimento. As bainhas ficavam a dezoito polegadas do chão – geralmente logo abaixo do joelho. Criava-se interesse adicional na superfície com um desenho imaginativo e a colocação dos botões, como os que exibiam patrioticamente o motivo CC41. Detalhes militares ficavam evidentes no uso de cintos, bolsos peitorais, golas altas e colarinhos pequenos, e um toque alegre era conseguido por meio do uso de cores brilhantes e contrastantes.

Os modelos de sapatos para as mulheres eram atarracados e fortes, com solas em cunha ou saltos raramente com mais de 5 cm de altura. As biqueiras abertas foram banidas por não serem consideradas práticas nem seguras. Apesar da escassez de couro, faziam se polainas de couro de bezerro ou pelúcia, embora a ráfia e o feltro se revelassem como possibilidades novas e econômicas. Os sapatos masculinos aderiam a uma fórmula longamente estabelecida, dominada por sapatos clássicos, resistentes, amarrados como borzeguins.

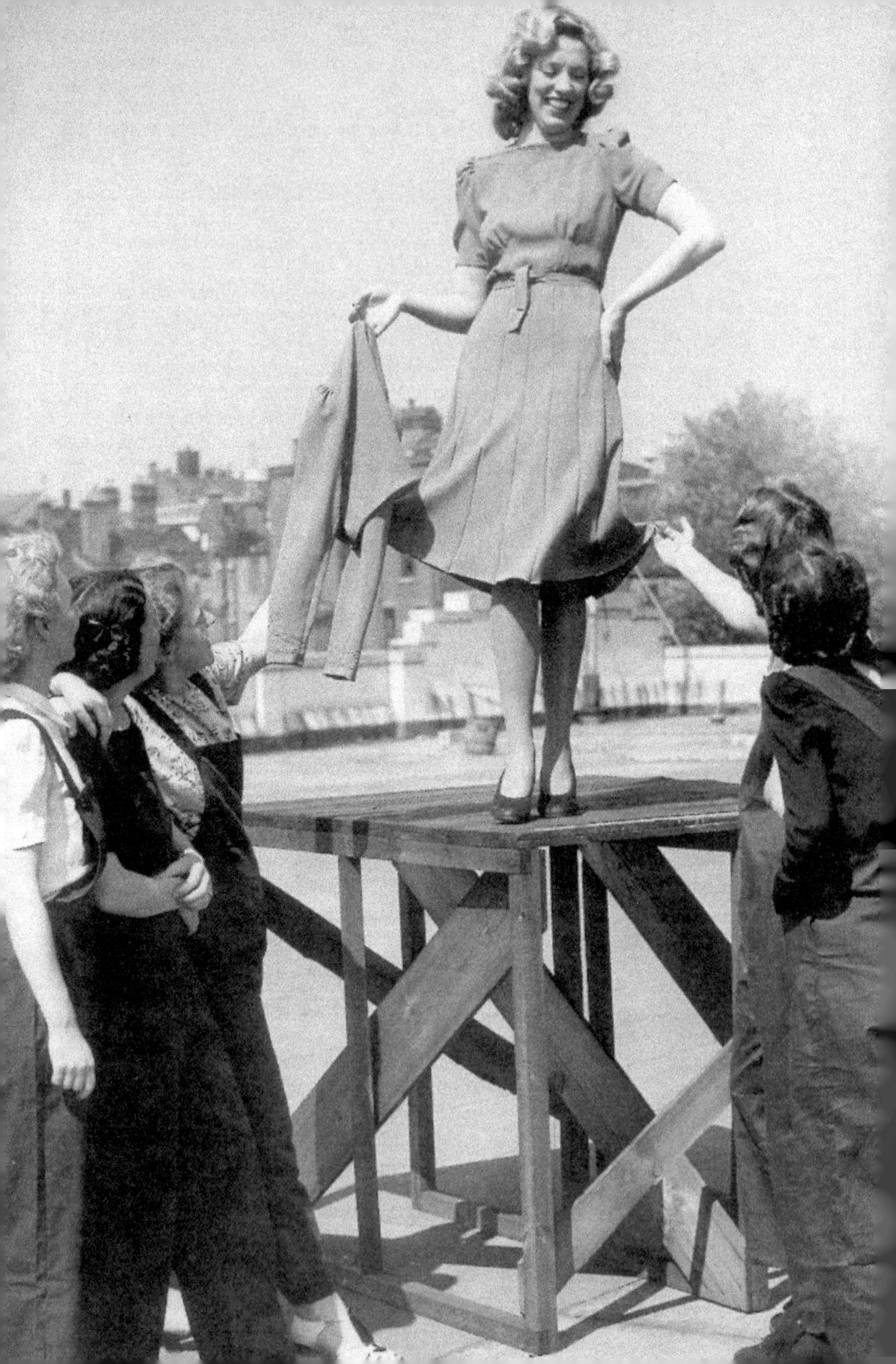

121. Grupo de jovens trabalhadoras da indústria de munição, usando os onipresentes macacões, assistem a uma exibição de roupas utilitárias em Croydon, Inglaterra, em 1942.

Enquanto muitos homens passaram os anos de guerra vestindo uniforme, os estilos civis tornavam-se menos formais: camisas e pulôveres de pescoço aberto, usados com calças de flanela ou tecidos canelados eram muitas vezes preferidos no lugar de ternos, colarinhos e gravatas. Os estilos também sofreram as restrições das regras utilitárias. A economia principal foi a abolição do colete – todos os conjuntos passaram a ser de duas peças – e a eliminação de abas nos bolsos, barras italianas nas calças e suspensórios. Os críticos das medidas assinalavam que a procura de pulôveres inevitavelmente aumentaria para compensar a ausência de coletes, que as abas dos bolsos eram importantes para ocultar o aspecto mole devido ao uso excessivo, que as barras italianas tornavam mais fácil fazer concertos e que os suspensórios eram essenciais para conjuntos que já não se ajustavam com perfeição; a decisão do Conselho, porém, foi definitiva. Acessórios podiam ser usados para trazer variedade aos guarda-roupas reduzidos: alternando um chapéu-melão preto, conservador, e um chapéu de aba virada, mais informal, um homem podia usar o mesmo conjunto tanto para o serviço como para o lazer.

Embora o racionamento controlasse o consumo civil, os fabricantes de roupas masculinas do Reino Unido, como Hepworths e Burton, estiveram plenamente ocupados ao longo de toda a guerra, atendendo à procura governamental de uniformes. Os negócios também continuaram estáveis na Savile Row, já que tanto as encomendas de uniformes quanto as encomendas do exterior impulsionaram as vendas. Muitos oficiais americanos servindo na Grã-Bretanha encomendavam ternos ao voltar para casa, e, no fim da guerra, havia grandes listas de espera para os produtos exclusivos, feitos a mão, da Savile Row.

Uma campanha organizada pelo governo, conhecida como "Make Do and Mend"[Faça servir e conserte], foi lançada em 1943 para incentivar as pessoas a fazer suas roupas durarem ao máximo e as reciclar. As famílias mais pobres sempre haviam sido inventivas, mas, agora, as que estavam em melhor situação financeira foram encorajadas a seguir o exemplo. A imprensa apoiou a campanha, aconselhando os leitores em como ter boa aparência com um mínimo de recursos e criar roupas novas a partir de roupas velhas. As mulheres eram aconselhadas até a reutilizar os fios de meias gastas para fazer abafadores de chá e a parte de cima de chinelos, e mostravam às que precisavam de roupa de banho como improvisar uma com cinco espanadores. Para as mais empreendedoras havia instruções de como fazer vistosas jóias com bocas de garrafa, rolhas e rolos de filme.

Durante toda a guerra, as mulheres viram-se sob a pressão de ter boa aparência em todas as ocasiões, especialmente para os homens que retornavam da frente de batalha, e, ao mesmo tempo, de cuidar da família e realizar trabalho de guerra, muitas vezes árduo e potencialmente perigoso. Durante o trabalho nas fábricas, qualquer coisa que pudesse ficar presa às máquinas era eliminada ou ocultada: os cabelos compridos eram cobertos e as roupas eram despidas de cordões, laços e ilhóses. Os fechos eram colocados nas costas ou nos ombros, os bolsos eram traseiros, os cintos fechados por trás e usavam-se os sapatos sem cadarços.

Como havia escassez de roupas e acessórios, a ênfase recaía sobre os penteados e a maquiagem, embora a produção de cosméticos fosse severamente diminuída. Ingredientes básicos, como óleo de rícino, glicerina, talco e álcool, eram requisitados para fins de guer-

1939-1945: A MODA RACIONADA E O ESTILO CASEIRO

122. *Página ao lado, esquerda*: conjunto utilitário em *tweed* espinha de peixe com listra vermelha fina e três botões CC41. Embora fosse consenso que os modelos deviam ser anônimos, etiquetas marcadas com as iniciais dos estilistas foram encontradas em alguns trajes quando a coleção foi doada ao Victoria & Albert Museum, em 1942, e este foi atribuído a Digby Morton. Ao fazer a blusa, a jaqueta e a saia do mesmo tecido, este versátil traje de três peças podia ser usado como conjunto ou como vestido. Era feito em todos os níveis de qualidade.

123. *Página ao lado, direita*: conjunto utilitário de jaqueta azul-clara salpicada e saia de lã azul-marinho, atribuído a Victor Stiebel. A jaqueta, não trespassada, com ombreiras quadradas, lapela profunda e dois bolsos com aba lembra muito a parte de cima da roupa de combate do uniforme militar. É usada com uma saia esguia, com recortes levemente rodados colocados em uma pala.

124. Um jovem usando um conjunto utilitário padrão oferece um cigarro a um homem mais velho usando um conjunto da Simpson's, uma loja de departamentos exclusiva, em Londres, c. 1942. A imagem provavelmente pretendia documentar a similaridade superficial entre os dois trajes.

ra, assim como materiais de embalagem, como o plástico. A produção também era redirecionada para necessidades não ligadas à moda, como os cremes faciais, usados para ajudar a impedir que os operários da indústria de munições absorvessem substâncias tóxicas. Não obstante, os vários ideais de beleza projetados por estrelas de Hollywood, como Rita Hayworth, Betty Grable, Bette Davis, Joan Crawford e Barbara Stanwyck continuavam a ser avidamente copiados pelas suas fãs.

Os jornalistas de beleza sugeriam que as mulheres polissem as unhas em vez de pintá-las, porque os esmaltes eram raros e, além disso, não eram práticos para a vida em tempos de guerra. Da mesma maneira, eram encorajadas a dar brilho aos cabelos antes com escova do que com brilhantina. No início da guerra, os penteados curtos estavam na moda, mas, a partir de 1942, os cabelos na altura dos ombros tornaram-se populares e a estrela de Hollywood, Veronica Lake, inspirou inúmeras mulheres a dividir os cabelos para o lado e a usá-los no estilo pagem. Nas ocasiões especiais, os cabelos eram usados longos e frisados ou penteados para cima.

Na Itália, a escassez foi severa e a silhueta da moda para as mulheres foi similar à criada na Grã-Bretanha, com trajes de ombros quadrados, razoavelmente justos, chegando pouco abaixo do joelho. Contudo, o estilo italiano tendia a ser mais refinado do que as linhas de alfaiataria, um tanto masculinizadas, do esquema utilitário. Estilistas como Maria Antonelli, Sorelle Fontana, Schuberth e o peleteiro Jole Veneziani continuaram a atender às necessidades da aristocracia, milionários industriais e grandes atrizes. A escassez de couro foi especialmente pronunciada e os mais afetados talvez tenham sido os produtores de acessórios de renome internacional. Diante de severas restrições ao uso do couro, o influente e engenhoso sapateiro Salvatore Ferragamo, de Florença, criou obras-primas de invenção. Usou resinas sintéticas e cortiça para produzir sapatos com sola em cunha em grande estilo, mas, mais notáveis entre todas, foram as solas futuristas feitas de *rhodoid*, parecido com vidro, e de baquelita. A partir de 1940, com o uso do couro exclusivamente reservado para as botas dos soldados, os sapatos coloridos de Ferragamo, muitas vezes com biqueiras viradas para cima, à maneira oriental, passaram a ser feitos de materiais tão diversos quanto cânhamo, feltro, ráfia e celofane tricotado e trançado.

Entre junho de 1940 e dezembro de 1941, os estilistas americanos criaram coleções em grande estilo, livres das restrições impostas pela guerra. No topo do mercado de moda de Nova York, Valentina criou vestidos de noite de seda drapeada, alguns com toque medieval, e estilos bailarina, com saias cheias; Charles James desenhou casacos e vestidos esculturais, em cores incomuns, e Hattie Carnegie criou conjuntos que moldavam o corpo, em cores resplandecentes. Para o inverno de 1941, Carnegie conjugou uma jaqueta mostarda com uma saia púrpura e desenhou um conjunto de lã vermelho-tomate, com um forro azul que podia ser vislumbrado por entre fendas nos ombros e nos bolsos.

Os Estados Unidos entraram na guerra em dezembro de 1941. Embora a escassez de materiais fosse menos aguda do que na Europa, em 1942, a Secretaria de Produção de Guerra dos EUA emitiu a Ordem Geral de Limitações L-85, que proibia detalhes não essen-

125. *Página ao lado, acima*: ilustração de uma revista do período da guerra, mostrando três maneiras de combinar dois vestidos velhos. Como os vestidos muitas vezes exibem sinais de uso no pescoço e nos pulsos, essas áreas podem ser substituídas usando tecido tirado de outro vestido.

126, 127. *Página ao lado, abaixo*: campanhas similares foram lançadas na Grã-Bretanha e nos Estados Unidos para promover o conserto e a reciclagem de roupas velhas, para transformá-las em atraentes artigos novos.

COMBINING GARMENTS

THREE WAYS IN WHICH TWO OLD FROCKS MAY BE COMBINED

ciais e tornava ilícitos certos trajes (a ordem permaneceria em vigor até 1946). Os estilistas e produtores foram proibidos de fazer wraps e vestidos de noite completos em lã e de usar mangas de corte enviesado e mangas-morcego. As jaquetas não podiam exceder 63,5 cm de comprimento; punhos e sobre-saias foram banidos e os cintos não podiam ter mais de 5 cm de largura. Como na Grã-Bretanha, os fabricantes foram obrigados a produzir certo número de linhas mais baratas para contrabalançar a tendência de concentração em linhas mais lucrativas e de preço mais alto em tempo de guerra.

Durante a guerra, Hollywwod afastou-se das extravagâncias características da década de 1930. Adrian, percebendo que seus dias de glória como figurinista de cinema haviam passado, estabeleceu-se como estilista, apresentando sua primeira coleção de moda em janeiro de 1942. Seus conjuntos eram especialmente distintos, exibindo ombros largos, com ombreiras, e inserções de tecido chamativas. Como não havia escassez de mão-de-obra especializada, os estilistas americanos podiam empregar técnicas complexas para criar trajes de alta-costura desejáveis, ao mesmo tempo que cumpriam os regulamentos de economia de tecido.

Embora os estilistas de Nova York fossem muito aclamados na criação de trajes completos, seria no campo das peças individuais discretas e das roupas esportivas que os Estados Unidos deixariam

128. "É dever dela encarar o futuro calma e serena", diz o texto deste anúncio de cremes faciais da Elizabeth Arden, no início da década de 1940.

29. Conjuntos de alfaiataria americanos, 1945. a modelo em primeiro plano usa um modelo quadrado, trespassado, e *tweed*, de Kraus, e a modelo com guarda-chuva usa um conjunto de lã cinturado de Hattie Carnegie.

sua marca na moda. Pauline Trigère, Norman Norell, Philip Mangone e Nettie Rosenstein estavam entre os estilistas de *prêt-a-porter* de primeira linha, cujos modelos eram vendidos por todos os EUA. Foi coerentemente retrabalhado o vestido-camisa, feito com tecidos utilitários para uso durante o dia e com tecidos mais luxuosos e acessórios decorativos para a noite. As saias camponesas cheias foram proibidas pelos regulamentos L-85, dando lugar a vestidos com saia mais justa, com listras ou cores sólidas, bolsos chapados, mangas franzidas e decotes quadrados nas costas ou que deixavam as costas nuas. Por toda a Europa e Estados Unidos, no tempo da guerra, era amplamente aceitável que as mulheres usassem calças para fins utilitários, no campo, na praia ou na forma de saias-calças, mais elegantes para a noite. Para todas as outras ocasiões, a regra era: quando em dúvida, use uma saia.

O talento dos estilistas da Califórnia também foi reconhecido durante a guerra. Especializando-se em peças separadas e roupas de lazer, foram aclamados pelo uso vivo da cor e de fontes étnicas.

Alice Evans, de Santa Fé, fechava seus conjuntos de denim com botões prateados, feitos à mão por nativos americanos.

O algodão produzido nos EUA era usado abundantemente por estilistas e fabricantes, muitos dos quais, até então, haviam importado tecidos franceses, ultra-sofisticados. Calças, culotes e *shorts* (no mesmo comprimento dos usados por soldados em áreas tropicais), vestidos, saias, camisas e blusas eram todos feitos com algodão fresco. Os sapatos com sola em cunha eram cobertos com tecido xadrez; faixas de algodão eram usadas para fazer cintos; o piquê plissado era usado para arrematar roupas e as boinas eram feitas de voal. Para a praia, algodão sanforizado (pré-encolhido) e *rayon* eram estampados com desenhos brilhantemente coloridos de flores tropicais, listras ou bolinhas e recebiam a forma de saias modificadas em estilo bailarina.

A partir do verão de 1942, os padrões e cores da Guatemala, Peru e Chile foram interpretados para os mercados norte-americanos. Foram desenhadas saias com grandes babados e tornaram-se populares as blusas "camponesas" com mangas bufantes e decotes redondos e cavados. O foco da moda era o ventre, descoberto nos trajes para o dia e na praia. As revistas sugeriam que as mulheres investissem em um vestido simples, uma saia e blusa para praia e uma roupa de banho, para fazer uso pleno de um bem não racionado – o sol. As blusas de praia tinham muitas vezes corte baixo nas costas e os trajes de banho em estilo sarongue ou *shorts* eram usados com *tops* tipo sutiã, em jérsei de *rayon* com estampas florais. Os acessórios incluíam sandálias de tiras em pelúcia aveludada, colares de voltas múltiplas, brincos pendentes, braçadeiras e braceletes de moedas douradas nos tornozelos.

Entre os principais estilistas de roupas esportivas de Nova York, que incluíam Tina Leser, Vera Maxwell, Bonnie Cashin e Clare Potter, a mais famosa era Claire McCardell. De 1927 a 1929, ela estudou na Parsons School of Design, em Nova York e Paris, e, subseqüentemente, trabalhou na indústria. Durante a guerra, seus talentos foram plenamente explorados e reconhecidos. Usando tecidos resistentes como denim, cambraia, cotelê, anarruga, vichi e jérsei, criou um versátil guarda-roupa básico composto de blusas, calças e saias intercambiáveis. Rompendo com a tradição, McCardell deixou expostos os fechos de metal e enfatizou sua assinatura, a costura dupla – uma técnica de reforço tradicionalmente usada em roupas de serviço –, usando linha colorida contrastante.

Em 1944, McCardell persuadiu o fabricante de calçados Capezio a fazer sapatilhas de balé, não racionadas, em tecidos que combinassem com suas roupas, com solas mais robustas, para serem usa-

130. A legenda original desta fotografia diz: "Quando em dúvida, use uma saia". Embora as calças fossem amplamente usadas pelas mulheres para fins de trabalho, ainda não eram aceitáveis como roupas de lazer. Como os chapéus não eram racionados, os modelos podiam ser grandes; daí o *sombrero* de abas largas.

das ao ar livre. Também introduziu um colante de lã de jérsei com pernas compridas, para oferecer uma camada quente e elegante a ser usada sob suas saias e vestidos. Embora esses trajes esportivos não atraíssem os mercados do período de guerra, estilos similares causariam uma revolução na moda durante a década de 1970.

De todas as mulheres em serviço militar, as americanas tinham os uniformes considerados mais glamurosos, e muitos deles haviam sido desenhados por talentos de primeira linha da moda. Mainbocher foi especialmente elogiado por fundir funcionalidade e feminilidade: os elegantes uniformes que criou em 1942 para as WAVES (Women Accepted for Voluntary Emergency Service – Mulheres Aceitas para Serviço de Emergência Voluntário) também foram adotados pelas SPARS (Reserva de Mulheres da Guarda Costeira). Os uniformes usados pelo Corpo Auxiliar Feminino foram desenhados por Philip Mangone, que, subseqüentemente, fez grande uso de detalhes militares em seus trajes de alfaiataria para uso durante o dia. Embora Elizabeth Hawes houvesse abandonado a moda para dedicar-se a escrever (seu livro mais famoso, *Fashion is Spinach*, foi publicado em 1938), ela concordou, em 1942, em desenhar um uniforme para as voluntárias da Cruz Vermelha.

Para os homens, uma alternativa radical e controvertida para os uniformes e a moda do tempo de guerra foi o conjunto *zoot*, que surgiu em meados da década de 1930, mas teve seu grande impac-

131. *Esquerda:* três membros da WAC vestem os novos uniformes do exército auxiliar. *Da esquerda para a direita:* uniformes de inverno e verão para oficial e o uniforme básico. Observe a semelhança desses trajes com os conjuntos de alfaiataria usados fora do serviço e por civis.

132, 133. *Página ao lado:* alfaiates clandestinos faziam os vistosos conjuntos *zoot*, usados – devidamente acompanhados de todos os acessórios – por estes jovens afro-americanos (*esquerda*), assim como o conjunto de peças separadas, composto de jaqueta xadrez e calças fortemente afusadas, usado com a característica corrente de relógio pendendo em arco, por jovem americano de origem mexicana (*direita*), 1943.

to durante a guerra, quando foi usado por americanos negros e de origem latina como emblema de seu orgulho étnico e alienação da sociedade dominante. O conjunto *zoot* distinguia-se pelo estilo exagerado: jaquetas cinturadas, excepcionalmente longas, com ombreiras extragrandes, calças-balão, de cintura muito alta, terminando em bocas estreitas, com barras italianas. Os tecidos também eram de cores brilhantes, com listras e xadrez de cores chamativas; as gravatas eram vistosas, e os sapatos de duas cores eram populares. O toque final, crucial, era uma longa corrente de relógio pendendo em arco. As jovens também usavam a jaqueta e a corrente com grande aprumo, conjugada com uma saia apertada, meias arrastão e sapatos de salto alto. Usuários famosos do *zoot* incluíam os

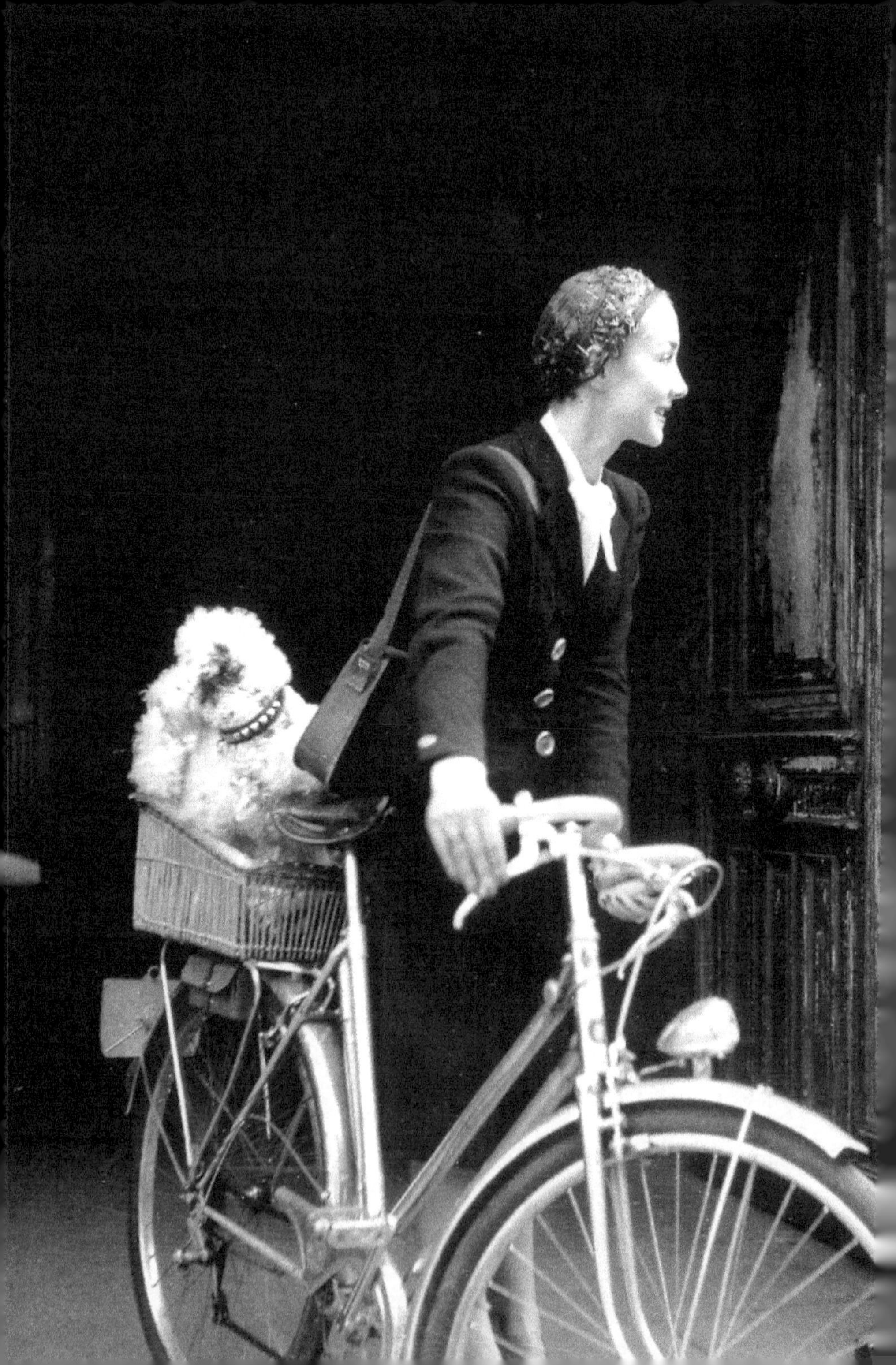

músicos de *jazz* Dizzy Gillespie e Louis Armstrong, além do jovem Malcolm X.

Em uma época de economia patriótica amplamente difundida, o uso do extravagante *zoot* despertou muita hostilidade, que culminou nos famosos Motins do Zoot, em 1943, quando seus usuários entraram em choque com militares e policiais. O *zoot* continuou a ser usado ao longo de toda a guerra e, mais tarde, influenciou o vestuário dos desafiadores e narcisistas fãs do *swing* na Paris ocupada pelos nazistas, que vieram a ser conhecidos como *zazous*, e dos *spiv*, do mercado negro.

Após a libertação da França, em agosto de 1944, notícias tanto das dificuldades como do hedonismo da capital ocupada chegaram ao mundo. Entre os primeiros a chegar a Paris estava Lee Miller, que fotografou as modas vigentes para a *Vogue*. Os estilos da ocupação também podiam ser vistos no *Album de la mode*, um documento clandestino compilado por Michel de Brunhoff, antigo editor da *Vogue* francesa, que deixara de ser publicada no verão de 1940, após a invasão nazista.

Inevitavelmente, foram feitas investigações quanto ao papel desempenhado pela alta-costura durante a ocupação, e o patriotismo dos estilistas foi colocado em questão. Alguns explicaram que haviam deliberadamente usado quantidades enormes de tecido para desperdiçar os recursos do inimigo e que os estilos absurdos do tempo da guerra haviam sido criados expressamente para ridicularizar sua clientela. Outros afirmaram que ao tornar as mulheres belas mantinham um verniz de normalidade e, ao fazê-lo, desafiavam os nazistas.

Após a libertação, os estilistas parisienses uniram-se à economia de materiais de outros lugares. As coleções foram reduzidas para quarenta modelos, em estilos discretos e econômicos. Em 1945, as revistas relatavam uma "nova feminilidade" na moda: trajes habilidosamente cortados davam uma impressão mais cheia, os ombros eram suavizados e tornaram-se populares os decotes ovais e decotes-princesa. O Japão e a China também ofereceram inspiração para roupas com mangas japonesas, fechos com alamares e combinações de cores vibrantes. As reportagens de moda eram internacionais e a perspectiva de Paris retomar sua supremacia pareceram, por um breve período, incertas.

134. "Deixando o salão de cabeleireiro Pierre e René com os cachos molhados", fotografia de Lee Miller, Paris, 1944. Com a libertação da capital francesa, Lee Miller (que também documentou o horror da guerra no frente de batalha) fotografou a maioria das coleções para a *Vogue*. Conhecida pela honestidade e pela acessibilidade de seu trabalho, ela também fez tomadas de moda, "por trás das cenas", retratando modelos e cenas de rua.

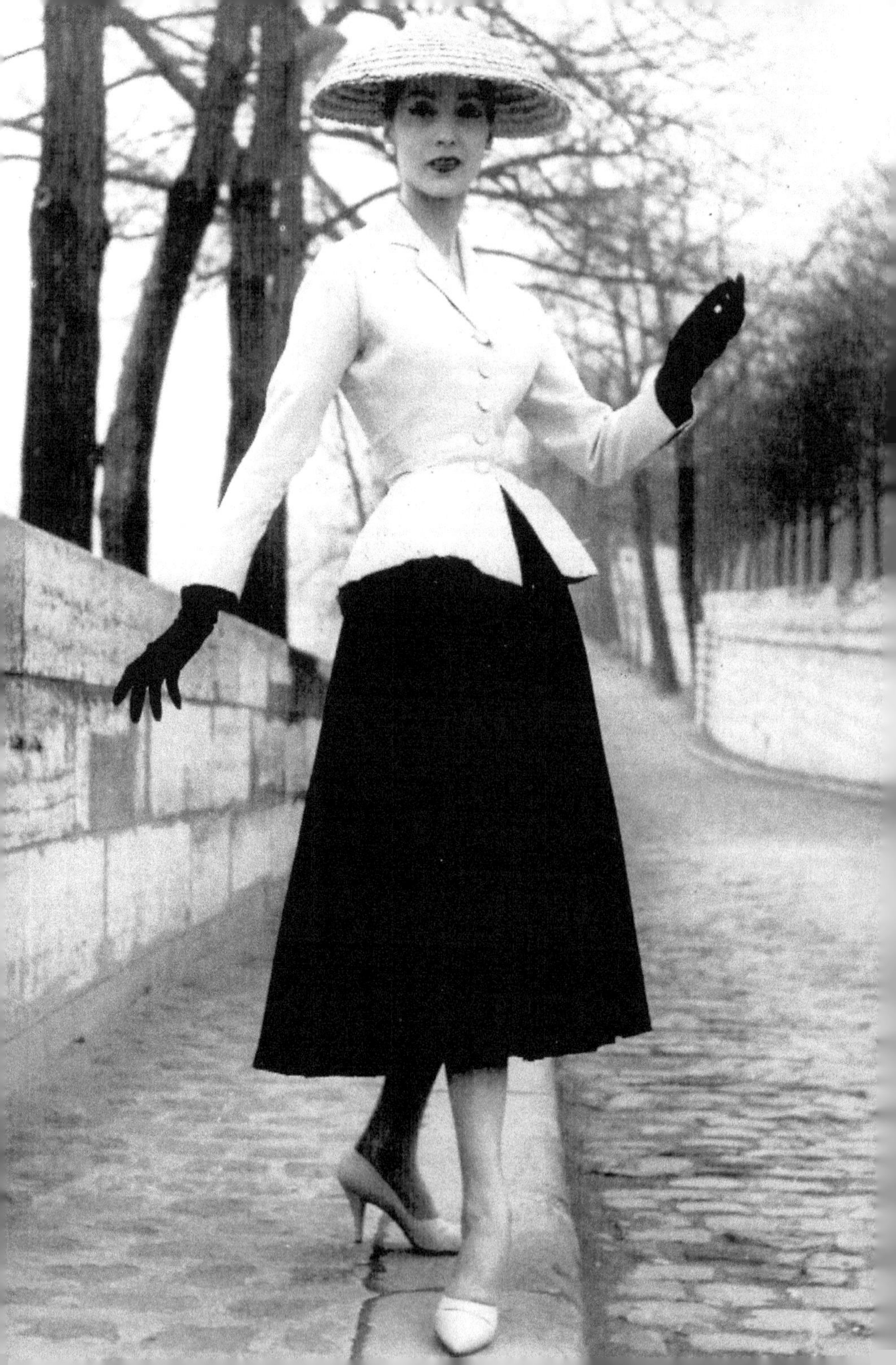

5. 1946-1956
FEMINILIDADE E CONFORMISMO

Após a devastação da guerra, as economias de todos os países europeus participantes estavam exauridas, muitas delas a ponto de bancarrota. A recuperação foi lenta, à medida que as populações se adaptavam ao clima de paz e as forças armadas retornavam à vida civil. No Reino Unido, o período imediatamente após a guerra foi chamado "a era da austeridade" – havia pouco dinheiro e bens, e o racionamento continuava a retardar o desenvolvimento da indústria de moda. Os EUA, relativamente intactos e ricos, fizeram sentir o seu poder econômico e político através do Plano Marshall, de 1947, que distribuiu ajuda financeira para sustentar a recuperação européia. A moda refletiu o gradual crescimento da prosperidade. O ritmo do renascimento das indústrias de moda variou na Europa, enquanto a fabricação de *prêt-à-porter* tornava-se cada vez mais forte nos EUA. Os ex-combatentes estavam contentes por deixar o uniforme e, na Grã-Bretanha, estavam ansiosos para encontrar substitutos para os desajeitados conjuntos de desmobilização, fornecidos ao fim de guerra. Muitas mulheres, após a participação no esforço de guerra, retornaram ao lar como donas-de-casa e mães em tempo integral.

O fim da guerra trouxe o retorno gradual das atividades de fim de semana e feriados. Enquanto a Europa levou certo tempo para reativar sua indústria de roupas de lazer, os fabricantes americanos com experiência em roupas esportivas logo produziam novas linhas. Um dos artigos de moda de praia mais dignos de nota no período pós-guerra foi o biquíni, lançado em 1946 pelo estilista francês Louis Réard, pouco depois de os EUA testarem uma bomba atômica no atol de Bikini, no Pacífico. Roupas de banho de duas peças estavam longe de ser uma novidade, mas o tamanho diminuto da versão de Réard provocou controvérsia. Pode-se dizer que o empreendimento marcou o início da revolução do vestuário de lazer e esporte, que acabaria por aproveitar o potencial das fibras sintéticas para produzir roupas cada vez mais eficazes e refinadas à medida que o século avançava.

Após o fim da ocupação alemã, Paris logo reconquistou sua posição como ponto mais alto do mundo da moda. Em 1945, o Théâtre de la Mode, uma exposição em miniatura de bonecas com ar-

35. Dois anos após o fim da guerra, em fevereiro de 1947, primeira e revolucionária coleção de Christian Dior, o "Novo Visual", restabeleceu Paris como centro da moda mundial. O traje central da coleção, o conjunto "Barra", era composto de uma jaqueta de xantungue justa e de uma na saia de lã plissada. Abaixo a diminuta cintura conseguida com um pequeno espartilho), a jaqueta era delicadamente acolchoada para curvar-se sobre os quadris. A saia, muito pesada, era sustentada e moldada por uma anágua em camadas de seda e tule.

136. Ternos da desmobilização, lançados pelo governo, exibidos aos soldados britânicos no Egito em meados da década de 1940, em uma mostra da ENSA (Entertainments National Service Association), no Garrison Theatre, Cairo. Fazendo o melhor dessas roupas regulamentares, de lapelas largas, a fileira envergava lenços nos bolsos do paletó e tirava os chapéus para o tempo de paz.

mação de arame, vestidas com peças de alta-costura, espalhou a nova de que a moda parisiense estava em ascensão. Alguns dos trajes reviviam os estilos românticos presentes nas coleções de 1938-39, indicando que os estilistas compreendiam a necessidade psicológica de mudança e estavam começando a se afastar do perfil quadrado do tempo da guerra, dando preferência a linhas mais suaves e longas. Dois costureiros foram forças dominantes nesse período: Christian Dior e Cristóbal Balenciaga.

Com o apoio financeiro do milionário fabricante têxtil Marcel Boussac, Dior abriu sua casa de costura no fim de 1946. Em 12 de fevereiro de 1947 lançou sua primeira – e, hoje, lendária – coleção de primavera, abrangendo duas linhas: "Corolle" e "8". Apelidada como "o New Look" [o novo visual] por Carmel Snow, editora da *Harper's Bazaar*, ela imediatamente estabeleceu Dior como líder no campo. A coleção era notável pela falta de concessões – os ombros eram estreitos, com perfis delicados, inclinados; as cinturas eram minúsculas, puxadas para dentro por uma roupa de baixo conhecida como *waspie* ou *guêpière*; as saias eram cheias e iam até abaixo da barriga da perna. A maioria dos comentaristas de moda deu a essas roupas exuberantes e românticas uma acolhida extasiada. Apesar do nome, porém, o visual estava longe de ser novo. Ele revisitava as cinturas minúsculas e saias amplas do traje histórico, especialmente do vestuário de meados do século XIX; também de

137, 138. *Página ao lado*: duas miniaturas de manequim do Théâtre de la Mode, exposição organizada pela Chambre Syndicale de la Couture Parisienne e exibida na Europa e nos Estados Unidos, em 1945 e 1946, para elevar o perfil da moda francesa. A exposição era composta de mais de 150 bonecas de armação de arame, com 68,5 cm de altura, vestidas com trajes de alta-costura. Além dos trajes minuciosamente construídos, perucas e acessórios em miniatura foram feitos para cada figura – *esquerda*, vestido de *chiffon* azul-turquesa com bolas brancas de Lucien Lelong (presidente da Chambre) e chapéu de palha de Legroux; e, *direita*, conjunto de lã preta com grande faixa franjada nos quadris, de Balenciaga.

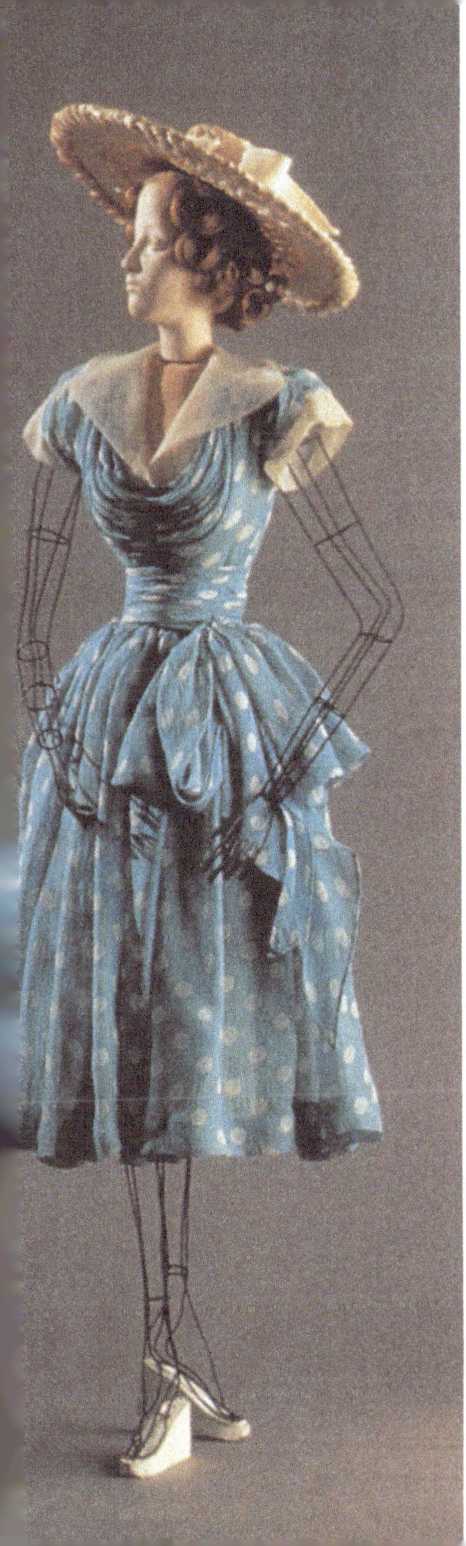
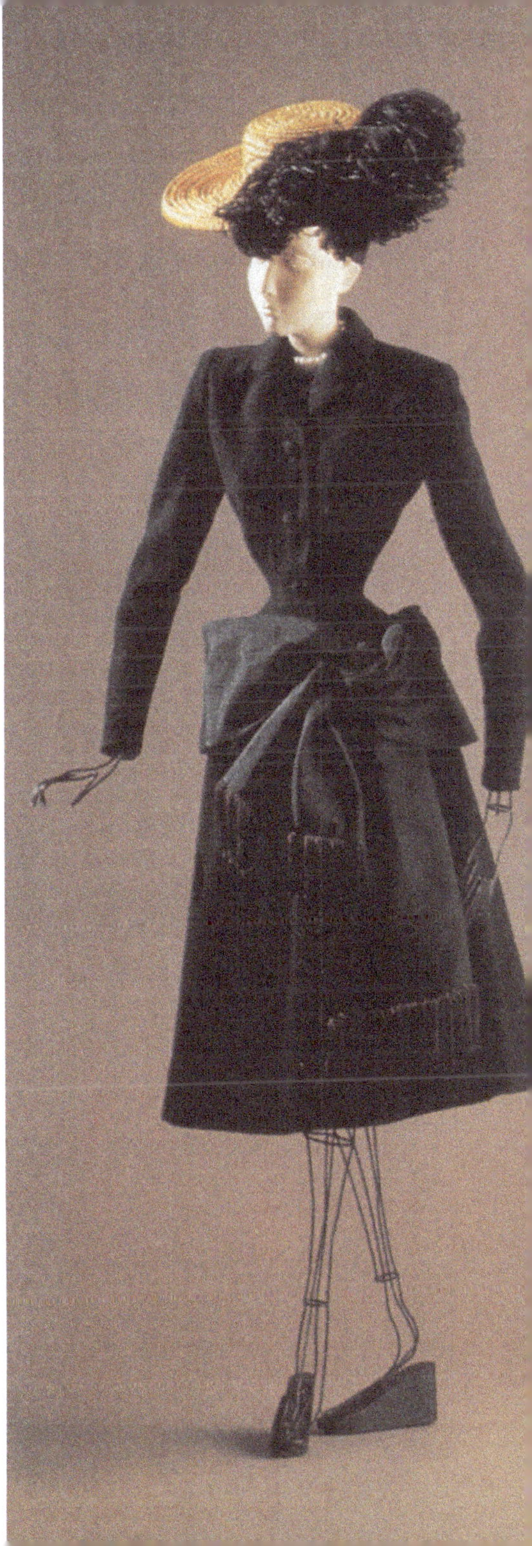

certa maneira, lembrava o traje de balé; contudo, na rejeição total dos estilos do período de guerra e no desafio às restrições do racionamento, era eminentemente digno de nota e, portanto, desejável. A imprensa debateu os prós e contras desse custoso esplendor, que exigia enormes quantidades de tecido em uma época de escassez. Os meios oficiais da Grã-Bretanha, conduzidos pelo então presidente da Câmara de Comércio, Sir Stafford Cripps, foram hipócritas na condenação. O extravagante Novo Visual foi criticado como uma tentativa inadequada e irresponsável de coibir a liberdade feminina. Quem estava na vanguarda da moda logo adquiriu versões do estilo, mas levou um ano para que ele penetrasse nos mercados

139. As coleções do pós-guerra eram exibidas na relativa calma do salão do costureiro e eram eventos calmos, comparados com o burburinho que teria início no fim da década de 1950. Na Dior, em 1948, não havia uma passarela elevada e o manequim é mostrado aqui rodopiando a saia rodada do vestido de noite diante da primeira fileira de espectadores e perigosamente perto dos elegantes cinzeiros em coluna.

1946-1956: FEMINILIDADE E CONFORMISMO

de massa. Bolsões de resistência e protesto também foram notícia nos EUA, onde os clubes contra o Novo Visual "um pouco abaixo do joelho", atraíram 3.000 membros em todo o país antes que a controvérsia amainasse. As possibilidades comerciais do Novo Visual foram reconhecidas e exploradas entusiasticamente nos EUA. O estilo impulsionou não apenas a indústria têxtil, mas também os fabricantes de muitos acessórios que o acompanhavam. Em reconhecimento do feito, Dior recebeu o prestigioso Prêmio de Moda Neiman Marcus, em Dallas, em 1947.

A produção de moda de fins da década de 1940 foi marcada pela criatividade frenética, mas duas silhuetas foram dominantes até a chegada da linha H e do saco, em meados de 1950. A primeira compreendia um corpete ajustado, que acentuava e definia claramente os seios, uma linha de ombro natural, uma cintura apertada (muitas vezes com cinto) e uma saia, imensamente cheia, com comprimento variando entre a metade da barriga da perna e o tornozelo (sustentada por anáguas em camadas). A segunda diferia apenas no fato de que a saia era justíssima, com uma longa abertura ou prega traseira para permitir o movimento. Durante dez anos, Dior fez soar as novidades, exibindo a sua clientela de elite duzentos modelos em cada temporada. Embora, privadamente, fosse um homem tímido, reconheceu e explorou o valor promocional da cobertura de imprensa, assim como as recompensas financeiras da exportação e dos contratos de licenciamento. Dar nomes a coleções e a modelos individuais não era um conceito novo, mas os títulos de Dior eram esperados tão ansiosamente quanto as silhuetas que descreviam, proporcionando manchetes e material para copiadores. A litania das linhas de Dior incluiu a Zig-Zag (1948), a Vertical (1950), a Tulipa (1953) e as famosas linhas H, A e Y, de 1954-55. A última coleção antes de sua morte prematura, em outubro de 1957, foi a Linha Fuso. Os trajes sob medida de Dior eram intrincadamente produzidos por uma força de trabalho habilidosa. Uma sucessão de formas atraentes foi obtida por meio de uma construção complexa e, às vezes, muito elaborada. As camadas exteriores dependiam de estruturas que elaborassem a forma. Vestidos de noite ornamentados, sem alças, dependiam de subestruturas rigidamente armadas, com camadas de anáguas de tule. A segurança de um patrocinador rico, juntamente com o rápido sucesso do Novo Visual, deu a Dior a vantagem de pioneiro e seu nome e o mais associado popularmente à moda da década de 1950.

Enquanto Dior alimentava os anseios escapistas românticos das mulheres, o atrativo do trabalho de Cristóbal Balenciaga era estritamente moderno. Muitas vezes chamado o estilista dos estilistas,

140, 141. *Páginas seguintes*: estidos de noite de gala de hristian Dior, de 1951, ustram as duas silhuetas que ominaram a década de 1950 à *esquerda*, o tubo, esbelto, à *direita*, a opulência da saia heia. Ambas têm corpetes pertados, sem alças. O vestido a direita é usado com uma stola, um acessório que crescentava verve às ntografias de moda e tornou- e peça favorita para a noite.

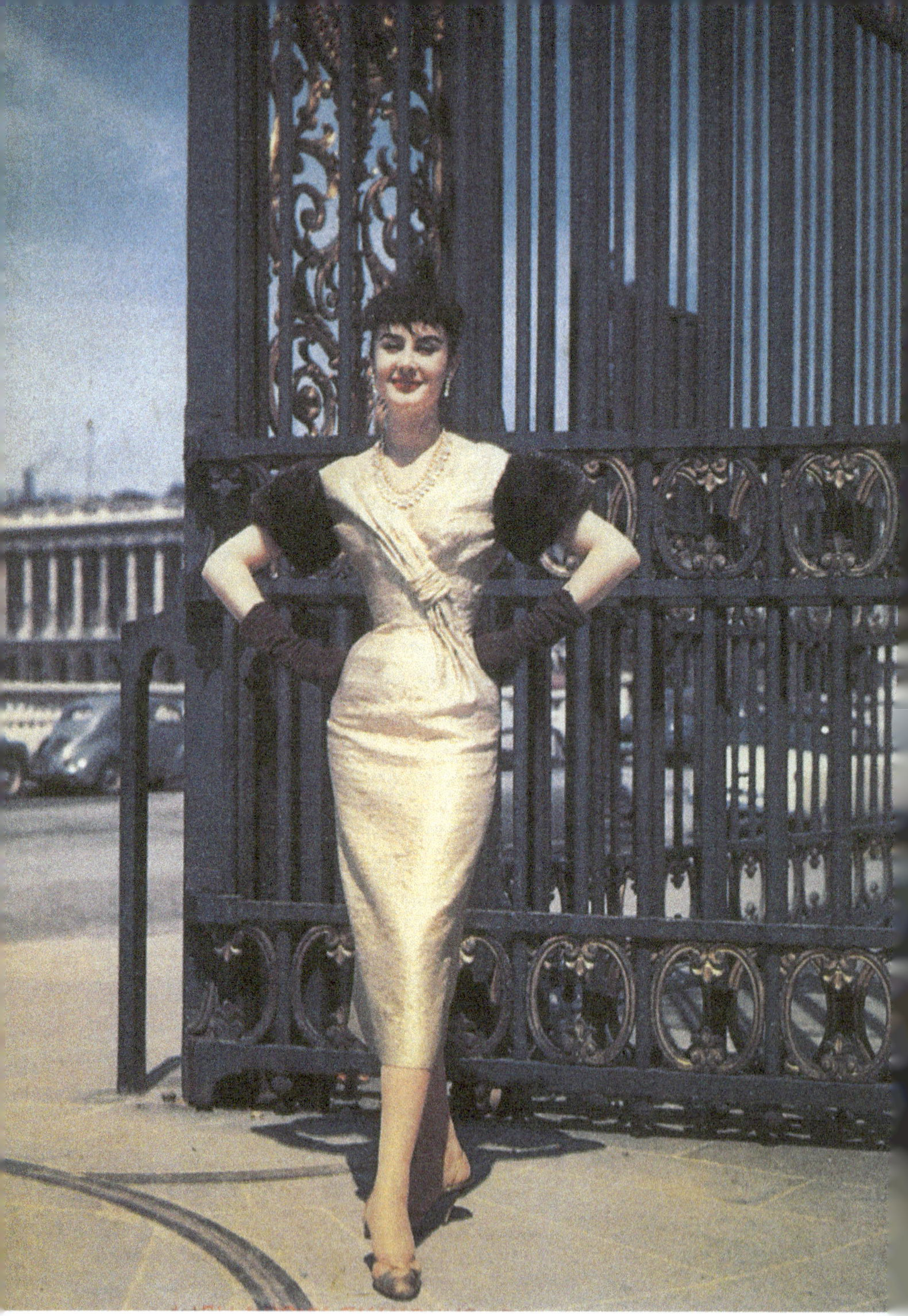

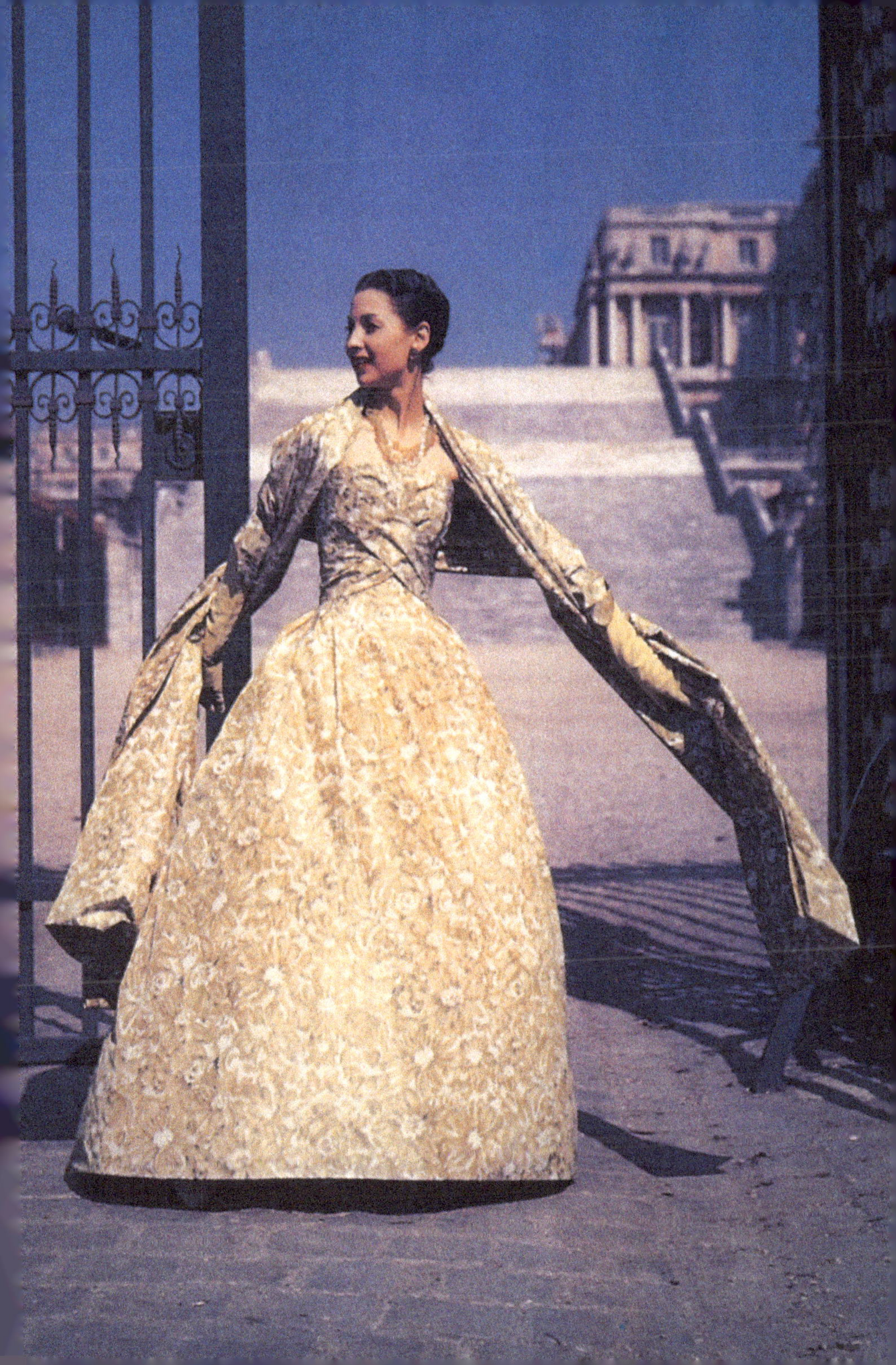

142. Balenciaga conferiu vivacidade a um traje de alfaiataria, não trespassado, de 1950, com uma enorme faixa do lado esquerdo dos quadris. Imaculadamente arrumada, a manequim adotou uma pose amaneirada, típica da reportagem de moda desse período.

Balenciaga abriu sua casa em Paris em 1937 e foi responsável por muitos estilos avançados, alcançando posição proeminente na costura francesa depois da guerra. Um mestre dos trajes de alfaiataria refinados, delineando os contornos do corpo, tornou-se famoso pela abordagem rigorosa de todas as facetas da alta-costura. Tecido, cor, corte, construção e acabamento tinham de fundir-se perfeitamente. Desenhou roupas elegantes, muitas vezes dramáticas, nas quais uma construção complicada produzia uma aparência de simplicidade. Um colorista talentoso, usou preto, branco, cinza e tons vibrantes de rosa com grande efeito. Afirmou-se que sua percepção de cor e dramaticidade originavam-se de suas raízes espanholas e, sem dúvida, ele obteve inspiração nas pinturas de Velázquez e Goya, assim como no espetáculo das touradas e do flamengo e nos rituais da Igreja Católica.

Balenciaga não se limitou às manequins magérrimas empregadas pelos colegas costureiros, mas escolheu para sua casa modelos com um visual mediano, e suas criações acomodavam mulheres de todas as formas e tamanhos. Para Carmel Snow, criou o que ela descreveu como "o grande conjunto de nosso tempo". O traje, que se tornou um clássico e apareceu com várias modificações na maioria das coleções de Balenciaga, era composto de uma jaqueta semijusta com colarinho recuado do pescoço, e uma saia simples, reta ou com dois ou quatro "panos" ou recortes formando uma abertura ligeiramente evasê. Mestre da ilusão, Balenciaga também empregou decotes sem colarinho que revelavam as clavículas, fazendo

143, 144. As limusines muitas vezes eram usadas como fundo das fotografias de moda, para enfatizar a natureza exclusiva da alta-costura. *Esquerda*: Jacques Fath deu a um vestido de noite, de 1954, uma saia longa, com plissado invertido profundo. Uma enorme faixa em duas cores acrescentava dramaticidade. *Direita*: o impacto do traje de dia de Fath, de gola alta, ultra-sofisticado, foi maximizado pela pose altiva da manequim. Tal altivez seria uma convenção entre as modelos da década de 1950.

com que os pescoços parecessem longos e esguios. Dava preferência a mangas raglã, que permitiam movimento e que deslizavam suavemente até agradáveis 7/8, revelando pulsos esguios. Ele ergueu as linhas da cintura um pouco acima do nível natural, para fazer as usuárias parecerem mais altas, e muitas vezes deu a suas saias linhas de excelente caimento, minimamente bojadas. Bolsos, botoeiras e fechos tornavam-se dinâmicos e eram meticulosamente acabados à mão para irem ao encontro dos rigorosos padrões de Balenciaga. Forrados com a melhor seda chinesa, os trajes deslizavam suavemente e a maioria incluía aquele luxuoso toque final: minúsculas presilhas, cobertas de seda. As roupas de dia para o frio eram feitas nas suas cores favoritas: marinho, cinza ou preto, em lãs e *tweeds* lisos ou xadrez. O linho surgia freqüentemente nas coleções de verão, em tons de azul, areia e laranja. Nas roupas de noite, Balenciaga manipulava grandes planos de seda pesada, em cores sólidas, ou construía suntuosas túnicas a partir de brocados pesados e com incrustações, muitas vezes encomendados a Lesage. Renda branca ou preta, justaposta a seda sem estampas, foi uma combinação muitas vezes repetida em vestidos para ocasiões especiais. Balenciaga não se exibia em sua melhor forma drapeando tecidos moles, mas, em todos os outros casos, sua empatia com os tecidos assegurava uma combinação bem-sucedida de conceito e material.

A Paris do pós-guerra foi uma meca da moda. Os estilistas que haviam estabelecido suas reputações na década de 1930, entre eles Schiaparelli e Molyneux, mantiveram suas posições, acompanhados por talentosos recém-chegados. Mulheres com dinheiro podiam escolher dentre uma série de costureiros talentosos, muitos dos quais eram membros do poderoso corpo profissional, a Chambre Syndicale de la Couture Parisienne. Em 1956, havia cinqüenta e quatro casas de alta-costura sediadas em Paris com registro junto à Chambre. Ao longo de toda a década de 1950, elas forneceram roupas impecáveis a uma clientela cada vez mais rica. Jacques Fath tornou-se uma força condutora após a guerra. Era excelente em modelos para mulheres altas e magras, com a *panache* necessária para envergar seus vestidos-tubo, que delineavam as formas, com recortes *fly-away* ou esvoaçantes e colarinhos agudos. O trabalho de Fath sempre foi vigoroso e ele conseguiu resultados notáveis usando colarinhos altíssimos, cobrindo o pescoço, e audaciosas características assimétricas, como laços gigantescos, posicionados obliquamente. Co-

145. Balmain gostava de usar peles caras, como a de leopardo, nos acessórios (especialmente regalos e chapéus) e como adorno de conjuntos de alfaiataria. Em 1954, os passantes demonstravam sua curiosidade diante da manequim altiva, envergando um Balmain, em um *bistro* parisiense.

146. *Página ao lado*: os vestidos de noite cheios de Balmain eram obras-primas de construção, muitas vezes com corpetes dolorosamente justos, de barbatanas firmes, sem alça, que permitiam exposição máxima das jóias caras. Em 1955, um delicado leque ajudava a criar o clima romântico pelo qual Balmain era famoso.

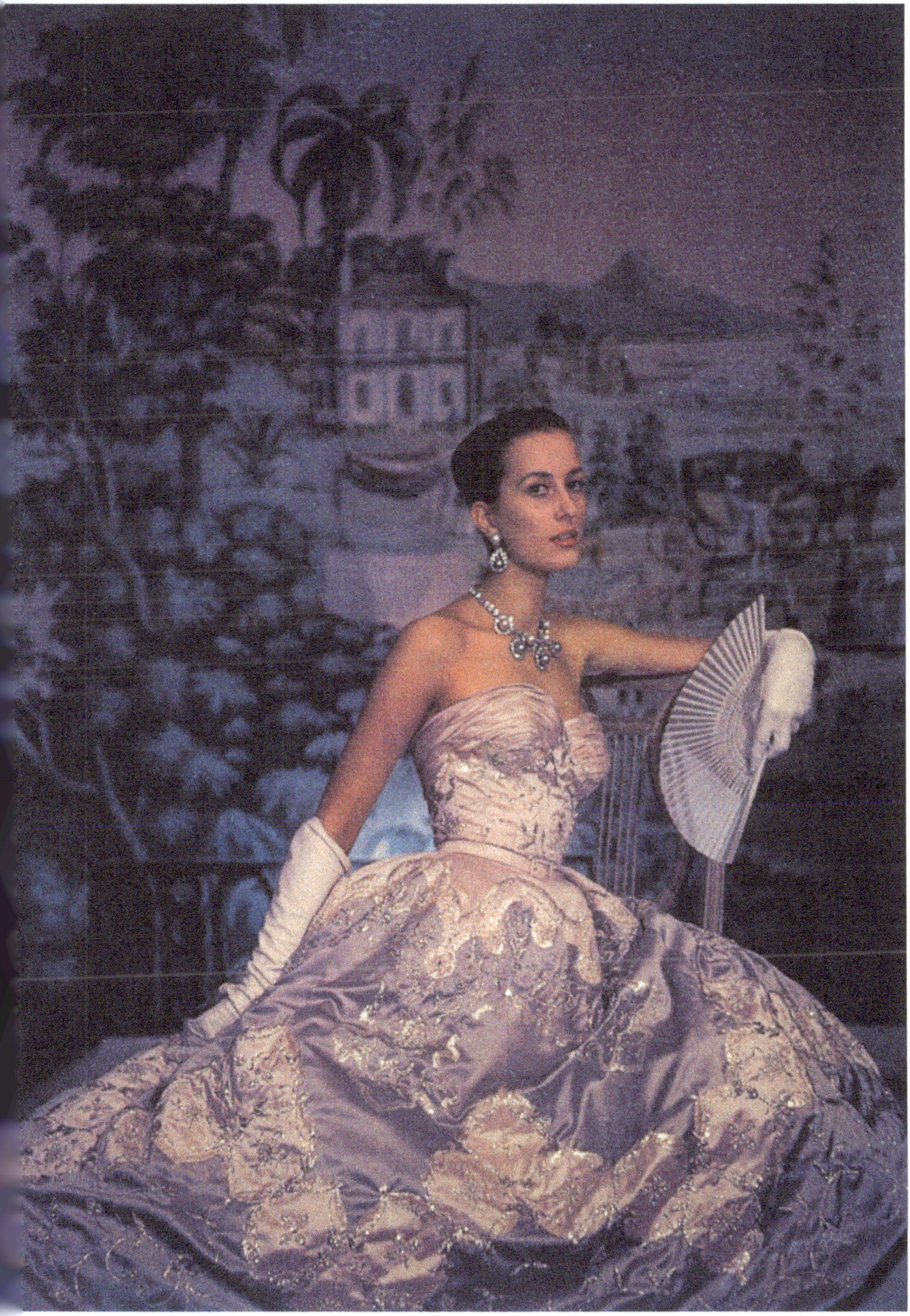

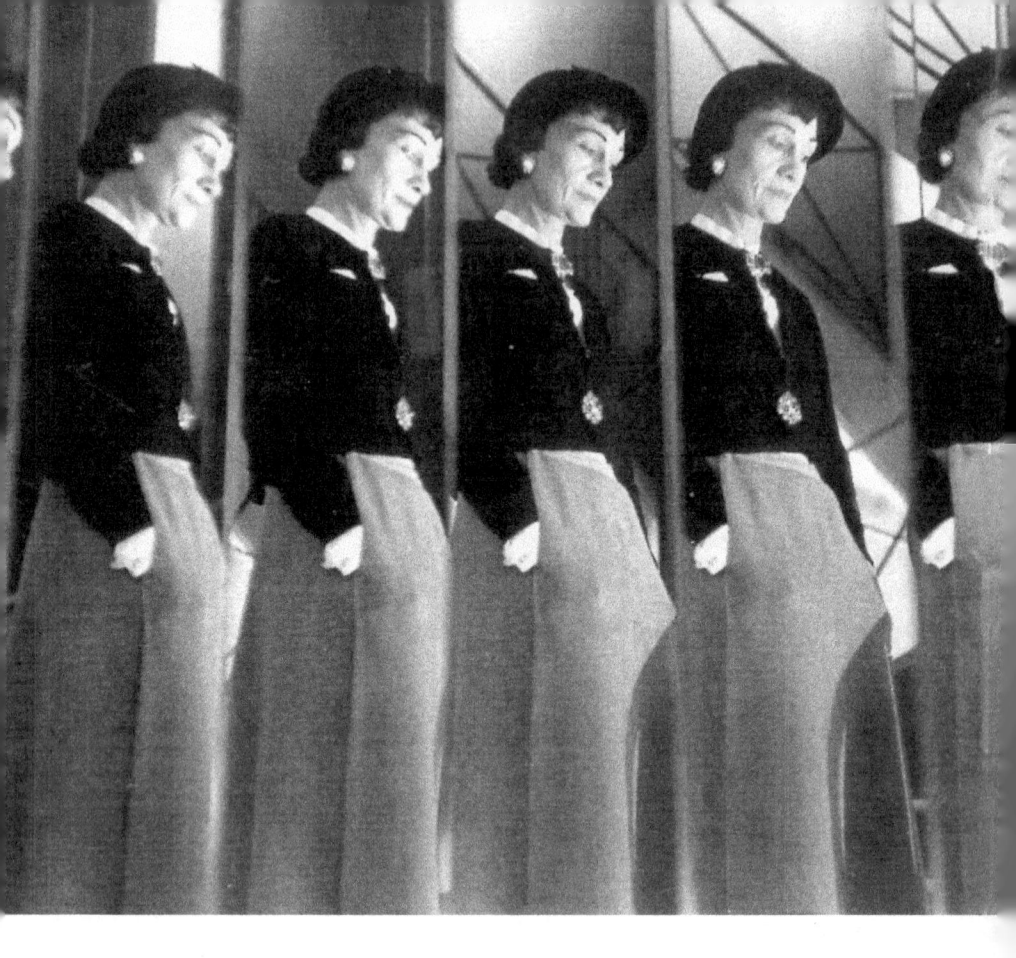

mo Poiret no seu auge, Fath adorava bailes de fantasia e reunia *socialites* em seu Château de Corbeville para festas temáticas – "Quadrilha", "Tableaux Vivants" e "Carnaval à Rio". No auge de sua carreira, foi vitimado pela leucemia e morreu em novembro de 1954.

Pierre Balmain abriu sua casa em 1945 e tornou-se famoso por suas roupas refinadas e ultrafemininas, tom que enfatizou entre 1952 e 1957 ao chamar suas coleções "Jolie Madame" (mulher bonita). Como outros costureiros de destaque, Balmain conseguiu uma clientela fiel, que incluía a realeza e atrizes de cinema, entre elas a rainha da Tailândia, Lady Diana Cooper, Vivien Leigh e Marlene Dietrich. Embora os trajes de dia de alfaiataria elegante, com detalhes bem definidos e angulares, fizessem parte de seu repertório, a casa de Balmain foi mais conhecida pelos glamurosos trajes de noite. Estes incluíam vestidos de coquetel curtos, muitas vezes em cetim ou veludo bordado e, para noites de gala, vestidos com corpetes apertados e longas e amplas saias em organza ou cetim, borda-

147. Gabrielle Chanel, fotografada por Robert Doisneau na escadaria espelhada de seu quartel-general no n.º 31 da rue Cambon, Paris, às vésperas de sua coleção de retorno, em fevereiro de 1954. Precisa, ela usou um traje de alfaiataria severa, com uma saia delicadamente rodada e uma jaqueta preta curta sobre blusa branca. A bijuteria, desenho seu, adicionava o destaque.

dos por Rébé, Lesage ou Dufour, que lembravam os trajes mais exuberantes dos séculos XVIII e XIX. Vestidos de *chiffon* colados ao corpo, drapeados e minuciosamente plissados, também eram populares. Como muitos costureiros, Balmain também desenhava para o cinema – entre 1947 e 1969, a casa esteve envolvida com mais de setenta filmes.

Chanel reiniciou suas operações em 1954 e não fez nada para disfarçar seu desagrado com o gosto vigente por roupas altamente estruturadas e apertadas. Retrabalhou seus modelos clássicos, como o flexível conjunto de cardigã, dando-lhes um visual contemporâneo, mas apenas a *Vogue* americana demonstrou algum entusiasmo por seu trabalho. Foram necessários dois anos para que a validade de seus modelos atemporais fosse adequadamente reconhecida e para que fosse acolhida de volta ao domínio da alta moda.

Embora a alta-costura com uma grife parisiense ainda fosse o privilégio de uma elite endinheirada, a disseminação dos modelos de cada estação era rápida e ocorria em vários níveis. Boas cópias de Paris eram a segunda melhor coisa na costura. Em troca de um contrato de compra de *toiles*, pagos adiantadamente como parte da entrada, os compradores compareciam ao desfile das coleções e selecionavam modelos para industrialização. Os principais clientes eram americanos e havia cópias de boa qualidade disponíveis nos EUA, de Henri Bendel e Marshall Field. Rembrandt fornecia ao Reino Unido excelentes cópias de modelos parisienses. A Chambre era responsável pela programação dos desfiles e pela aplicação de

148. Chanel permaneceu fiel à fórmula do conjunto de cardigã, elaborado por ela com sucesso na década de 1920. Esta versão de fins da década de 1950 era o exemplo acabado de simplicidade sem complicações, combinando uma jaqueta sem gola, de linhas retas, com fecho de ponta a ponta e uma saia de linha esbelta combinando.

regras estritas para governar a publicidade e a reprodução. Era proibido fotografar e fazer esboços. As memórias de estilistas e jornalistas oferecem visões fascinantes do mundo da moda na época. Elas mostram que as técnicas de espionagem não haviam mudado. Como no passado, faziam-se anotações e desenhos clandestinos, uma boa memória era uma enorme vantagem, e a pirataria um fato da vida. Fotografias e desenhos oficiais de trajes selecionados para a imprensa eram permitidos tão logo o público tivesse saído, mas eram marcadas com instruções de uso e de datas de veiculação (geralmente um mês após a exibição). Ignorá-las significava expulsão dos desfiles. Na extremidade mais barata do mercado, os que produziam em massa valiam-se de fontes publicadas, que incluíam o crescente número de revistas com previsões de moda. As revistas de moda retransmitiam os destaques das coleções de Paris para um público internacional. Mesmo as revistas britânicas mais mundanas voltadas para donas-de-casa tinham a sua coluna de moda, e os editores aumentavam o interesse pelas coleções bienais informando as leitoras de que elas absolutamente tinham de conseguir o último visual de Paris. A tradição de fazer vestidos em casa era amplamente disseminada, e produtores de moldes de papel como McCall, Butterick e Simplicity atualizavam suas séries duas vezes por ano. O serviço de moldes da *Vogue* continha os modelos mais vanguardistas e continuou a produzir sua extensa série de moldes de estilistas parisienses.

As condições da Grã-Bretanha do pós-guerra não eram favoráveis a progressos em grande escala na indústria da moda. As restrições impostas pelo racionamento permaneceram em vigor até 1949 e o Esquema Utilitário de Vestuário só terminou em 1952. Em uma tentativa de melhorar a exportação, encorajar o "bom" design e elevar o moral, o Conselho de Design Industrial organizou uma exposição de produtos britânicos intitulada "Britain Can Make It" [A Grã-Bretanha consegue fazer] no Victoria & Albert Museum, em setembro de 1946. A exposição atraiu multidões de consumidores potenciais, ansiosos por comprar novos bens, mas, como a maioria dos produtos exibidos eram protótipos ou assinalados como "apenas para exportação", a exposição logo foi rebatizada como "Britain Can't Have It" [A Grã-Bretanha não poder ter]. Jornalistas de moda eminentes, como Ernestine Carter, Anne Scott James e Audrey Withers eram membros do comitê de modas e acessórios. O Salão de Moda apresentava uma torre de exibição branca com o trabalho de quinze estilistas londrinos de primeira linha, principalmente os membros da Incorporated Society of London Fashion Designers (fundada em 1942), que continuavam seus melhores esforços para

149. Os vestidos de algodão Horrockses eram tipicamente britânicos, expressando uma nota otimista com sua simplicidade leve e cores alegres. Em meados da década de 1950, eles, invariavelmente, tinham um corpete justo e uma saia bem cheia, franzida. Este modelo com listras e flores foi criado para a primavera/verão de 1957.

encorajar o investimento de capital e estabelecer uma estrutura oficial para sua profissão. Esse grupo desejava salvaguardar seus interesses comuns e chamar atenção internacional para produtos britânicos de alto nível. Embora a ISLFD não pudesse ter esperança de rivalizar com as organizações francesas, longamente estabelecidas e apoiadas pelo governo, fez boa figura durante a década de 1950. Seus membros eram a nata dos estilistas britânicos e irlandeses e incluíam Hardy Amies, Norman Hartnell, Edward Molyneux, Digby Morton, Victor Stiebel, Peter Russell, Bianca Mosca, John Cavanagh e Michael Sherard. Juntos, eles conseguiram reacender o interesse pela moda do Reino Unido e atrair compradores para as coleções londrinas, expostas pouco antes das mostras parisienses.

150. *Abaixo*: roupas para eventos sociais britânicos surgiam regularmente na imprensa de moda. A *top model* britânica Barbara Goalen exibiu acessórios de Harvey Nichols, recomendados para as corridas de Ascot em 1945. O chapéu com imagens era enfeitado com plumas de avestruz enroladas, e, para combinar, havia sapatos de gorgorão, bolsas e luvas de pelica em marinho ou preto.

151. *Esquerda*: esboço do vestido de cetim bordado da princesa Elizabeth, de Norman Hartnell, usado no casamento com o tenente Philip Mountbatten RN, em 20 de novembro de 1947. As oficinas de Hartnell levaram quase três meses para fazer este modelo romântico, com seu decote em coração, saia rodada e longa cauda.

A realeza britânica não tinha uma consciência de moda ostensiva, mas sua presença em eventos de moda era uma enorme vantagem, assim como era o endosso de uma garantia real. Os membros da família real e um pequeno grupo de aristocratas prestigiavam as duas principais casas de costura do pós-guerra – Norman Hartnell e Hardy Amies. O casamento da princesa Elizabeth, em 1947, atraiu ampla atenção dos meios de comunicação e levou a uma febre de compra de roupas nos círculos do *establishment*. O vestido bordado, de Norman Hartnell, não esteve livre do racionamento e exigiu 100 cupons. O vestido foi muito admirado e a rede de cópias da Sétima Avenida foi tão eficiente que havia uma réplica pronta oito semanas antes do casamento, embora, a bem da harmonia internacional, não tenha sido colocada à venda antes do dia do casamento. Ao longo de toda a década de 1950, Hartnell criou vestidos oficiais espetaculares para a Rainha-Mãe e para a rainha Elizabeth II. Em 1953, ele desenhou o vestido de coração, magnificamente bordado, visto por milhões de pessoas que, pela pri-

152. *Página ao lado*: um vestido-casaco elegantemente talhado de Hardy Amies, em uma seda negra de Ascher, 1954, foi conjugado a um chapéu em forma de disco voador, luvas e escarpins. O colar e os brincos de pérolas eram os toques finais perfeitos.

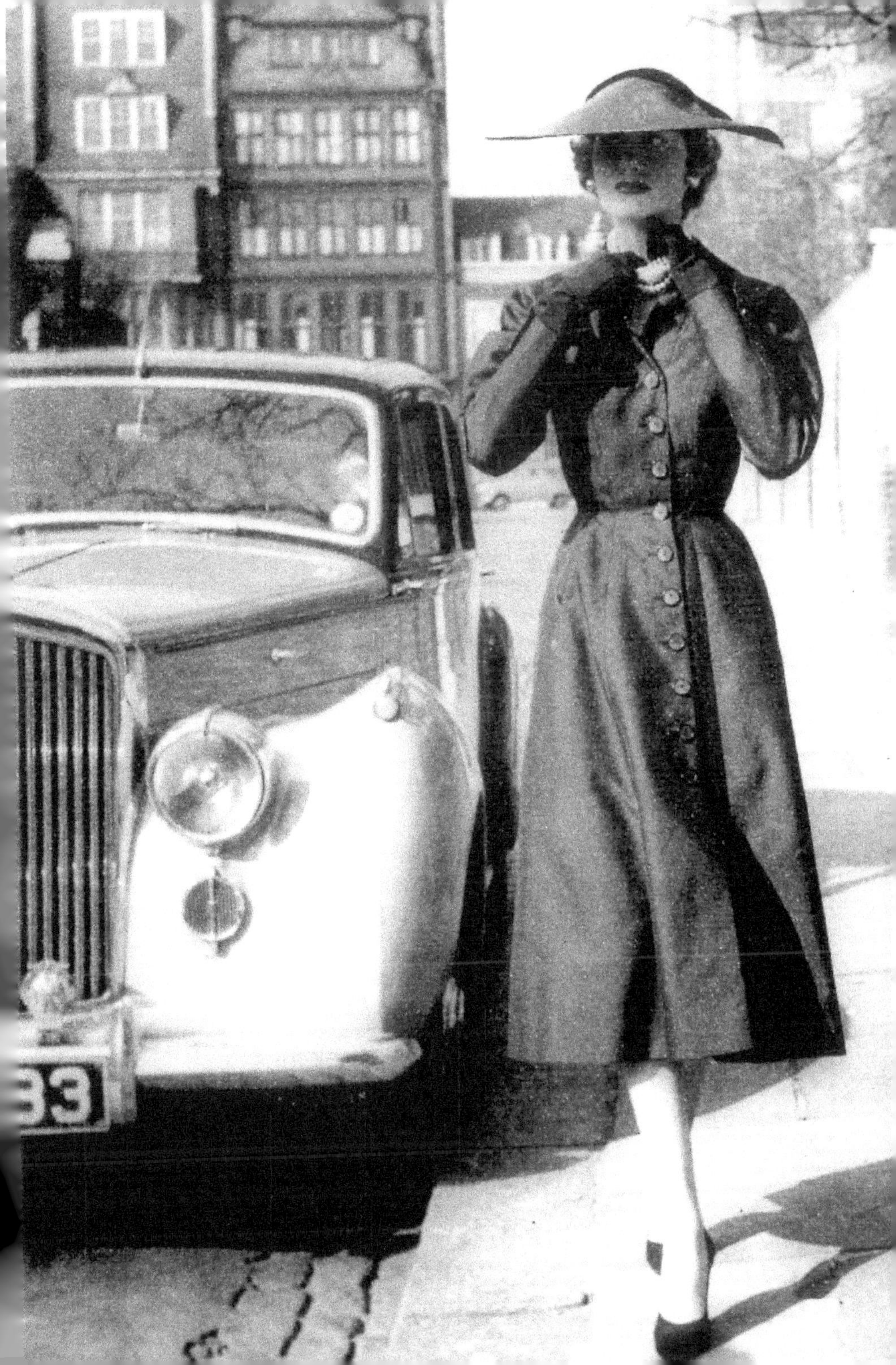
33

meira vez, eram proprietárias de aparelhos de televisão. Esses vestidos oficiais eram marcantes e distanciavam-se deliberadamente da moda da época.

Em 1947, foi retomada a tradição da apresentação na corte, assinalando um retorno à ronda das debutantes e à "temporada", que incluía eventos essencialmente britânicos, que iam das corridas de Ascot à regata Henley. Todas essas ocasiões exigiam trajes adequados, o que, inevitavelmente, significava bons negócios para todo um espectro de produtores de moda, alfaiates e varejistas, sediados principalmente em Londres.

Hardy Amies desempenhou um papel central na alta moda britânica dessa época. Após o treinamento em Lachasse, ele abriu sua casa de costura na Savile Row, em 1946, e, ao longo de todo o final da década e por toda a década de 1950, produziu roupas de alfaiataria urbana e roupas para os fins de semana no campo. Também era conhecido por seus vestidos de noite e vestidos especiais para bailes de debutantes e apresentações na corte. Seus estilos de noite para as mulheres mais jovens eram feitos com corpetes firmemente armados, justos, sem alças ou com alças finíssimas. As saias eram bufantes e vaporosas, feitas de tule ou organza, cintilando com bordados. Nos vestidos para clientes maduras, que eram similares na forma, Amies muitas vezes usava cetim pesado ou seda canelada, com painéis bordados. Era prestigiado pela família real e, em 1950, desenhou as roupas para a visita oficial da princesa Elizabeth ao Canadá. No início da década de 1950, consciente da necessidade de satisfazer clientes exigentes, mas sem recursos para os altos custos da alta-costura, introduziu uma butique de *prêt-à-porter*.

Charles Creed, que vinha de uma longa linhagem de costureiros famosos sediados em Paris, saiu da cidade e retornou a Londres no início da guerra e, ao fim desta, estabeleceu seu próprio negócio. Um alfaiate por excelência, Creed concentrou-se na produção de casacos e conjuntos elegantes e de bom corte, que traziam um espírito comparativamente audacioso ao mundo às vezes estável da moda britânica. Victor Stiebel, Edward Molyneux, John Cavanagh e Digby Morton, embora capazes de gestos extrovertidos, eram mais conhecidos pelas roupas clássicas, de bom gosto e alta qualidade.

Na Itália, novas forças surgiam. Após a guerra, um grupo de estilistas, muitos deles da aristocracia, tornaram-se importantes determinadores de estilo, emitindo enunciados altamente individuais, com roupas de padrões audaciosamente coloridos, com uma atração vibrante e jovial. Esses estilistas, excelentes na criação de roupas de lazer e esporte, receberam ampla publicidade e atraíram compradores americanos. Uma delas, Simonetta, abriu em 1946 e

153. Fazendo a transição entre as roupas utilitárias e as extravagâncias do Novo Visual, este conjunto de 1946, de Edward Molyneux, tinha a típica saia curta dos anos de guerra, mas a jaqueta era cinturada e as linhas mais suaves, anunciando a revolução do Novo Visual, de 1947.

tornou-se conhecida por suas coleções jovens e chiques. Simonetta casou-se com o costureiro Alberto Fabiani, especializado em uma alfaiataria apurada e, na década de 1950, o casal conseguiu harmonia profissional exibindo suas coleções separadamente.

A ascensão dos estilistas italianos foi celebrada em 1951 com uma mostra coletiva organizada pelo empresário de moda Giovani Battista Giorgini, na sua Villa Toregiani, em Florença. Dez estilistas de primeiro nível de Roma e Milão participaram, juntamente com quatro butiques. Giorgioni convidou compradores americanos e a imprensa – a revista *Life* declarou que o evento desafiava Paris. Es-

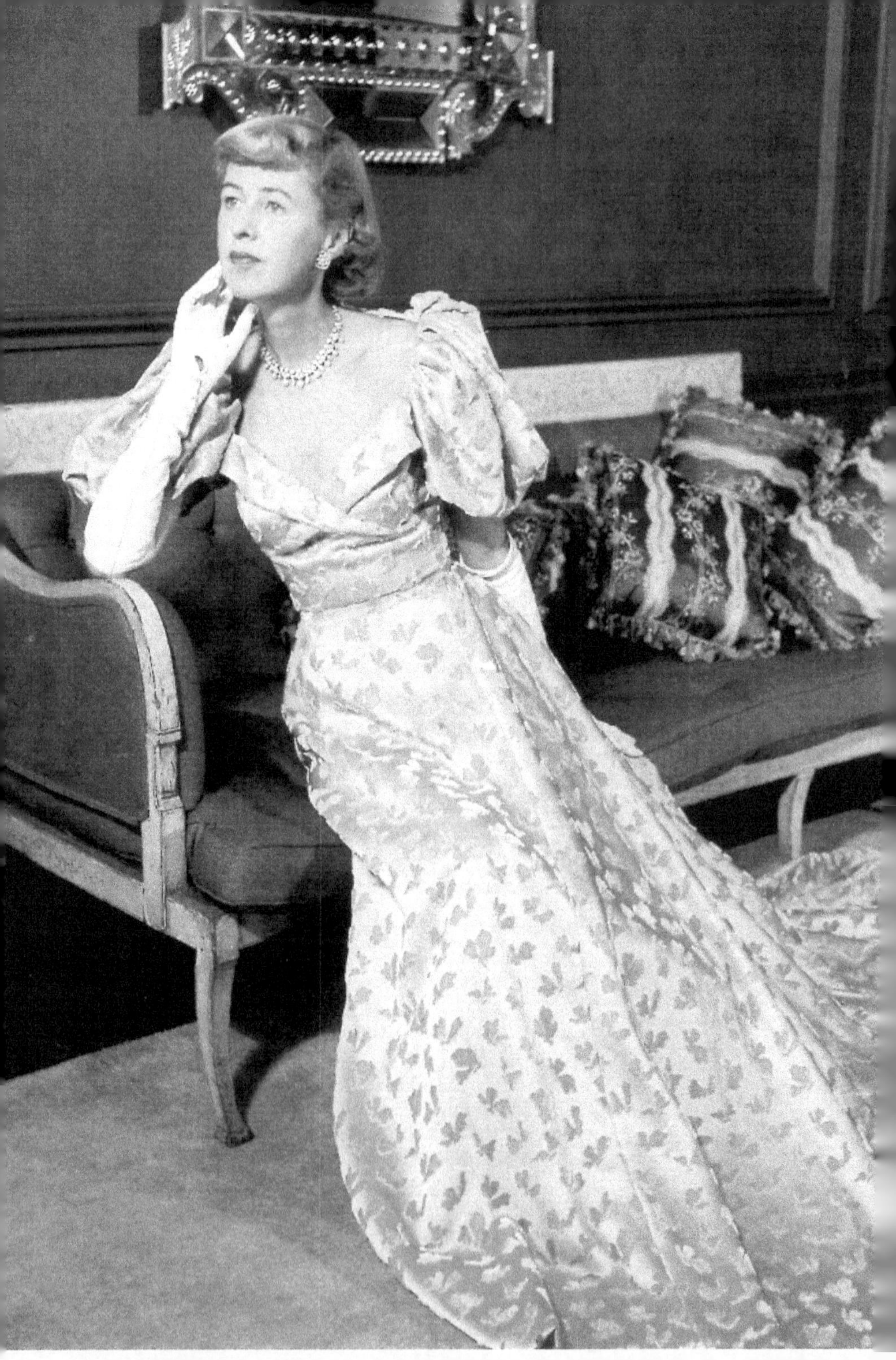

sas apresentações continuaram a ocorrer bienalmente e, em 1952-53, foram transferidas para o palácio Pitti, colocando firmemente a Itália no circuito de moda internacional. Em 1951, Roberto Capucci, com vinte e um anos, fez sua estréia e passou a produzir coleções notáveis, que convertiam conceitos arquitetônicos e geométricos em roupas usáveis. Em uma veia diferente, o aristocrata napolitano Emilio Pucci atraiu atenção com suas roupas esportivas e informais, que enfatizavam a forma de corpos atléticos, e apresentou as hoje famosas sedas com estampas de desenhos revoltos, em cores vibrantes. Um conjunto de calças e camisa de Pucci tornou-se um componente essencial no guarda-roupa de veraneio do circuito elegante internacional.

Enquanto Paris reassumia sua posição de líder mundial da altacostura, os EUA vangloriavam-se como os mais eficientes produtores de roupas prontas. Suas linhas de produção, pesquisa e desenvolvimento e o processo de varejo – que continuaram, relativamente ininterruptos, durante a guerra – voltaram a ter operações dinamizadas e lucrativas. A busca por qualidade em vez de variedade tornou a indústria estável e próspera. Ao longo de todo o final da década de 1940 e por toda a década de 1950, as companhias americanas acolheram visitas de colegas e potenciais competidores europeus, desejosos de estudar seus sistemas avançados. A indústria permitia ser totalmente examinada – uma análise detalhada foi publicada em 1947, e, em 1956, o Departamento de Trabalho dos EUA compilou um relatório sobre a produção de roupas femininas especificamente voltado para os gerentes de produção europeus.

Embora a imprensa e os compradores americanos retornassem entusiasticamente a Paris, passaram a não ignorar os talentos locais. Pelo contrário, os estilistas americanos viram-se na ribalta, e suas abordagens inovadoras, combinadas com as habilidades de produção locais, asseguraram a continuidade da Sétima Avenida como força importante. Em um país tão grande, a descentralização era inevitável e muitos centros localizados de moda floresceram. Dallas, Flórida e Califórnia (principalmente Los Angeles) especializaram-se em roupas de banho e esportivas, enquanto Chicago e Nova York produziam uma ampla série de trajes. Catálogos de encomenda postal anunciavam roupas prontas de boa qualidade. Todo o comércio mantinha-se diariamente informado a respeito

154. A sra. Vincent Astor (esposa de um descendente do rico negociante e financista americano, John Jacob Astor), em um vestido de noite com cauda, de Mainbocher, Nova York, 1948. Cetim maleável era ideal para as mangas grandes e franzidas (que lembravam a década de 1890) e os contornos suaves e fluidos do vestido.

das notícias de moda em âmbito internacional graças ao influente jornal da Fairchild Publications, *Women's Wear Daily*. Os estilistas americanos, com sua compreensão especial dos estilos de vida e exigências do mercado nacional, resistiam conscientemente à atração de Paris e, embora as vistosas revistas de moda continuassem a publicar reportagens sobre as coleções da capital francesa e a fotografar as melhores cópias parisienses, isso era contrabalançado pela cobertura da moda produzida no país. Relativamente ricos, os americanos elegantes gastavam uma soma considerável em roupas e estimulavam o comércio. Os produtores americanos também mapearam com precisão o mercado adolescente e fizeram roupas com "visual jovem" especificamente para essa faixa etária.

Nos círculos da alta moda, os estilistas estabelecidos na década de 1940 ou antes continuaram a satisfazer os consumidores ricos. Eram proeminentes entre eles Norman Norell, Mainbocher, Hattie Carnegie e Pauline Trigère, em Nova York, e os antigos figurinistas de cinema Adrian, Howard Greer e Irene, na Califórnia. O independente Charles James, que retornara a Nova York em 1939, continuou a inventar e a retrabalhar *toiles* e a construir roupas extraordinárias em tecidos exuberantes para uma clientela devotada, que incluía a sra. William Randolph Hearst, a sra. William S. Paley e a sra. Cornelius Vanderbilt Whitney. Essas mulheres toleravam o comportamento errático de James porque sabiam que ele lhes forneceria roupas que teriam destaque em qualquer ocasião. Suas roupas de noite exploravam contrastes de volume, muitas vezes empoleirando corpetes perigosamente apertados sobre saias grandes, perfeitamente equilibradas, em cetins pesados, tingidos de cores diáfanas. O dramático vestido de baile "Trevo de Quatro Folhas" ou "Abstrato", de lobos pretos e brancos, de 1953, foi considerado por alguns como o mais espetacular vestido de James. Embora suas roupas de dia fossem feitas em flanelas e *tweeds* eminentemente práticos, jogavam com formas incomuns, como o casaco "Casulo" (1949), o casaco "Gótico" (1954) e o conjunto "Pagode" (1955), que se projetava para a frente. James abriu um salão na Madison Avenue em 1945 e brincou com produção por atacado em meados da década de 1950, mas era um homem de negócios catastroficamente ruim e acabou por se aposentar, falido, em 1958. Apesar da carreira precária, foi muito admirado pelos colegas: Balenciaga o descreveu como o único costureiro que "elevara a alta-costura de forma de arte aplicada a forma de arte pura".

O trabalho de Claire McCardell e o de Norman Norell sinalizam duas dinâmicas centrais para a indústria americana no pós-guerra. A primeira era resolutamente americana, enquanto a segunda har-

155. Charles James era conhecido pelos seus magníficos vestidos de baile. Ele recebeu a encomenda do espetacular vestido "Trevo de quatro folhas" ou abstrato, da sra. William Randolph Hearst Jr., para ser usado no baile de posse de Eisenhower, em 1953. Posteriormente, James fez várias cópias. Esta versão é de cetim fino creme e veludo negro. Uma complexa subestrutura (o vestido é construído a partir de trinta peças de molde) fornece a base para o cetim brilhante e os lobos amplos de veludo negro.

monizava-se à costura francesa. McCardell já era muito respeitada como a inovadora estilista das túnicas Townley. Seu forte eram trajes de dia funcionais e elegantes e roupas esportivas em preços acessíveis e prontos para usar. Usava tecidos despretenciosos, especialmente algodão e jérsei de lã, e evitava a aplicação de decoração e dispositivos ornamentais. Seus modelos fortes, atemporais, têm formas despojadas e práticas. Na década de 1950, ela ampliou temas introduzidos na década de 1940 – vestidos sem cintura, com cintos opcionais, *tops* de frente única, conjugados com bermudas, e blusas-camisa de cores vivas e saias circulares. McCardell, cuja criatividade foi abreviada pelo câncer, em 1958, forneceu à ativa mulher americana um guarda-roupa versátil e ideal.

Embora seus trabalhos viessem a seguir caminhos criativos diferentes, McCardell e Norell haviam desenhado para Hattie Carnegie. Norell e Carnegie visitaram juntos as coleções parisienses e Norell tornou-se íntimo da alta-costura francesa. Deixou Carnegie em 1940 e, no ano seguinte, uniu-se ao produtor Anthony Traina. Ao longo de toda a década de 1950, Norell serviu mulheres ricas, criando *prêt-a-porter* caro, artisticamente independente de Paris, mas que se valia das técnicas e do *chic* da tradição da costura francesa. Em 1952, Norell declarou: "Não gosto de nada excessivamente elaborado" e, fiel a seu mandamento, seus trajes de dia eram caracterizados por linhas despojadas, com um mínimo de ornamentação. Ele voltava regularmente a esquemas favoritos, como discretos vestidos de jérsei de lã, conjuntos de alfaiataria elegantes e – sua especialidade – "pequenos sobretudos" (interpretações *chic* da humilde japona). Ele preferia a simplicidade – colarinhos simples ou sem adornos, decotes redondos; escarpins simples, e, no lugar de padrões florais, listras, xadrez e pintas. Para o verão, gostava especialmente de vestidos tipo marinheiro, precisos, em marinho e branco nitidamente delimitados. Apesar de criar vestidos de noite ultra-românticos para atender à procura dos consumidores, saía-se melhor com idéias despojadas, como os famosos vestidos "sereia", tubos cintilantes, inteiramente adornados com lantejoulas aplicadas como escamas de peixe. Para combinar com seus modelos disciplinados, usava manequins com olhares, chinós e posturas de primeira bailarina.

Enquanto o mundo da moda feminina preocupava-se com as ramificações do Novo Visual de Dior, os homens, dispensados das

156, 157. Durante todo o fim da década de 1940, até sua morte prematura, em 1958, Claire McCardell desenhou (para a Townley Frocks) roupas para lazer e atividade que combinavam elegância e praticidade. Ela gostava de vitalizar modelos simples, como o shirtwaister, fácil de usar, de mangas curtas, em semicírculo (*esquerda*), com cintos interessantes, e transformava o xadrez escocês simples, em atraentes roupas de banho (*direita*).

1946-1956: FEMINILIDADE E CONFORMISMO **149**

forças armadas, retornavam aos guarda-roupas anteriores à guerra ou, no Reino Unido, usavam os conjuntos recebidos quando da desmobilização, sem atrativos. A situação melhorou quando as indústrias de roupas para homens reagiram às circunstâncias econômicas em mudança e ao crescimento gradual do poder aquisitivo. Na Grã-Bretanha, as divisões de classes eram rígidas como sempre. Se os cupons permitiam, os cavalheiros freqüentavam a Savile Row e imediações em busca de roupas feitas sob encomenda e acessórios, enquanto os menos favorecidos compravam roupas prontas em cadeias de lojas masculinas como a Cecil Gee e a Burton's, assim como nas lojas de departamentos. Os clientes ricos do exterior retornaram aos alfaiates de Londres, que incluíam os renomados Gieves, Henry Poole e Anderson & Sheppard. A crença de que não era másculo homens preocuparem-se com roupas assegurou a sobrevivência de roupas masculinas conservadoras. Estas tendiam a ser destituídas de brilho, restritas ao preto para a noite e ao cinza, marinho e preto para o dia, embora toques de cor em surdina fossem aceitáveis em roupas esportivas e de lazer. Os assalariados mais respeitáveis indicavam sua posição social e confiabilidade atendo-se ao básico seguro e previsível. O trabalho exigia um conjunto bem cortado, de risca de giz, com os acessórios de costume, mais um sobretudo e um chapéu-coco; um conjunto de passeio servia para ocasiões semiformais, em casa; o traje de noite podia incluir um conjunto de casacas, e era vital ter o traje correto, dos pés à cabeça, para o esporte escolhido. O jornal comercial britânico *The Tailor and Cutter* documentava desenvolvimentos semanais, focalizava tendências e, ao longo do fim da década de 1940 e por toda a década de 1950, enviou seu câmera itinerante para retratar o homem britânico, bem vestido e não tão bem vestido, no trabalho e no lazer. O traje masculino convencional permitia apenas mudanças mínimas em detalhes; assim, lapelas mais largas, mais longas, bolsos ligeiramente enviesados e a profundidade das barras italianas tornaram-se temas de reportagens críticas.

Logo após a guerra, um grupo de elegantes homens do mundo (alguns ex-oficiais) começou a vestir roupas feitas à moda eduardiana. Embora a tendência tivesse conotações dândis, foi aplaudida pelo *establishment* porque parecia própria de uma classe superior e era tipicamente britânica – na verdade, lembrava o uniforme interno dos oficiais. O visual neo-eduardiano era composto de uma jaqueta longa, estreita, não trespassada, com ombros inclinados e botões altos, calças estreitas (muitas vezes sem barras italianas), um colete elaborado e um sobretudo esguio, em estilo Chesterfield, com colarinho de veludo. O traje era completado por um

58. Um modelo típico de Norman Norell: vestido-*hemise* estreito, com cinto de amarrar simples, glamurizado pelo bordado com contas de cristal em toda sua extensão. Norell cultivou esse visual refinado, superelegante. Criou este vestido em 1950, para Traina-Norell.

chapéu-coco, um guarda-chuva dobrado ou bengala com castão de prata e um par de sapatos tipo oxford, bem polidos.

Esse estilo ultra-refinado, baseado (como o Novo Visual de Dior) no traje histórico, representava um contraste completo com as roupas masculinas americanas do período pós-guerra. Os britânicos achavam difícil aceitar os desenvolvimentos principais dos EUA, talvez porque o vestuário americano, com sua tendência para o traje de lazer, era mais largo e ousado do que o europeu. Em 1948, a America's Custom Tailor's Foundation propôs-se conseguir vendas internacionais e atrair alfaiates europeus habilidosos para suas oficinas – um esforço apoiado por uma campanha publicitária bem organizada, que envolvia exibições de roupas masculinas e cobertura dos meios de comunicação. Às vezes, o comércio britânico revelava uma postura pouco generosa para com o Visual Americano (descrito pela revista masculina *Esquire* como o "Visual do Macho Dominante Atrevido"). A psique britânica achava difícil acomodar a maneira excessivamente confiante com que os EUA promoviam seus produtos e, embora os componentes do vestuário masculino fossem os mesmos na Europa e nos Estados Unidos, as interpreta-

159, 160. Alternativas adolescentes. *Acima, esquerda*: 1º de novembro de 1954. Modelos exibem estilos jovens convencionais em prévia de uma feira de vestuário em Londres. O conjunto não trespassado do rapaz era feito de terylene. A garota usava sapatilhas de balé, meias brancas curtas, vestido "habillé", e capa de *nylon* Furleen, que lhe dava um visual de adolescente americana. *Acima, direita*: também em Londres, em 1954, um visual bem menos convencional foi fotografo do lado de fora do Mecca Dance Hall, em Tottenham. O *teddy boy*, com sua jaqueta drapeada longa e calças justas foi o primeiro estilo subcultural britânico do pós-guerra.

ções nacionais e tamanhos eram muito diferentes. As jaquetas americanas tinham um corte reto, folgado, com lapelas largas; as calças tinham bocas largas. Os americanos tendiam a usar suas roupas com uma ostentação jovial, estranha para os europeus. Um chapéu-melão, em Londres, geralmente era usado com aba reta ou voltada para baixo, ao passo que, em Nova York, era, muitas vezes, voltada para cima, com uma inclinação marota. Os americanos desmobilizados estavam ansiosos para reter os melhores elementos de seus uniformes confortáveis e funcionais, que a indústria gentilmente traduziu em calças e pulôveres informais. A *Esquire* capturava as variações do vestuário masculino americano apresentando os estilos de vida idealizados de executivos modernos e empreendedores, usando roupas que transpiravam sucesso.

O renascimento da produção de roupas masculinas na França e na Itália após a guerra inspirou-se inicialmente na alfaiataria britânica e no estilo americano, mas, em fins da década de 1940, haviam surgido linhas destinadas especificamente a atender às necessidades dos mercados nacionais. A Itália tinha uma tradição de alfaiataria local, com as principais firmas de roupas masculinas situadas em Roma, Nápoles e Milão. Conjuntos leves italianos e casacos três-quartos para carro e lambreta tornaram-se líderes de mercado em meados da década de 1950 e logo se mostrariam influentes, especialmente nos EUA e na Grã-Bretanha, onde eram comercializados como estilos "continentais" de vanguarda. Nos exemplos mais extremos, os conjuntos tinham jaquetas curtas, justas, não trespassadas, com lapelas estreitas e frentes ligeiramente curvas e de pontas afastadas. As calças tinham boca fina, sem barras italianas e eram usadas com sapatos estreitos e pontudos. Como o visual neo-eduardiano, essas importações italianas viriam a exercer uma poderosa influência sobre os estilos subculturais jovens. Mostras de moda masculina foram introduzidas no início da década de 1950, e fóruns internacionais de comércio, como o Congresso Mundial de Alfaiates, permitiram que profissionais se encontrassem e trocassem idéias. Acima de tudo, este período testemunhou a aceitação da informalidade. Embora os ternos ainda fossem obrigatórios para os profissionais de colarinho branco, estes podiam relaxar nas horas de lazer usando calças largas e cardigãs. No verão, os mais aventureiros usavam até mesmo a camisa de lazer de corte reto dos americanos.

À medida que florescia uma corrente dominante na moda, grupos de jovens, aproximados por ideologias e paixões comuns (que iam de música popular a motocicletas), desenvolviam estilos heterodoxos próprios. O quadro é variado, com bolsões de jovens opos-

161. Outro ícone anti-establishment de 1954: a jaqueta de couro preta do motoqueiro, usada por Marlon Brando, no papel de Johnny, em *The Wild One*.

tos ao *establishment* surgindo na Europa e nos EUA. Há certa ironia no fato de que, embora as atitudes rebeldes fossem deliberadamente antagônicas à moda, esses grupos desenvolvessem identidades visuais e "uniformes" que constituíram poderosos enunciados de estilo na sua época e que, anos depois, foram reaproveitados pela moda de alto nível. A juventude insatisfeita rejeitava a aparência limpa e o conformismo da geração de seus pais e cultivava uma aparência desleixada. Os *beats* americanos, seguindo Kerouac, usavam algodão sarjado e jaquetas da força aérea. Nos bares de porão de Paris, jovens inspirados pelo existencialismo indicavam sua seriedade vestindo-se de preto. As mulheres usavam suéteres largos sobre saias ou calças apertadas, enquanto os homens davam preferência a pulôveres e calças de veludo cotelê. Na Grã-Bretanha, o fenômeno *beatnik* misturou o visual do *beat* americano e do existencialista da Rive Gauche – as jovens *beatniks* adotaram suéteres *sloppy joe* e *jeans* gastos e justos, os pés com sapatilhas de balé, sandálias ou nus. Na Grã-Bretanha, o estilo neo-eduardiano, antes restrito a um grupo de elite e feito por encomenda junto aos alfaiates de Savile Row, fora apropriado pelo *prêt-à-porter* em 1951 e, um ano depois, surgia de forma ainda mais viva e ostensiva no East End de Londres, onde jovens malandros, conhecidos como Teddy Boys ou Teds, retrabalharam o estilo, acrescentando elementos dos conjuntos *zoot* (longas jaquetas drapeadas), peças de caubói (gravatas cordão de sapato) e o visual *rock'n'roll* exemplificado por Elvis Presley. Os sapatos oxford brilhantes dos neo-eduardianos deram lugar aos sapatos com sola de crepe ("sapatos de bordel"), e uma marca adicional de filiação era um penteado cheio de brilhantina com um grande topete. Em meados da década de 1950 outra subcultura também havia surgido na Grã-Bretanha. Seguindo o exemplo do filme de 1954, *The Wild One*, com Marlon Brando no papel principal, começaram a se formar clubes de motoqueiros. Seus membros, conhecidos como Ton-Up Boys, fizeram da jaqueta de couro de Brando elemento central de seu visual durão. Essas unidades subculturais minoritárias, apesar de desafiarem a corrente principal da moda, permaneceram marginais e nunca foram poderosas o bastante para subverter seu curso.

Após a guerra, a produção de roupas de baixo aumentou dramaticamente. Foi revolucionada pela disponibilidade da fibra sintética, o *nylon*, que, desde seu lançamento pela Du Pont, em 1938, sofrera restrições no Reino Unido, em nome do esforço de guerra. Quando o *nylon* foi introduzido no mercado aberto, os produtores o combinaram com painéis elásticos e inserções decorativas para produzir belas roupas de baixo. Tinha como vantagens ser leve e fá-

1946-1956: FEMINILIDADE E CONFORMISMO **153**

cil de secar, embora alguns o reprovassem pela tendência a endurecer e ficar amarelo ou cinza depois de lavagens regulares. A roupa de baixo utilitária do tempo de guerra foi gradualmente substituída por *lingerie* delicada e grandes firmas, como a anglo-americana, Kayser-Bondor, montaram campanhas publicitárias refinadas. Enquanto a mulher madura permanecia fiel aos corpetes firmemente armados, presos com laços ou ganchos, suas filhas usavam cintas simples, de fecho traseiro, ou calçavam cintas-ligas leves. Além de manter as meias no alto, as ligas achatavam o estômago e o traseiro, oferecendo a linha esbelta, que era essencial sob os vestidos-tubo e os conjuntos de alfaiataria justos da década de 1950. As líderes da moda espremiam-se em corpetes justos na cintura, armados, de oito polegadas. As meias de *nylon* tornaram-se cada vez mais comuns e as cores mais populares eram tons de pele ou bronze; introduziram-se tons pastel, que não foram um sucesso amplamente difundido. Para conseguir a forma dos seios da moda no período – proeminentes, separados e pontudos –, os sutiãs eram construídos com bojos cônicos (às vezes acolchoados), mantidos rígidos por meio de círculos concêntricos costurados por máquina. Enchimentos de espuma para os sutiãs ajudavam as menos dota-

62. O recurso de contratar celebridades para anunciar cosméticos, perfumes e roupas persistiu. Em 1954, a estrela de Hollywood Ann Blyth endossou o Pan-Stik (um creme sólido), de embalagem precisa e segura que cabia facilmente na bolsa. Era extremamente popular na década de 1950, mas pesado em comparação com a maquiagem leve desenvolvida em fins da década de 1960.

163. Suzy Parker envergando um vestido de noite de tule bordado, desenhado por volta de 1950 por Adrian (Gilbert Adrian). Em uma pose incomum (exibindo as axilas) ela ajusta um brinco, exibindo da melhor maneira o vestido cheio, sem alças.

das. Era costumeiro (e prudente) usar sutiãs de linha longa, com barbatana, sob vestidos sem alça.

No campo dos cosméticos, a expansão da indústria no pós-guerra resultou em uma profusão de novos produtos, de companhias como Helena Rubinstein, Gala, Elizabeth Arden e Revlon. No fim da década de 1940, os lábios eram importantíssimos e batons de vermelho profundo eram defendidos pelas colunistas de beleza. Bem no fim da década, a ênfase deslocara-se para os olhos. Na *rive gauche*, em Paris, a cantora Juliette Greco estabeleceu o ritmo, com seu visual de olhos de gazela, cheios de sentimento, conseguidos com a aplicação de lápis preto ao redor dos olhos e a extensão das linhas em golpes ascendentes nos cantos externos. As vendas de maquiagem para os olhos dispararam. Fora da escola, adolescentes usavam maquiagem abertamente e a indústria percebeu o potencial financeiro desse mercado florescente. Novos lançamentos foram promovidos, com campanhas exuberantes. A Revlon, sediada em Nova York, assumiu a liderança com sofisticadas páginas duplas, coloridas, nas revistas de moda, anunciado o lançamento bienal de batom "à prova de borrão" e esmalte de unhas "à prova de lascas". Os cosméticos tornaram-se disponíveis em um vasto leque de tons. Os redatores de propaganda inventavam nomes atraentes para os produtos Revlon, como "Cerejas na neve", "Ame esse vermelho", "Rainha de copas" e "Fita Vermelha". Além dos batons e esmaltes, havia um arsenal de cremes, hidratantes e produtos de limpeza. Uma aparência da moda, como uma máscara, era conseguida com o uso de bases grossas, como o Pan-Stik, da Max Factor, que ocultava tudo.

162

164. No fim da década de 1940, o chapeleiro parisiense Claude Saint-Cyr criou este chapéu triangular, de aba larga e ângulo baixo (conhecido popularmente como *coolie*) e decorado com um enorme arco. Grandes grampos e esteios elásticos ajudavam a ancorar à cabeça chapéus enormes como este.

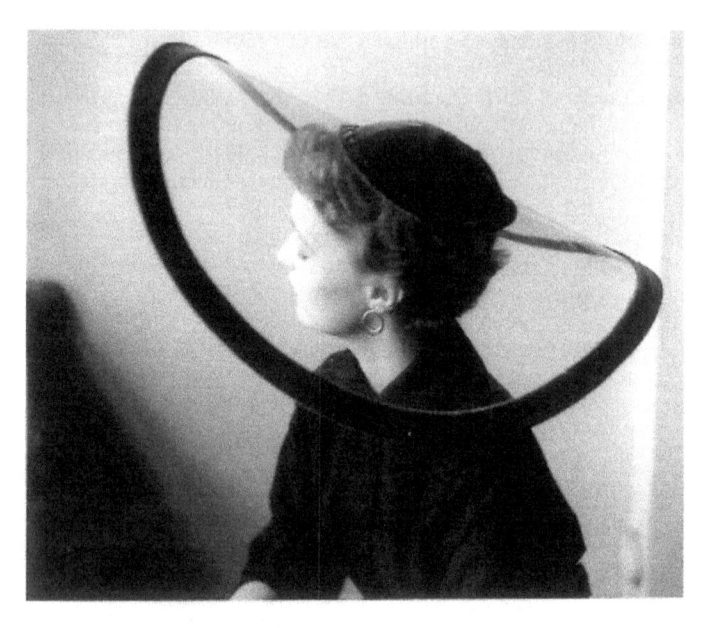

165. A chapeleira francesa Simone Mirman nasceu na França mas mudou-se para Londres, onde forneceu à realeza e à alta sociedade chapéus inventivos, muitas vezes engraçados. O "Horizonte" (primavera, 1952) tinha uma coroa diminuta, que lembrava um solidéu, e uma enorme aba transparente.

O visual duro, pintado, foi popularizado por manequins de moda profissionais que, pela primeira vez, tornaram-se celebridades por direito próprio. Na Grã-Bretanha, Barbara Goalen e Anne Gunning exibiam olhares altivos nas páginas das revistas. Os fabricantes de imagens americanos fizeram da ruiva Suzi Parker um ícone da moda, enquanto Bettina conquistou fama como principal modelo da França na década de 1950. Os costureiros de primeira linha contratavam suas favoritas, que compreendiam as roupas e lhes davam vida na passarela. Perfeição dos pés à cabeça era o objetivo. Eram essenciais uma toalete imaculada e aprumo perfeito – um efeito que custava muito tempo e esforço. As belas mais altivas penteavam os cabelos em chinós, embora, na França, a atriz e dançarina Zizi Jeanmaire popularizasse o visual *gamine*, de cabelos curtos, um estilo que se tornou conhecido na Grã-Bretanha como *urchin cut* [corte moleque]. As mulheres agora podiam mimar-se e dar-se ao luxo de fazer tratamentos de beleza e cabelos. Os cabeleireiros assumiram a posição de estrelas e praticavam sua arte internacionalmente. O cabeleireiro de Londres, Raymond (Mr. Teasie Weasie), estava constantemente no noticiário e Antoine era igualmente famoso como cabeleireiro dos ricos e famosos em Paris e Nova York. O público freqüentador de cinema era enorme e a aparência dos ídolos cinematográficos hollywoodianos das décadas de 1940 e 1950 ia do visual comum (Doris Day) às deusas glamurosas e mais curvilíneas (Jane Russell, Marilyn Monroe, Gina Lollobrigida e Elizabeth Taylor). A glacialmente elegante Grace Kelly e a delicada Audrey Hepburn estabeleceram cânones de beleza diferentes. Em 1957, Brigitte Bardot surgiu em *E Deus criou a mulher*, encorajando uma onda de imitadoras, que faziam biquinho e vestiam-se de maneira provocante.

"Elegante" era a palavra de ordem e era vital a escolha dos acessórios corretos para cada conjunto. As revistas de moda geralmente recomendavam que sapatos, bolsas, chapéus e luvas deviam combinar. Os cintos eram populares, para enfatizar as cinturas esbeltas, e variavam de cintos elásticos para "cinturas de vespa", com fechos de encaixar, até faixas de pelica. Como as mulheres da moda raramente eram vistas sem luvas e chapéu, os chapeleiros prosperaram. Os mais inventivos lançavam séries sazonais, que abrangiam desde chapéus do tipo roda de carroça ou disco voador, impressionantemente grandes, até minúsculos chapéus para coquetéis. Na França, era chique freqüentar a Paulette, Claude Saint-Cyr e Svend. Em Londres, Aage Thaarup, Simone Mirman e Otto Lucas fizeram nome e o Dia das Damas, nas corridas de Ascot, perpetuou a tradição do chamativo chapéu de Ascot. Nos Estados Unidos, a chapeleira Lilly Daché continuou a produzir seus chapéus personalizados. Os artesãos italianos faziam produtos de couro, inclusive sapatos, de altíssima qualidade. O sempre engenhoso e experimental Salvatore Ferragamo recebeu o crédito de introduzir a barra de aço de reforço que deu origem ao salto-agulha. Na França, Louis Jourdan e Roger Vivier produziam sapatos de luxo. A Lobbs de Londres tinha a reputação de produzir os melhores sapatos masculinos feitos à mão do mundo, e a Rayne vendia sapatos femininos prontos, de qualidade, em modelos moderníssimos. Cada centro de moda tinha seus satélites, na forma de produtores de acessórios e fornecedores de enfeites e artigos de armarinho para estilistas e fabricantes. Em meados da década de 1950, estilos altamente amaneirados, para fregueses maduros, ainda eram a regra. Uma mudança, porém, estava a caminho. O poder da juventude logo traria mudanças significativas e irreversíveis na criação e comercialização da moda.

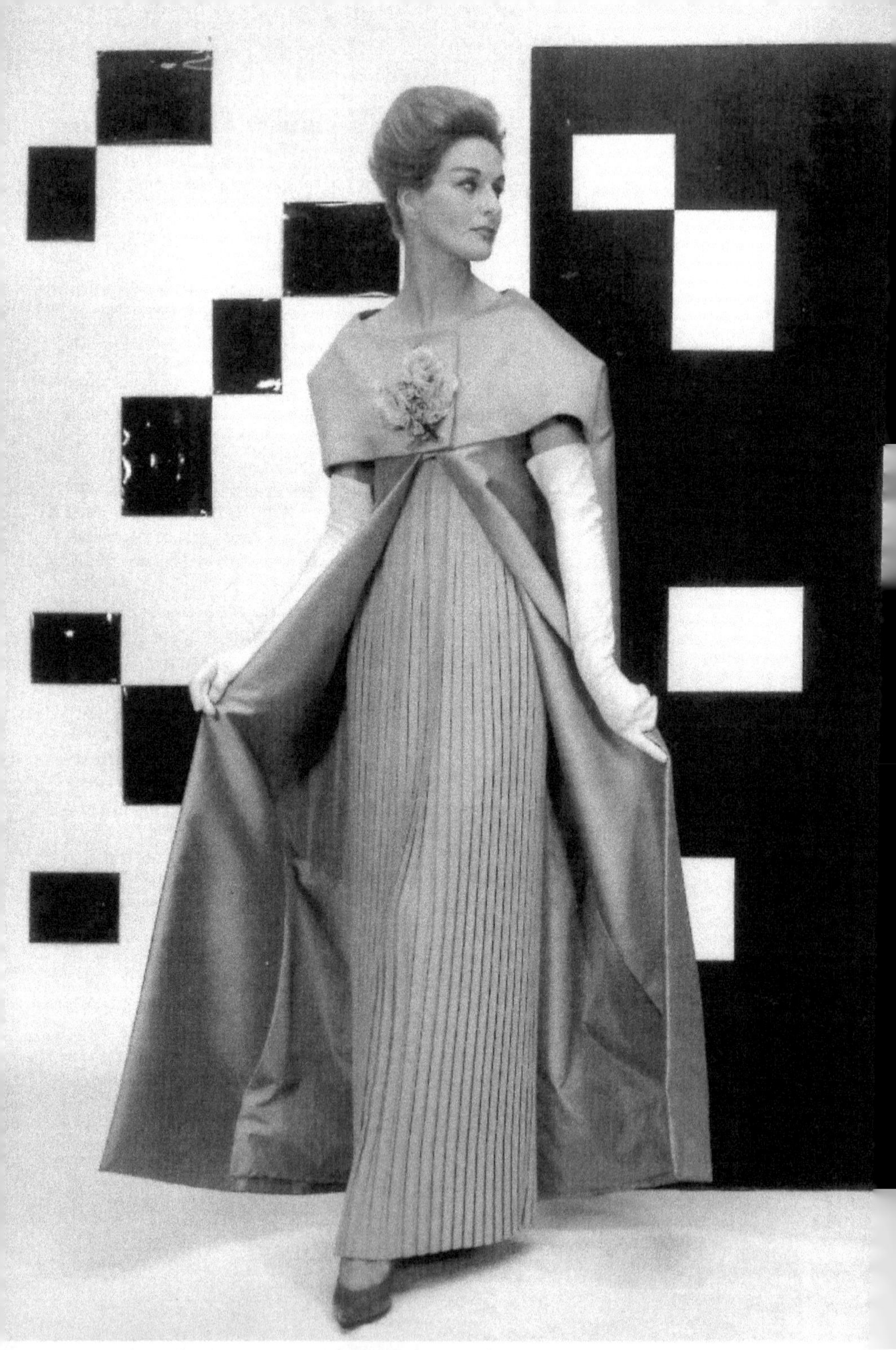

6. 1957-1967
A RIQUEZA E O DESAFIO ADOLESCENTE

Em 1957, a Europa emergira das carências e privações dos anos imediatamente após a guerra. Em ambos os lados do Atlântico, as estatísticas registravam um mercado adolescente em crescimento, com grande rendimento disponível – um desenvolvimento que teria um impacto dramático sobre a produção e a comercialização da moda. Essa crescente prosperidade levou ao surgimento da sociedade do descartável e do consumismo. Modas de curta duração tornaram-se a norma, as roupas eram descartadas bem antes de estarem gastas e uma imagem jovial tornou-se repentinamente desejável. Ao aproximar os EUA da Europa, os vôos transatlânticos ininterruptos deram origem ao "jet set" e incentivaram a rápida disseminação das tendências da moda.

Em meados da década de 1960, o ritmo da moda internacional não estava sendo estabelecido por costureiros parisienses, mas por um talentoso grupo de estilistas em Londres. O aspecto mais significativo dessa mudança foi que o gume da moda começou a se concentrar no jovem médio da rua, não em uns poucos indivíduos selecionados e ricos. A ameaça à proeminência de Paris foi evitada apenas pelo rápido desenvolvimento do *prêt-à-porter* e por inovações futuristas de Pierre Cardin, André Courrèges e Emanuel Ungaro e por modelos revolucionários de Yves Saint Laurent.

O traje que simboliza a década de 1960 é a minissaia na altura da coxa, que permaneceria corrente, junto com visuais de menininha, cortes de cabelo geométricos e suéteres canelados justos, até que mudanças estilísticas ocorressem por volta de 1967. A minissaia, porém, só começou a se estabelecer em 1965, e, de 1957 até o início da década de 1960, a corrente principal da moda ainda foi dominada pelo traje elegante e pelo visual convencional de homens e mulheres maduros. Durante esse período, embora um desafio nativista já estivesse sendo montado do outro lado do Canal, Paris permanecia o centro da moda, e casas parisienses estabelecidas, como Nina Ricci, Grès e Patou continuavam a fornecer a clientes ricos roupas soberbas, que mantinham os padrões elevados e a dignidade dos *grands couturiers* e evitavam gestos estilísticos revolucionários. Gradualmente, porém, o negócio da alta-costura declinou, à medida que o custo

66. Uma manequim elegante, com uma versão modificada do popular penteado colméia, usa um vestido de noite de linhas retas e capa de Nina Ricci (1960). Ilustrando a eterna versatilidade do plissado, o vestido contrastava eficazmente com a capa, de tons puros e sem decoração. Luvas brancas, longas, isoláticas continuavam a ser essenciais para eventos de gala, e os sapatos lisos e pontudos completavam o visual refinado.

167. Dois vestidos de noite curtos para a primavera/verão de 1959, de Patou, ao lado de um elegante terno não trespassado. O "Cavalo louco" (esquerda) era um modelo discreto, muito recomendável para coquetéis, ao passo que o inflado "Ballon d'Essai" (direita) era mais adequado para aparições em horas mais altas. Ao longo de toda a década de 1950, os estilistas fizeram experiências com formas extremamente arredondadas. Esta imagem mostra a fotografia de moda tornando-se gradualmente menos estática, já que os manequins são encorajados a agir informalmente e a simular movimento.

de modelos sob medida, com mão-de-obra intensiva, se elevava e o grupo de clientes ricos diminuía. Para sobreviver, as casas de alta-costura começaram a expandir suas operações de *prêt-à-porter* e as grandes opções lucrativas de perfume e maquiagem.

Christian Dior recebera o crédito por assegurar o futuro da moda parisiense com sua coleção de 1947 e, para marcar dez significativos anos no topo, foi capa da revista *Time* em março de 1957. Apenas sete meses depois, ele morreu repentinamente, aos cinquenta e dois anos, deixando como legado a mais prestigiosa casa de moda do mundo, com vastas exportações e um movimento anual de cinco milhões de libras. O assistente de Dior, de vinte e um anos, Yves Saint Laurent, foi nomeado diretor artístico e, por quase três anos, orientou a casa rumo a estilos mais juvenis. Seu talento fora evidente nas coleções finais de Dior, especialmente na Linha Fuso (1957), que apresentava trajes estreitos, sem cintura. Ou-

168. *Página ao lado*: após sua famosa coleção Trapézio para Christian Dior, Yves Saint Laurent criou variações sobre a bem-sucedida silhueta em cunha, como este vestido de noite bufante, "Barbaresque" para o outono/inverno de 1958-9. Ele mostra como Sain Laurent acrescentou um atrativo juvenil à tradição do estilo gracioso de Dior.

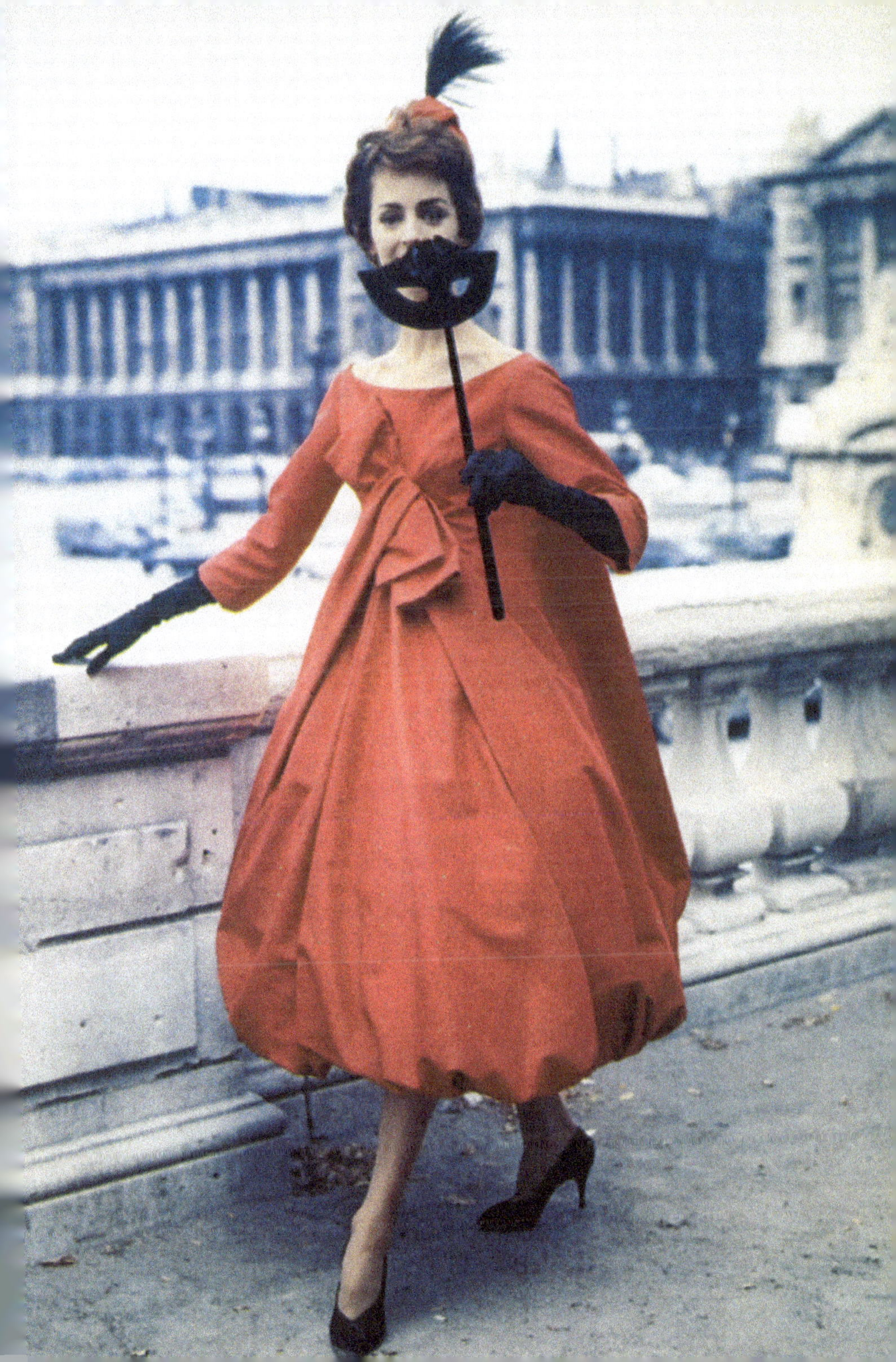

tros estilistas, notavelmente Balenciaga, vinham trabalhando nessa linha, aperfeiçoando o vestido-tubo esbelto, sem cintura, que acabou por chegar ao mercado de massa e foi apelidado de "o saco" por jornalistas que não o aprovaram e que não se impressionaram com as versões domésticas toscas tiradas de moldes de papel.

A primeira coleção individual de Saint Laurent para a Casa Dior foi "Trapézio", que exibia uma silhueta em cunha, sem adornos. No ano seguinte, ele fez experiências com formas em pompom, estimulando a acusação de fantasia e lamentações pela perda da mão orientadora de Dior. Sua coleção final para a Dior, em 1960, foi a igualmente controvertida coleção "Beat" Rive Gauche, na qual reinterpretou as roupas dos motoqueiros e *beats* em couro de luva, peles de crocodilo, *mink* e lãs caras, voltadas para um mercado de altacostura. A clientela da Dior ainda não estava preparada para uma abordagem tão radical. Nesse mesmo ano, quando Saint Laurent foi prestar serviço militar, foi substituído na Dior por Marc Bohan.

Em 1961, com o sócio, Pierre Bergé, Saint Laurent fundou sua própria casa, exibindo sua primeira coleção independente em 1962. Ao longo de toda a década, embora evitasse a rota singularmente moderna de Courrèges e Ungaro, seus modelos sempre foram diversificados e estimulantes. Ele trouxe vários clássicos do vestuário do trabalho e das ocasiões especiais para o seu repertório, onde se tornaram padrões YSL. Entre 1962 e 1968, ele deu nova vida à japona, à capa de chuva, ao conjunto com bombachas do tipo Lord Fauntleroy e ao conjunto safári. Mais famosamente, em 1966, recorreu ao vestuário formal masculino de noite para criar *le smoking*, cujas variações continuaram a surgir de tempos em tempos em suas coleções subseqüentes. Em 1965, pinturas de Mondrian inspiraram vestidos retos de seda pesada que estão, hoje, entre os ícones da década de 1960. Os vestidos Mondrian foram imediatamente traduzidos em cópias baratas, feitas de tecidos industrializados, assim como o foram os audaciosos vestidos Op Art de Saint Laurent de 1966-7. Ao lançar a primeira boutique de *prêt-à-porter* da Rive Gauche em 1966, o estilista reconheceu a necessidade econômica de fazer roupas menos dispendiosas, que atraíssem uma clientela mais ampla.

Como Sain Laurent, Hubert de Givenchy exibia sua melhor forma desenhando para jovens elegantes e, no fim da década de 1950, estava firmemente estabelecido nos escalões superiores da costura parisiense. Admirador fervoroso e amigo de Balenciaga, sofreu uma de suas maiores decepções ao não ser nomeado seu assistente em 1945. Antes de estabelecer sua própria casa, em 1952, trabalhou para Fath, Piguet, Lelong e Schiaparelli. Firmemente enraiza-

169. A morte repentina de Christian Dior, em 1957, precipitou a primeira coleção individual de Saint Laurent para a casa (janeiro de 1958), que tinha como característica o visual Trapézio. Foi um triunfo. Saint Laurent foi saudado como o salvador da costura parisiense (a Dior respondia por quase metade das exportações de moda francesas nessa época). Esboçado por Yves Saint Laurent, este vestido-casaco simples, rodado, de buclê de lã cinza foi o modelo mais fotografado da mostra. Era fácil de usar, porém elegante, e conquistou as manchetes porque era jovem e tinha um ar inocente.

170, 171, 172. Esboços de três trabalhos fundamentais de Yves Saint Laurent na década de 1960. A jaqueta de couro de crocodilo enfeitada com arminho (*acima, esquerda*) foi parte de sua última mostra na Dior (Julho de 1960) – a audaciosa coleção Beat. Audaciosa demais para as cautelosas clientes de Dior, teve uma recepção fria. Para sua própria casa de costura, em 1962, Laurent reviveu a funcional capa de chuva (*acima, direita*), mas deu-lhe novas proporções e a fez em um radical impermeável preto. Oferecendo às mulheres uma alternativa revolucionária ao vestido de noite grandioso, em 1966, ele invadiu o território masculino e cortou uma versão feminina do traje de cerimônia masculino, completo, com calças (*direita*) – seu famoso *le smoking*. Ao longo de toda sua carreira, ele criou variações sobre essa fórmula chique.

173. Para o outono/inverno de 1965, Yves Saint Laurent tratou os esguios vestidos retos e tubulares como telas ou bandeiras para homenagear as pinturas abstratas do artista holandês do De Stijl, Piet Mondrian. Este audacioso vestido "vidraça" em crepe de seda pesado é composto de faixas pretas meticulosamente colocadas, separando painéis brancos e de cores brilhantes. O conceito "Mondrian" foi imediatamente apropriado pelos fabricantes, que fizeram cópias baratas para o mercado de massa.

1957-1967: A RIQUEZA E O DESAFIO ADOLESCENTE 165

174. Audrey Hepburn, posando com George Peppard, em um de seus famosos vestidos negros de Hubert de Givenchy, em *Breakfast at Tiffany's* [Bonequinha de luxo] (1961). Givenchy, Edith Head e Pauline Trigère fizeram os trajes para o filme. Hepburn era o veículo perfeito para os modelos discretos de Givenchy. Aqui, sua elegância natural é aumentada pelo penteado alto em chinó, pelas elegantes luvas pretas e pela longuíssima piteira.

do na tradição do luxo, Givenchy evitou estudadamente gestos populistas e aperfeiçoou um estilo clássico e refinado. A estrela do cinema, Audrey Hepburn, ficou cativada por seu trabalho e, após conhecê-lo, em 1953, tornou-se sua cliente mais fiel. Os modelos polidos, meticulosamente construídos, combinavam com seu visual *gamine*, e ela os usava dentro e fora da tela. Ele fez modelos para dezenas de suas aparições cinematográficas entre 1953 e 1979 – a mais famosa para seu papel, como Holly Golightly, em *Breakfast at Tiffany's* [Bonequinha de Luxo] (1961).

Balenciaga continuou a fazer roupas ultra-refinadas e, no campo das roupas de impacto para a noite, fez experiências com formas geométricas exageradas, executadas na seda dura, a *gazar*. Seu estúdio nutriu Courrèges e Ungaro, que estavam destinados a revitalizar a costura francesa da década de 1960. Courrèges juntou-

174

se a Balenciaga em 1950 e passou uma década no ateliê do mestre antes de iniciar sua própria grife, em 1961. Precisou de três anos para romper com o domínio estilístico de Balenciaga, mas, no outono de 1964, assombrou o mundo da moda com uma coleção decididamente moderna, exibida em uma sala pequena, toda branca, ao som insistente de tambores. A mostra recebeu ampla cobertura da imprensa e a abordagem minimalista de Courrèges valeu-lhe a alcunha de "o Le Corbusier da moda" no *Women's Wear Daily*.

175   Courrèges escolhia como manequins mulheres jovens, atléticas, que se ajustavam a seus modelos de corte despojado. Central na sua produção eram vestidos e saias retos e curtos, rodados, com jaquetas encaracoladas. Ele criou numerosas variações da forma reta triangular, introduzindo inserções curvas ou rompendo linhas nuas com abas de bolsos e debruns. Dos muitos conjuntos com calças que surgiram nos caminhos parisienses nesse tempo, os de Courrèges eram os mais avançados. Dependentes do corte e da construção precisos, tinham calças finíssimas, com fendas na face interior das pernas, que chegavam quase ao chão – o efeito era fazer as pernas parecerem muito longas. Calças de cintura baixa sedutoras eram conjugadas a túnicas flexíveis ou paletós trespassa-
176   dos, disponíveis em lã para o dia e em seda bordada ou com lantejoulas para a noite.

Os modelos de Courrèges ficavam melhor em mulheres que adotavam o visual total. Usá-los era difícil e a atitude correta era tão essencial quanto os acessórios corretos. Os sapatos tinham de ser chatos: ele introduziu as botas brancas, com biqueiras truncadas, pouco práticas, e *bar shoes* (*mary janes*). Seus óculos "eclipse" brancos, com fendas para os olhos, raramente eram vistos fora das passarelas, mas suas precisas luvas brancas, popularmente conhecidas como "*shorties*", foram aceitas em um mercado mais amplo. A paleta de Courrèges era estrita. Inspirado pelo vestuário esportivo, assim como pelos trajes de astronautas e por espaçonaves, tinha paixão por branco e prata. Para ele, o branco significava juventude e otimismo – agradava-lhe o fato de que tinha de ser mantido escrupulosamente limpo. Pastéis em tons de amêndoa confeitada e algumas cores fortes, especialmente o laranja, também eram usados de maneira característica. Para todas as estações, preferia tecidos lisos, às vezes suavizados por listras, xadrez e vivos, e, para o verão, tecidos decorados com margaridas, bordadas sob encomenda na Suíça.

Imensamente popular entre as mulheres na vanguarda da moda, que podiam pagar por alta-costura, Courrèges teve uma lista de clientes impressionante, que incluía a princesa Lee Radziwill (irmã de Jacqueline Kennedy) e a cantora pop francesa, Françoise Hardy.

175, 176. Em meados da década de 1960, André Courrèges fez conjuntos de alfaiataria com calças, ultramodernos, aclamados por jornalistas de moda difíceis de impressionar. Como este conjunto de gabardine de verão, de 1965 (*esquerda*), os conjuntos tinham linhas frescas, limpas, geralmente complementadas por acessórios em branco puro – luvas, sapatos chatos (com biqueiras truncadas) e, ocasionalmente, elementos incomuns, como os óculos "eclipse" e gorros quadrados. Uma variante para tempo frio, mais contida, datando de 1964 (*direita*), é composta de jaqueta longa xadrez sobre calças finas, chanfradas, de lã penteada verde-grama. Fotografias de John French.

Seus modelos tiveram tanto sucesso que foram amplamente plagiados, muitas vezes na forma de cópias toscas, feitas a máquina, em tecidos baratos, com avesso de espuma. Isso desanimou o estilista, que achava que tecidos de primeira qualidade, de artesania cuidadosa, eram essenciais para seu conceito; foi uma das razões para sua retirada do mercado em 1965. Ele fechou, cheio de encomendas, por quase dois anos, vendendo apenas para sua clientela particular. Quando reabriu, em 1967, não estava sintonizado com a transição da moda para linhas mais suaves e fluidas.

Emanuel Ungaro também desempenhou um papel importante no rejuvenescimento da moda parisiense. Ele deixou Balenciaga para unir-se a Courrèges em 1964 e, quando a sociedade fracassou, começou a desenhar independentemente, exibindo sua primeira coleção em 1965. Ungaro esculpia roupas de contornos duros, em tecidos penteados pesados, muitas vezes valendo-se de Nattier, um produtor italiano, que fazia têxteis profundos, de superfície lisa, incluindo gabardinas triplas, que retinham as formas angulares de meados da década tão perfeitamente que as roupas quase ficavam em pé sozinhas. Tanto Ungaro como Courrèges permaneceram fiéis à disciplina aprendida com Balenciaga e produziram um trabalho tecnicamente brilhante. Seus modelos nesse período são similares, particularmente os minivestidos feitos com precisão, com decotes simples, sem gola, corpetes com pala, meios-cintos e botões grandes, de cor uniforme, mas Ungaro diferia de Courrèges no uso de um padrão orgânico e de combinações de cores berrantes. Ele colaborou com a *designer* têxtil Sonia Knapp, que forneceu uma sucessão de estampas poderosas, que quase superava a linha das roupas.

Pierre Cardin, saudado como a brilhante estrela jovem da costura parisiense, estabeleceu sua companhia em 1950 e, em 1957, havia consolidado sua posição com coleções de modelos vigorosos e despojados. Treinado como alfaiate, permaneceu fiel ao princípio de que um conjunto nunca deve ser sobrecarregado de idéias. Sua assinatura incluía decotes assimétricos, contornos festonados e go-

177, 178. Pierre Cardin foi capaz de produzir as expressões de moda mais *outré*, mas também fez roupas altamente refinadas e discretas. Era conhecido por seus colarinhos enormes, emoldurando o rosto – o colarinho em leque, semelhante a um rufo, de 1958 (*página ao lado*) era um inteligente prolongamento da pala plissada do *top* cartucho. Entre outros modelos de 1958, estava o sofisticado vestido de noite curto (*direita*).

las "roulés" e colarinhos enormes, emoldurando o rosto, todos eles remodelados para se ajustarem ao estado de espírito de cada temporada. Também investigou figuras esféricas: em 1958 fez um vestido-casaco-balão, cuja forma foi conseguida usando um cordão de cintura enfiado na bainha, e, na década de 1960, criou vestidos retos apertados, com *panniers* em pompom sobre os quadris. No mesmo ano, exibiu casacos em forma de trapézio, encimados por altos chapéus em forma de pão-de-açúcar, que prolongavam a linha quase 18 polegadas acima da cabeça. Ao licenciar uma linha de *prêt-à-porter* em 1959, Cardin afrontou as leis da Chambre Syndicale de la Couture e, por algum tempo, foi proibido de ser membro desse grupo de elite, embora sua originalidade lhe valesse o primeiro prêmio de moda do *Sunday Times*, em 1963. Em 1964, os experimentos de Cardin com modelos ultramodernos colocaram-no firmemente no movimento futurista da moda, junto com Courrèges e Ungaro. Ele trouxe de Tóquio para Paris a diminuta, quase uma boneca, Hiroko (Matsumoto) para atuar como sua musa e vestir seus modelos mais irreais. Vínculos com a Pop Art e a Op Art foram estabelecidos em uma série de vestidos retos estampados com inserções geométricas, em uma combinação de preto e cores vibrantes. Cardin enfatizou o visual geométrico colocando chapéus tipo toque, retangulares, sobre cabelos precisamente penteados.

A corrida espacial permeou a cultura da década de 1960 e a moda não ficou imune. Cardin era fascinado pela exploração interplanetária, e a primeira caminhada no espaço, do astronauta major Ed White, inspirou sua coleção Cosmo, de 1965. Essa série prática,

179. Os influentes vestidos-avental de Cardin, de 1966, em lã penteada pesada, eram usados sobre suéteres justos com gola roulé. Elmos de feltro abobadados, flor de pêssego, e sapatos baixos, de biqueira quadrada, completavam o visual futurista. À esquerda, a top Hiroko (musa de Cardin), com os cabelos curtos, de borda obtusa, na altura do queixo, usa um avental com peitilho em T curvado.

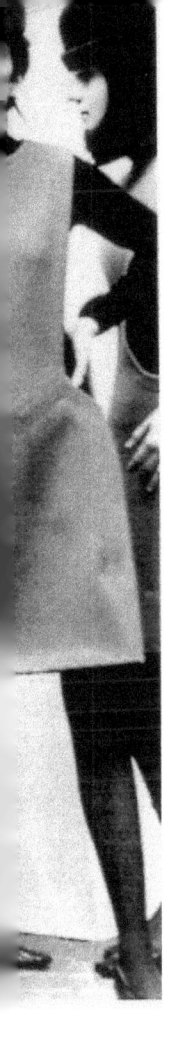

180. A incomum técnica de construção de Paco Rabanne evitava a convenção de cortar tecido e montar roupas com costura. Aqui, ele é mostrado em 1966, ajustando com um alicate o ombro de um de seus vestidos de discos de plásticos e anéis de metal.

unissex, era composta de uma túnica ou avental, sobre um suéter canelado, colado ao corpo, e meias-calças ou calças. Os adereços de cabeça, na forma de bonés pontudos e abóbadas de feltro, completavam o visual de cosmonauta. Era um modelo funcional, que unia moda, conforto e mobilidade, e tinha versões para toda a família. Contudo, apesar de cópias dos miniaventais terem chegado a um público de massa, o visual como um todo mostrou ser avançado demais para ter consumo amplo. Cardin foi um dos primeiros estilistas a evitar a exposição de pernas rosadas sob as saias curtas da década, oferecendo meias-calças coloridas em tecido grosso (muitas vezes desenhadas por ele) para o frio e meias-calças densas, brancas ou estampadas, para o verão. Também introduziu ousadas botas de cano alto e, freqüentemente, dava forma dinâmica ao corpo usando suéteres, meias-calças e chapéus justos, pretos, para contrastar com a peça principal.

Enquanto o trabalho de Cardin, Courrèges e Ungaro é parte da tradição de alfaiataria, os modelos de Paco Rabanne desenvolveram-se a partir do ofício do joalheiro. Rabanne criou trajes inteiros juntando pequenos componentes de plástico e metal. Lantejoulas e discos de metal brilhantes eram juntados por anéis de metal partidos nos trajes de noite, enquanto os vestidos de dia eram compostos de segmentos de couro presos nos cantos com rebites de latão. A moldagem nesses trajes era rudimentar – Rabanne usava cortadores e alicates na sua construção –, e o conforto era uma consideração menor. Para dar a aparência de nudez, as roupas eram usadas sobre malhas inteiriças cor de pele. Os modelos de Rabanne tornaram-se objeto de culto no final da década de 1960, quando foram vestidos por Peggy Moffitt e Donyale Luna.

Ao longo de todo o final da década de 1950 e do início da década de 1960, os costureiros italianos mantiveram sua reputação internacional com coleções sofisticadas – as roupas femininas eram caracterizadas por formas poderosas, em cores "mediterrâneas" для-

181. O fascínio de Roberto Capucci com as possibilidades da geometria levou-o a explorar o potencial da linha "saco de papel" ou "caixa", que resultaram em trajes de corte quadrado. Em 1958, ele usou um *mohair* de Ascher para suavizar as bordas deste casaco retangular e ecoou o tema em uma meia-capa quadrada, enormes botões quadrados e um chapéu em forma de cubo com laçada.

tes. Em Roma, Roberto Capucci continuava a encher seus cadernos com imagens esculturais, que resultavam em trajes fortes, dramáticos – um talento que refinou nos trinta anos seguintes. A temporada 1958-59 foi dominada por uma silhueta quadrada. Fascinado com suas possibilidades, Capucci repetiu o tema geométrico mesmo em chapéus e botões enormes. Achando engraçado o visual quadrado, que também inspirou Carosa (princesa Giovanna Caracciolo) e Alberto Fabiani, os jornalistas deram-lhe o apelido de linha "caixa" ou "saco de papel". A produtora e convertedora têxtil sediada em Londres, Zika Ascher, fornecia aos costureiros italianos lã angorá cor de néon e cheniles suntuosos, ideais para seus experimentos nas décadas de 1950 e 1960.

No início da década de 1950, depois de trabalhar no comércio parisiense, Alberto Fabiani assumiu a longamente estabelecida empresa de confecção da família, em Roma. A produção de Fabiani, até a casa fechar na década de 1970, era reconhecida como clássica, mas não convencional, e era elogiada pelo corte inventivo. Após seu casamento, ele passou o início da década de 1960 em Paris, com a esposa, também estilista, Simonetta (Visconti). Os modelos de Simonetta sempre constituíram enunciados fortes e tinham de ser usados com grande aprumo. Ela usava tecidos suntuosos e chamativos para criar vestidos de noite incomuns, que incorporavam formas em bolha e casulo. Para a cidade, criou conjuntos de alfaiataria e casacos chiques – cada modelo tinha uma característica distintiva, como um colarinho extragrande ou um recorte traseiro recuado, que o destacava na multidão.

Emilio Pucci, cujas sedas estampadas, coloridas e esfuziantes ganharam nova validade na psicodélica década de 1960, também abriu uma loja em Paris. Os trajes de lazer leves e confortáveis de Pucci eram populares entre as americanas, como as estrelas de cinema Marilyn Monroe, Elizabeth Taylor e Lauren Bacall, que adoravam sua elegância atraente e a assinatura instantaneamente reco-

82. Os primeiros modelos de Emilio Pucci foram para roupas de esqui, e a aerodinâmica dos trajes esportivos muitas vezes informou suas coleções subseqüentes. De muitas maneiras, seu colante esbelto, de mangas compridas, de 1960, estava à frente de seu tempo, oferecendo o máximo de mobilidade e o atrativo gracioso de uma estampa Pucci, com botinhas de bebê e boné combinando.

183. Os sapatos de biqueira pontuda foram moda durante a década de 1950 e início da década de 1960. Muitas vezes eram parte do vestuário dos *mods*.

nhecida do estilista. As blusas, echarpes e vestidinhos apertados de Pucci eram constantes que o estilista retomava, com novas idéias, a cada estação. Em 1960, ele lançou as "cápsulas" – conjuntos inteiriços colantes, em *nylon* elástico e seda (precursores dos colantes e roupas de ginástica em *Lycra* da década de 1980). O maleável tecido de jérsei de seda estampado de Pucci ajustava-se perfeitamente às capas e estilos orientais de suas coleções no fim da década de 1960.

O principal triunfo da Itália, de meados da década de 1950 até o início da década de 1960, era o vestuário masculino – a alfaiataria italiana era a última palavra em estilo marcante. Nápoles e Milão eram centros de moda masculina, mas Roma tornou-se o mais importante centro de estilo, em parte por causa de sua prestigiosa escola de alfaiataria, a Accademia dei Sartori, e porque firmas de roupas masculinas de primeira linha, como Brioni, Domenico Caraceni, Duetti e Tornato estavam sediadas ali. Também era a locação de filmes "modernos", como *La Dolce Vita* (1960), que levavam a modernidade italiana – incluindo ternos elegantes, Vespas e a cultura dos cafés – ao público internacional. O terno italiano da moda no período era geralmente feito de lã penteada lisa e era composto de um paletó curto com ombros em declive e calças estreitas, de corte reto, sem pregas e geralmente sem a barra italiana. Era usado com uma camisa imaculada, gravata estreita e sapatos de biqueira fina ou tipo mocassim. Nos EUA e no resto da Europa, o estilo italiano, preciso e limpo, era difundido entre os jovens na vanguarda da moda. O principal fornecedor desse visual na Grã-Bretanha era o empresário londrino John Stephen, que estocou sua primeira butique masculina com roupas joviais, altamente desejáveis, no idioma italiano.

As roupas de Stephen eram especialmente populares em meio a um grupo de jovens que surgiu em Londres por volta de 1958 e chamavam a si mesmos modernistas por causa de sua adoração pelo *jazz* moderno. Ávidos na apreciação da cultura européia, especialmente filmes franceses, tinham obsessão por roupas e eram exigentes no seu gosto pela costura ultraprecisa e pela apresentação imaculada. Em 1960, o grupo já não era mais exclusivo da metrópole e o nome fora abreviado para "mod". Os "mods" mais na moda e em evidência eram conhecidos como "faces" e apoiavam grupos pop "mods" como The Who.

A preocupação crescente dos homens com sua aparência refletia-se nas vendas crescentes de roupas e artigos para a toalete. As feiras de moda continuaram a ser eventos animados, com boa freqüência. Em 1964, a cadeia de roupas britânica Hepworths reconheceu a "importância da moda masculina na vida contemporânea" ao patrocinar um novo curso de *design* de moda masculina no Royal College of Art. No ano seguinte, os varejistas da Carnaby Street fizeram um ataque espirituoso aos estilos do *establishment* formando um grupo chamado "brigada para banimento do chapéu-coco", que exemplificava a tensão entre os expoentes do *prêt-à-porter* barato, "ligado", e a tradição da alfaiataria discreta e exclusiva. A batalha de alfaiataria entre a Carnaby Street (a meca da geração "mod") e a Savile Row (bastião da sobriedade masculina) foi tipificada pelo programa de televisão de 1966, *A Tale of Two Streets*, que via as duas ruas como exemplos de um fenômeno internacional – o estado dual das modas masculinas.

Os EUA estavam alertas aos desenvolvimentos europeus (inclusive o fenômeno Carnaby Street) e, desde 1956, a grande questão

184. O grupo pop *mod*, "The Small Faces" (assim chamado porque, além de serem "mods", ou "faces", seus componentes também eram baixos), começou em 1965 e teve vários sucessos em 1966-67. Eram um perfeito exemplo do visual limpo cultivado pelos *mods*. Os fãs admiravam não apenas sua música, mas suas inovações no vestuário. O cantor principal e guitarrista Steve Marriott (extrema direita) era o esteio do grupo. Ele aparece aqui usando calças estreitas, de xadrez vivo, com suéter de gola roulé e jaqueta de abotoar. Os penteados com franjas eram levemente puxados para trás, em cima.

era: O estilo Ivy League será desbancado pelo visual europeu? Na verdade, ambos sobreviveram; o estilo Ivy League foi atualizado e o conjunto italiano foi adaptado para se acomodar ao físico muitas vezes mais alto e atlético dos americanos. O vestuário americano ao longo de todo o início da década de 1960 tendeu a ser conservador e os ternos Brooks Brothers ainda eram a opção mais segura para o horário de trabalho. As roupas de lazer, por outro lado, beiravam o extravagante. Camisas esportivas com estampas vividamente coloridas continuaram a ser populares, e o amor americano pelo xadrez refletiu-se em um surto de jaquetas esportivas, calças, bermudas e roupas esportivas em padrões de xadrez ofuscantes. À medida que a década avançava, a "revolução do pavão" gradualmente se estabeleceu e os americanos começaram a sentir-se mais livres para fazer experimentos com jaquetas com cintura moldada e lapelas mais largas, camisas floridas com colarinhos brancos de pontas obtusas e calças mais apertadas e com cintura mais baixa.

Durante esse período, dois estilistas – Pierre Cardin e Hardy Amies – exerceram uma enorme influência no vestuário masculino internacional. Em 1959, Amies desenhou o protótipo de uma coleção masculina para a Hepworths, marcando o início de uma longa associação (mais de vinte anos) com essa cadeia nacional. O uso de seu nome dava aos conjuntos o que Amies descreveu como uma "condição de semi-alta-costura" e, com ela, um enorme atrativo para os clientes. O interesse transatlântico resultou em um contrato para desenhar para a corporação americana Genesco, que tinha lojas em Nova York, fábricas e uma cadeia de lojas masculinas. Ele forneceu roupas discretas, com toques *new wave*, e que atraíam o jovem, de certa maneira, menos aventureiro. Pierre Cardin, por outro lado, era o campeão dos inconformados. Ele apresentou suas coleções masculinas em 1959 e freqüentemente vestia os próprios modelos. Entrevistado pela *Jardin des modes* em 1959, ele propôs um novo dandismo, rejeitando a rigidez do vestuário do *establishment* em favor de conforto combinado com elegância. Seu paletó sem gola, de decote redondo, foi uma contribuição importante para a liberação do vestuário masculino, apesar de nunca tornar-se uma moda universal. A influência de Cardin espalhou-se rapidamente (ajudada por contratos de licenciamento). Após uma viagem à Índia, ele introduziu os conjuntos Nehru, e estes foram adotados pelos vendedores de sua butique parisiense, a Adam. Logo os formadores de estilo eram fotografados pela cidade vestindo jaquetas baseadas no traje original indiano, de linha longa, não trespassado, com gola ereta.

Embora o estilo Cosmo de Cardin para homens fosse, como o destinado para mulheres, muito vanguardista para o consumo de massa, algumas características dessas coleções de meados da déca-

185. Pierre Cardin pretendia conjuntos masculinos modernos, despidos de características fossilizadas, como lapelas e barras italianas – detalhes que os homens aceitavam como sacrossantos. Em fins da década de 1950 e início da década de 1960, ele desenhou paletós não trespassados inovadores, com colarinhos altos, sem golas, usados com calças estreitas.

186. O impacto cultural dos Beatles foi enorme e seu visual inicial (assim como o visual *hippie* posterior) influenciou milhares de jovens. Na apresentação no London Palladium, em outubro de 1963, eles usaram conjuntos elegantes, com calças de boca fina e jaquetas sem gola sobre camisas de colarinho alto, em estilo *mod*. Aqui, eles aparecem nos bastidores, inspecionando um besouro-insígnia empoleirado no nariz de Ringo Starr. Todos os aspectos de sua aparência, do corte de cabelo em tigela às botas de salto cubano, foram muito copiados. Para satisfazer a vasta quantidade de meninas adolescentes que os acompanhavam, foi produzida uma série de roupas (incluindo meias) com retratos dos "Fab Four".

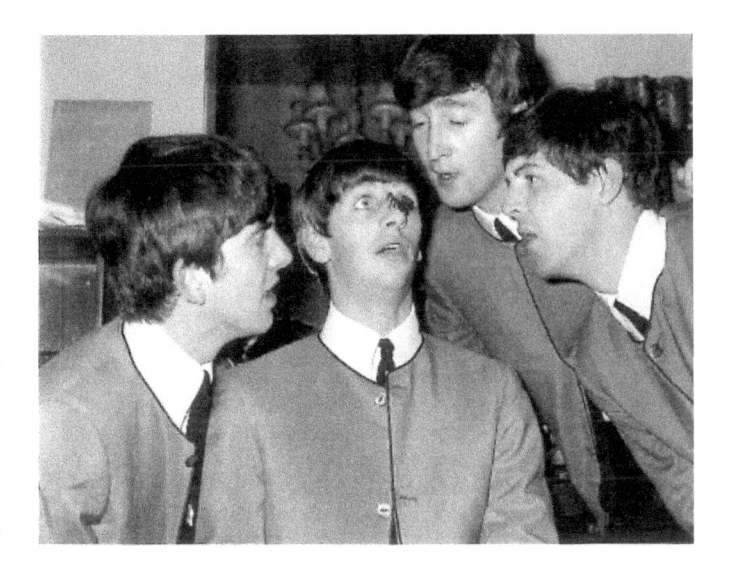

da de 1960 realmente entraram no gosto dominante, como jaquetas sem manga, fechadas com zíperes laterais, suéteres de gola *roulé* (substituindo as camisas e gravatas) e botas atarracadas, de biqueira quadrada. Ao comentar os modelos ultrafuturistas de Cardin, a *Tailor and Cutter* também observou, em março de 1967, que outros estilistas progressistas, como Tom Gilbey e Ruben Torres, uniam modernidade e funcionalismo a bom acabamento e bons materiais. Quando Cardin desenhou os trajes (feitos em Londres) para o personagem John Steed, interpretado por Patrick Macnee, na série de televisão britânica *The Avengers*, os conjuntos urbanos e as roupas de campo britânicas ganharam um *chic* francês. Tal foi o sucesso que um grupo de produtores do Reino Unido fez uma coleção para o varejo baseada nos originais.

Sintonizados com as novas tendências no vestuário masculino, o grupo do Mersey, The Beatles, abandonou as jaquetas de couro e camisetas de seu período em Hamburgo em favor do visual elegante. Em 1962 (o ano em que lançaram o disco *Love Me Do*, seu primeiro sucesso de vendas), o grupo adotou os conjuntos "mod", no idioma Cardin, composto de jaquetas curtas, quadradas, com colarinho redondo e calças afiladas, sem barra italiana, usadas com camisas de algodão imaculadas, de colarinhos em estilo eduardiano. Seu alfaiate era Dougie Millings, que também fez trajes de palco para quarenta outros grupos britânicos nas paradas de sucesso. O visual Mersey também teve profunda influência na aparência dos jovens, de cortes de cabelo simples, com franjas, a botinhas de salto cubano.

No início da década de 1960, surgiu uma nova geração de estilistas britânicos, que viria a desafiar a supremacia da alta-costura parisiense. Educados principalmente nos departamentos de moda e têxteis das escolas de arte britânicas e encorajados por professores entusiásticos, esses recém-chegados eram pouco ortodoxos, de

187, 188. As roupas do "Ginger Group" de Mary Quant foram um enorme sucesso e assinalavam o fato de que suas usuárias estavam na vanguarda da moda. Um *kit* de futebol inspirou a audaciosa minissaia listrada, de jérsei de lã colada, de 1967 (*esquerda*). Quant desenhou o visual completo, lançando, em agosto de 1967, sua coleção de calçados "Quant Afoot" (*direita*). As botas de PVC claro eram feitas com forros de jérsei de algodão, que absorviam o suor e acrescentavam cor.

uma maneira revigorante. Mary Quant abriu o caminho. Em 1955, em sociedade com o marido, Alexander Plunket Greene, e com o administrador Archie McNair, ela abriu sua primeira loja, a Bazaar, na King's Road, Chelsea. Determinada a vender roupas que agradassem aos fregueses jovens, mas desanimada com o espírito matronal do estoque disponível (roupas elaboradas, de cintura apertada, chegando à altura da barriga da perna, complicados por uma série de luvas, chapéus e jóias próprias de uma dama), Quant começou a fazer seus próprios modelos. Suas roupas foram um sucesso imediato, impondo-lhe uma pressão enorme no sentido de aumentar a produção. Seus modelos para 1956-67 exibiam trajes simples, baseados em formas retas simples, ligeiramente bojadas, e linhas tubulares. Ela colocou as cinturas para baixo, usou faixas horizontais e inserções triangulares de pregas na linha da bainha para permitir o movimento; manteve os acessórios no nível mínimo e, mais significativamente, diminuiu as saias.

A autobiografia de Quant, *Quant by Quant* (1966), captura o trabalho duro, o entusiasmo e o intenso prazer de seus primeiros sucessos na década de 1960. Ela tomava elementos dos clássicos britânicos mundanos e os sujeitava a reinterpretações dramáticas. O convencional conjunto de flanela cinza tornou-se um vestido reto curto, sem mangas, sobre calções debruados com babados. Lãs com listras finas, reservadas por costume ao cavalheiro da cidade, transformaram-se em graciosos bibes com suspensórios. Suas coleções, que acabaram por abarcar acessórios e roupa de baixo para fornecer o visual completo, estavam na vanguarda da moda e, em 1962, asseguraram um lucrativo contrato com a gigantesca cadeia de lojas americana J. C. Penney. Em 1963, ela entrou na produção de massa, com a série Ginger Group. Quant buscava idéias em fontes incomuns e as retrabalhava em uma série de visuais rápidos. Gostava de materiais novos na moda, produzindo capas de chuva de cores brilhantes em PVC e uniformes de ginástica com minissaias, que promoviam a fibra artificial *tricel*. Explorou até o potencial do *crimplene*, e o humilde padrão de tricô recebeu impulso quando ela criou uma série de minivestidos para o novo fio de quatro filamentos de Courtelle. Quant fazia roupas divertidas, fáceis de usar, sem marca de classe, rejeitando tudo o que fosse engomado, tacanho e desnecessariamente formal – características que ela associava ao estável *establishment* britânico. Os nomes que dava a algumas de suas peças revelam sua postura leve e informal. "The Bank of England" (uma túnica com tecido em risca de giz), "Booby Traps" (sutiãs) e "Quant Afoot" (uma coleção de botas).

Em 15 de abril de 1966, a revista *Time* estampou na capa "Londres, a cidade da badalação" e, exata ou não, a descrição pegou. O artigo revelava entusiasmo pelas atrações londrinas voltadas para a juventude. Em meados da década, os adolescentes britânicos tinham dinheiro para gastar em entretenimento (principalmente música pop), roupas e cosméticos. Em Londres, o lugar onde os jovens se encontravam, passavam o tempo e trocavam seus salários semanais por *prêt-à-porter* a preços razoáveis era a Carnaby Street, no Soho. O já mencionado John Stephen foi uma força importante no estabelecimento dessa rua como principal ponto de encontro para a juventude internacional. Antes de formar o próprio negócio, em 1957, Stephen trabalhou por um breve período na Vince, uma loja de roupas masculinas perto da Carnaby Street, que vendia roupas atipicamente vistosas e roupas de lazer sofisticadas para uma clientela formada principalmente por *gays* e artistas.

Negociante astuto, Stephen reconheceu o fato de que os alfaiates tradicionais e as lojas múltiplas não estavam servindo os adolescentes. Especificamente para esse mercado, ele introduziu roupas ousadas, com consciência de corpo, de cores atrevidas, feitas de tecidos tácteis como veludo, pelúcia, couro, cetim, cotelê e lã angorá. A popularidade das roupas de Stephen era tal que, no início da década, eram dele dois terços dos edifícios da Carnaby Street. Uma loja de roupas masculinas, a Lord John, recebeu a companhia de uma butique feminina, a Lady Jane, aberta em 1966,

189,190. Aos sábados, a Carnaby Street (descrita como a rua de brincar do adolescente) ficava repleta de jovens desfilando suas roupas mais recentes, inspecionando as butiques e examinando-se mutuamente em busca de novas idéias. Para manter-se à frente, era essencial comprar uma roupa nova por semana. A Lord John (esquerda), aberta pelos irmãos Warren e David Gold, vendia roupas masculinas da moda, "não construídas para durar exatamente uma vida inteira", mas coloridas e cortadas de maneira que realçasse figuras jovens e esbeltas. Em meados da década de 1960, a Carnaby Street rivalizava o Palácio de Buckingham como atração turística. As butiques femininas pequenas, íntimas e com produtos de impacto haviam se juntado às lojas masculinas, oferecendo roupas a preço baixo para "garotas ligadas". A Lady Jane (direita), de Harry Fox, vendia estilos de vida rápida – de minissaias diminutas a conjuntos com calças – a jovens ávidas por novidades.

com uma vitrine viva, onde duas jovens vestiam e despiam as roupas da loja.

As butiques para ambos os sexos proliferaram durante a década e saciavam o apetite pelas ondas mais recentes, com um giro rápido de mercadoria. Muitas vezes possuídas e administradas por jovens em sintonia com seu público-alvo, vendiam séries pequenas das roupas mais recentes e empregavam vendedores relaxados, que acolhiam os curiosos sem exercer pressão para que comprassem. Decoradas com cores vívidas, como as dos parques de diversão, essas lojas atraíam clientes com vitrines sedutoras, interiores chamativos e música pop ininterrupta.

Roupas relativamente baratas, com o visual certo, enchiam as araras de butiques pequenas como a Clobber de Jeff Bank e a Bus Stop de Lee Bender. O lugar do momento, porém, era a movimentada e barulhenta butique de Barbara Hulanicki, a Biba. A loja Biba foi estabelecida em 1964, com base em uma bem-sucedida empresa de vendas pelo reembolso postal estabelecida por Hulanicki um ano antes. Os interiores art nouveau, retrô, os provadores coletivos, os cabides de casaco de madeira curva (substituindo as araras tradicionais) e a atmosfera eletrizante da loja são lendários. Em harmonia com o momento, as roupas e a maquiagem da Biba eram arrebatadas tão logo os estoques chegavam e eram sucessos instantâneos e lucrativos. Grifes de prêt-à-porter mais caras incluíam Jean Muir, John Bates (famosa pelos trajes de Diana Riggs na quarta temporada da série de televisão The Avengers) e Foale & Tuffin, que haviam apresentado sua grife em 1961 e abriram uma butique perto da Carnaby Street em 1965. Novas revistas de moda, especialmente a *Petticoat* (subintitulada "A nova jovem") e a *Honey* (anunciada como "jovem, alegre e pra frente"), forneciam às jovens leitoras uma dieta com as últimas modas. O *Sunday Times* lançou seu primeiro suplemento colorido em 1962 com uma foto de capa de David Bailey, mostrando a modelo Jean Shrimpton em um vestido reto de flanela cinza de Mary Quant.

Fazendo eco aos desenvolvimentos ocorridos em Londres, um grupo de jovens *créateurs de mode* parisienses também abriram butiques de sucesso, oferecendo modelos vivazes, que transpunham a distância entre os produtos de alta-costura e as roupas das lojas de departamentos. Conhecidos como estilistas "iê-iê" (por causa do refrão dos Beatles), casavam o *chic* francês ao estilo jovem. No início da década, Emanuelle Khanh passou a ser cultuada pelos vestidos e conjuntos de crepe em tons pálidos, cujas linhas puras eram suavizadas pela sua assinatura: colarinhos pendentes e decotes re-

191. Barbara Hulanicki abriu a primeira loja Biba em Abingdon Road, Kensington, em 1964. Com paredes azul-marinho e abajures pretos e o estoque disposto em cabides de madeira torcida, estabeleceu a fórmula Biba, de informalidade com clima. As roupas Biba usadas por Cathy McGowan no programa de televisão *Ready Steady Go* atraíram milhares de pessoas à loja, entre elas celebridades como Sonny e Cher, Julie Christie e Cilla Black.

192. Capa da revista adolescente *Petticoat*, 27 de abril de 1968. O visual *baby-doll* do período foi captado na pose infantil, com os pés voltados para dentro. A manequim usava jaqueta e saia brancas, feitas a partir de um "groovipattern" de McCall, com sapatos de presilha em vermelho-brilhante da Gamba, meias-calças de tecido grosso combinando e uma boina de Mary Quant.

dondos. Jacqueline e Elie Jacobson foram pioneiros com sua butique, Dorothée Bis, que comprava o trabalho dos novos estilistas; em 1965 Jacqueline criou sua primeira série de roupas, centrada em peças separadas intercambiáveis e distintos trajes de malha.

Os jovens da explosão populacional pós-guerra nos EUA estavam chegando à idade adulta e seu desejo por modas chamativas e extravagantes também foi satisfeito por butiques, que surgiram em todas as grandes cidades. Nova York ostentava as lojas mais modernas: a Paraphernalia, aberta pelo empresário de moda Paul Young, em 1965, estabeleceu o ritmo. Betsey Johnson (a resposta de Nova York a Mary Quant) uniu-se à Paraphernalia em 1965. A carreira de Johnson havia começado na *Mademoiselle*, revista que, como a *Seventeen*, no Reino Unido, era voltada para garotas adolescentes. Na Paraphernalia, ela promoveu a fama de vivacidade da loja, com

184 A MODA DO SÉCULO XX

193. Minivestido de plástico transparente de Betsey Johnson, 1965. Como muitas das roupas "malucas" de Johnson, este modelo pretendia divertir ou chocar e ter uma existência limitada. Vinha com um conjunto de adesivos de cores brilhantes, que a usuária podia colocar onde achasse necessário.

roupas divertidas e de baixo custo – as peças com obsolescência embutida, como os vestidos de fibra colada, dos quais, quando molhados, brotavam plantas de verdade, eram chamados "throwaways" ["descartáveis"]. Os anseios exibicionistas eram satisfeitos por vestidos de plástico transparente, vestidos de papel, trajes de motoqueiro prateados e roupas fluorescentes para as discotecas. A frágil "superstar", de cabelos louros, quase brancos, Edie Sedgwick, que fazia parte do grupo de Andy Warhol conhecido como Factory, tornou-se modelo da casa de Johnson e envergaria as criações mais extravagantes da estilista.

Em comparação com a Europa e, em particular, com Londres, os espíritos aventureiros dispostos a usar modas estranhas eram relativamente raros nos EUA, onde roupas conservadoras e funcionais sempre haviam sido mais atraentes. Isso não quer dizer que os EUA fossem imunes às tendências internacionais. Algumas americanas atualizadas estavam preparadas para arriscar-se a usar a *chemise* sem cintura, importada dos salões de Paris em 1957, e os estilistas de ponta dos EUA haviam interpretado a linha de uma maneira elegante, bem adaptada à compleição alta e muito esguia dos americanos. Mesmo Marilyn Monroe havia suavizado suas curvas com um vestido reto. Uma linha império, transitória, foi então completamente eliminada nos EUA por outra importação da França – o trapézio, linha especialmente preferida por Jacqueline Kennedy. Kennedy tornou-se primeira-dama dos EUA em 1960 e imediatamente assumiu um papel destacado como líder de moda internacional. Era extraordinariamente fotogênica, muito bonita e dona de uma elegância refinada. Como resposta às exigências especiais de sua posição, montou um grande e impressionante guarda-roupa, cujo enorme custo era alegremente avaliado pela imprensa mundial. Durante três anos, Kennedy esteve no topo da lista das mais bem vestidas nos EUA, estabelecendo uma tendência para roupas com linhas limpas, simples, em cores puras, lisas. Quando sua predileção por estilistas parisienses atraiu publicidade adversa, tornou-se cliente de talentos nativos. Oleg Cassini foi nomeado seu estilista pessoal e traduziu habilidosamente suas rigorosas exigências, na forma de trajes de feitura americana com brilho francês. Kennedy entendia muito de moda e sabia exatamente o que se ajustava a ela em atividades de lazer e em ocasiões formais como primeira-dama. A ampla publicidade que cercava todas as suas aparições deu enorme impulso à indústria e iniciou numerosas tendências – entre elas os vestidos em linha A, sem mangas, chapéus toque e óculos escuros de armação grossa. O "Jackie Look" completo, dinâmico, foi muito copiado, do corte de cabelo bufante aos escarpins de salto baixo. A influência de Jacqueline Kennedy declinou durante o período de luto após o assassinato do marido, mas retornou com força no verão de 1964.

As *socialites* americanas imitavam a simplicidade sofisticada de Kennedy e, em Nova York (ainda o coração da moda americana), havia um amplo leque de escolha, de séries prontas para usar, em lojas como Saks Fifth Avenue, Bergdorf Goodman, Bonwit Teller e Henri Bendel, a modelos feitos sob medida de Norman Norell, Oleg Cassini, Ben Zuckerman e Oscar de la Renta na Elizabeth Arden. A mesma clientela era também servida pelas excelentes cópias de Paris feitas pela Chez Ninon (Jacqueline Kennedy era uma freguesa) e Ohrbach. A importância da indústria da moda nos EUA foi marcada em 1962 pela fundação do Council of Fashion Desig-

94. Jacqueline Kennedy cumprimentando a multidão em uma visita a Londres, em 1962. Seu conjunto de faiataria em lã clarete (com as linhas favoritas, minimalistas) era de Oleg Cassini e composto por um vestido delicadamente rodado jaqueta precisa, sem gola, mangas três quartos e botão único. Luvas brancas, imaculadas, completavam o traje.

ners of America – corpo responsável pela promoção da costura americana.

Os estilistas americanos eram especialistas em roupas fáceis de usar e elegantes e, na década de 1960, o trabalho de dois estilistas de grande experiência ganhou destaque. Embora suas assinaturas fossem bem diferentes, Bonnie Cashin e Geoffrey Beene compartilhavam uma abordagem sensata, prática e inovadora do trabalho. Cashin desenhara figurinos para a Twentieth Century-Fox na década de 1940 e, depois, roupas esportivas para a Adler & Adler, antes de estabelecer sua própria empresa, em 1953. Na década de 1960, ela continuou a refinar seus modelos de peças separadas, geralmente de lã, algodão e couro, que eram usadas com confortáveis suéteres de lã, com golas ou capuzes distintos. Muitos de seus conceitos estavam adiante de seu tempo: seus dinâmicos vestidos e capas com capuz, especialmente, não ganhariam vida própria até a década de 1970.

Geoffrey Beene, treinado na Chambre Syndicale, trabalhou para vários fabricantes de roupas prontas, entre eles a Teal Traina, antes de lançar a própria grife, em 1962. Seu princípio orientador era fazer roupas que permitissem movimento e liberdade. Beene era um modernista confesso e, embora suas coleções acomodassem as últimas tendências, entre elas os vestidos "menininha", de cintura alta, e, mais tarde, o visual étnico, longo, cheio de fitas, era mais feliz fazendo vestidos leves e simples em lã de jérsei, com um mínimo de costuras e detalhes. Na década de 1970, à sua cara coleção de *prêt-à-porter* juntaram-se linhas menos dispendiosas, entre elas a divertidamente batizada Beene Bag [jogo de palavras com "bean", feijão, isto é "saco de feijão"].

Em 1967, a jornalista Marylin Bender, do *New York Times* ofereceu a seguinte explicação para a abundância da moda americana: "Os estilistas vêm em variedades infinitas, voltando-se para públicos diferentes." James Galanos e Rudi Gernreich, sediados em Los Angeles, foram destacados por Bender como inventores significativos, que representavam os dois extremos do estilo americano da década de 1960. Depois de um período como aprendiz de Hattie Carnegie, em Nova York, Jean Louis, em Hollywood, e Robert Piguet, em Paris, Galanos lançou a Galanos Originals em Los Angeles, em 1951. A elegância e a sofisticação de seu trabalho eram reforçadas pela escolha de manequins de olhar altivo (sua favorita era Pat Jones), que transmitiam a impressão de serem ricas. Suas roupas de dia, de corte preciso, e os espetaculares vestidos de noite (*chiffon* minuciosamente plissado era uma especialidade) valeram-lhe clientes ricas – a sra. Charles Revson (esposa do presiden-

195, 196. *Abaixo*: um dos estilistas de sapatos mais inventivos do século XX, Roger Vivier colaborou com vários costureiros parisienses, criando sapatos para suas coleções. Era famoso pelos fantasiosos sapatos de noite. *Em cima*: modelo de 1963 em cetim e tule, com bordados de madrepérola e salto "vírgula". *Embaixo*: Sapato de brocado verde, com biqueira ligeiramente arredondada e salto regência, 1963-64.

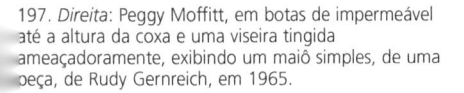

197. *Direita*: Peggy Moffitt, em botas de impermeável até a altura da coxa e uma viseira tingida ameaçadoramente, exibindo um maiô simples, de uma peça, de Rudy Gernreich, em 1965.

te da Revlon), Betsy Bloomingdale e Nancy Reagan, que usou um vestido Galanos no baile de posse de Ronald Reagan como governador da Califórnia, em 1967.

Rudi Gernreich, nascido na Áustria, operava em um esfera inteiramente diferente. Depois de estudar arte e passar uma década como dançarino moderno, começou a desenhar roupas de banho justas, em jérsei (sem forros estruturados) e conquistou notoriedade internacional quando lançou o traje *topless*, em 1964 – vestido por sua musa, Peggy Moffitt. A voga, de meados da década, por roupa de baixo dando a impressão de nudez foi promovida por um sutiã de Gernreich, cor de pele, insubstancial, o sutiã "não sutiã" (para a Exquisite Form), que vinha dentro de uma carteira de plástico, uma novidade, juntamente com um cartão anunciando suas qualidades. Gernreich gostava de fazer experiências com plásticos e materiais sintéticos, muitas vezes combinando malhas de jérsei de padrões brilhantes com faixas decorativas de vinil transparente ou colorido. Achava que a moda devia ser barata e voltada para uma clientela jovem e ousada, em busca de roupas fáceis de usar e que constituíssem enunciados de modos vigorosos. Seu histórico como dançarino fez com que tivesse uma aguda percepção das vantagens de um corpo saudável e em boa forma e dos méritos de trajes com linhas simples, que permitissem liberdade de movimento. Em 1969,

200. Vidal Sassoon revolucionou o penteado dos jovens no início da década de 1960, com cabelos curtos cortados com precisão. Uma de suas inovações mais populares, em 1963, foi o "Nancy Kwan", um penteado bem curto na nuca, com o ângulo ajustado em um movimento para a frente, em torno do rosto, no nível do queixo. Ele aparece aqui, em 1964, dando aos cabelos brilhantes de Mary Quant a forma do seu famoso "corte de cinco pontas", elaborado no mesmo ano.

198. Página ao lado, direita: a modelo Jean Shrimpton nas corridas de Melbourne, em 1965, no auge da elegância, com um conjunto trespassado e um chapéu bretão em forma de halo. No dia anterior, ela fora criticada por comparecer às corridas (promovendo o Orlon) em um minivestido sem mangas, as pernas sem meias e sem chapéu nem luvas.

199. Página ao lado, esquerda: Twiggy, usando um traje de seu próprio guarda-roupa, criado com Pam Procter e Paul Babb para Leonard Bloomberg lançado em 1967. Como esse vestido-camisa com colarinho comprido e pontudo, coleção (macacões, shorts, culotes e batas "baby-doll") tinha uma aura ostensiva de "menininha", voltada para o mercado adolescente.

ele se retirou da moda por um breve período, retornando na década de 1970 com uma forte contribuição para a tendência unissex: produziu caftãs longos, macacões e calças boca de sino que podiam ser usadas por ambos os sexos.

O triunfo da informalidade fez com que deixasse de ser essencial usar um conjunto completo de acessórios coordenados. O comércio de chapéus sofreu queda nas vendas, mas a tradição de chapéus para ocasiões especiais – para Ascot, Longchamps, festas reais ao ar livre e casamentos –, além de manias de curta duração por novidades, como os gorros "baby", de pele artificial, e os suéteres de PVC, ajudavam sua sobrevivência. Em 1964, sapatos de salto alto, pontudos e desconfortáveis, haviam se tornado antiquados, e o calçado da moda era largo, com salto baixo e biqueira nitidamente quadrada. Na Grã-Bretanha, Rayne fazia sapatos ultra-modernos, com biqueiras largas e fivelas marcantes, em verniz com reflexo e várias cores. Era considerado moderno usar sapatos especiais para dança e teatro, além de botas da Anello & Davide, de Londres. Roger Vivier e Charles Jourdan, na França, foram responsáveis por chapéus inventivos, em couro e materiais decorativos caros. Courrèges estabeleceu a voga de botas chatas brancas, amplamente copiadas pela indústria de massa.

Para ser parte da turma "in", a juventude tinha de se mexer. Um ritmo frenético era encorajado por filmes como *The Knack* e *Darling* (ambos lançados em 1965), assim como por programas de música pop ao vivo na televisão, entre eles *Ready Steady Go* e *Top of the Pops*, no Reino Unido, e *Salut les copains* e *Discorama*, na França. À medida que a influência dos astros de Hollywood declinava, os adolescentes passavam a ter como ídolos músicos pop, personalidades esportivas, DJs, fotógrafos de moda e modelos. Os ideais de beleza eram estabelecidos por um grupo de jovens modelos, que, em conjunto com importantes fotógrafos, com a astúcia das ruas, como David Bailey, Antony Armstrong-Jones (mais tarde Duque de Snowdon) e Terence Donovan, introduziram novo vigor na fotografia de moda. Uma versão glamurizada de suas atividades foi captada no filme de Michelangelo Antonioni, *Blow-Up* (1966), estrelado por David Hemmings, e com a *top mannequin* Veruschka. O herói era baseado em David Bailey, cujas fotografias de Jean Shrimpton ("The Shrimp" – o camarão) apareciam nas revistas mais sofisticadas. Com olhos enormes, cabelos longos e revoltos, boca sensual e longas pernas, Shrimpton tinha uma qualidade camaleônica que a tornava o veículo perfeito para uma ampla série de estilos da década. A modelo ideal para as modas "mod" era Lesley Hornby ("Twiggy"), cujo corpo adolescente, cabelos penteados de lado, como um garoto, e aura élfica, encontraram acolhida nas revistas adolescentes do período – ela foi eleita "O rosto do ano" em 1966. O "Graveto" ("Twig") era muitas vezes associado à "Árvore" ("Tree"), Penelope Tree, uma das modelos de aparência menos convencional da década, que aumentava os olhos, já enormes, acrescentando cílios pintados.

A maquiagem preta pesada era um pré-requisito na moda da década de 1960; para criar contraste, lábios e pele eram mantidos claros. Em 1966, Mary Quant introduziu uma paleta de cores ousadas para batom e sombra para os olhos (feitos por Gala). Também introduziu cílios postiços em longas tiras, que podiam ser cortadas para se ajustarem aos olhos da cliente – estes eram promovidos por anúncios espirituosos (como "Bring Back The Lash" – [tragam de volta o "lash"] – "lash" pode significar cílio ou chicote) e pela embalagem distinta, em preto e branco, com o famoso logotipo de Quant, em forma de margarida. O estilo dos cabelos, no início do período, variava do penteado formal, maduro (que incluíam permanentes caseiros), a forma rigidamente mantida por loções e *sprays* fixadores grudentos, até os penteados jovens, do tipo colméia, o rabo de cavalo e estilos "moleque". Todos eles saíram de moda imediatamente em 1963, quando Vidal Sassoon produziu seus primeiros penteados curtos, angulares e geométricos, demonstrados pela primeira vez na modelo Nancy Kwan. Sempre à frente de seu tempo, Mary Quant estabeleceu o ritmo cortando seus cabelos escuros com o próprio Sassoon, em um formato assimétrico, que muitas vezes ondulava sedutoramente sobre um dos olhos. Aquelas cujos cabelos recusavam-se a conformar-se ao corte geométrico e limpo usavam perucas (as de Sassoon eram as líderes do mercado) com o mais novo corte. Os homens deixaram crescer os cabelos e fizeram experiências com bigodes, costeletas e barbas.

201. A mania do vestuário descartável de "papel" teve curta duração, de, mais ou menos, 1966 a 1968. Em 1966, como manobra publicitária para a Scott Paper Company, um vestido de papel foi oferecido a um dólar e vinte e cinco centavos. Em menos de seis meses, meio milhão de vestidos haviam sido vendidos. Apesar de divertido, os fabricantes logo descobriram que os custos não eram substancialmente menores do que os da produção de vestidos convencionais. Aqui, contra um fundo de papel rasgado, em uma pose enérgica, a manequim usou um popular boné, do tipo "garoto de entregas" e um minivestido-camiseta de papel, simples (o papel não era adequado à construção complexa).

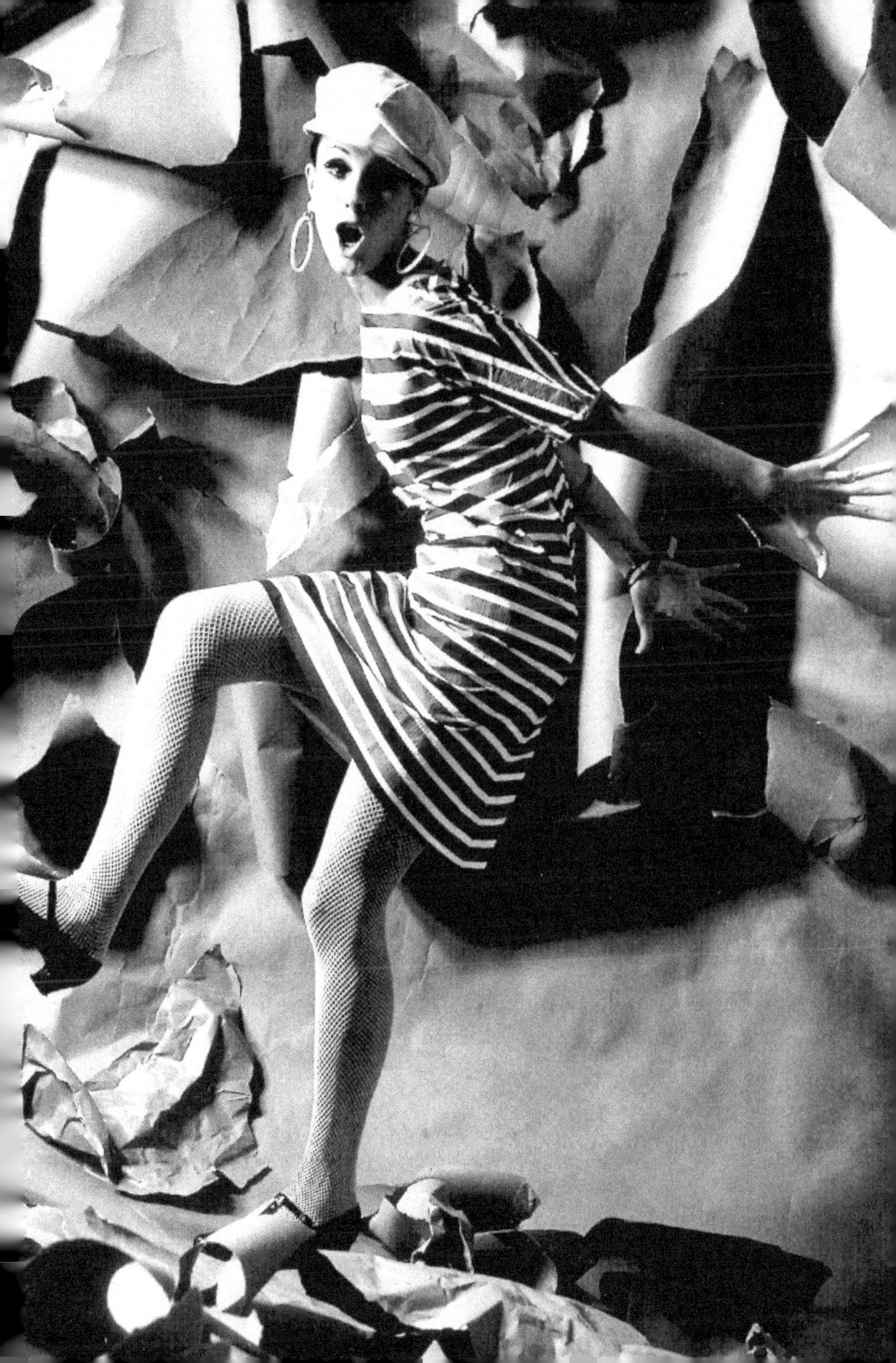

Com ímpeto crescente, a indústria têxtil continuou a pesquisar e a desenvolver tecidos artificiais, misturas e acabamentos especiais. A competição internacional era feroz, à medida que as firmas se digladiavam para produzir, criar marcas e comercializar cada novo produto. Os cientistas almejavam fornecer à família inteira tecidos de conservação fácil, que não precisassem ser passados, que fossem duráveis, resistentes a sujeira e amarrotamento e confortáveis. Calculou-se que todo homem americano tinha, pelo menos, um conjunto em tecido que não precisava ser passado.

Durante dois ou três anos, em meados da década, os fabricantes fizeram experimentos com o potencial de moda da fibra colada (papel), material que havia transformado o vestuário médico, e vestidos e calcinhas de papel tornaram-se a última palavra em símbolos do descartável. Em 1966, numa manobra publicitária para promover uma nova linha de guardanapos de mesa, a Scott Paper Co., nos EUA, ofereceu vestidos de papel. A firma foi inundada por encomendas. No auge da moda, a Mars Manufacturing Corporation (principal produtora de vestidos de papel dos EUA) usou a "nova fibra maravilhosa", *kaycel*, que resistia a fogo e água, em roupas com a grife "Waste Basket Boutique" (butique cesta de lixo). Em Londres, a empreendedora firma Dispo vendia trajes de papel estampados com motivos psicodélicos. Apesar de comercializados como "descartáveis", resistiam, na verdade, a três lavagens e podiam ser passados.

Os produtores de tecidos artificiais foram tão prolíficos que se compilaram guias para as muitas centenas de fibras, tecidos e seus fabricantes. Os nomes comerciais tendiam a ser curtos e fáceis de lembrar, como *ban-lon, dralon, acrilan* e *orlon*. O tecido de poliéster *terylene* desempenhou um papel central no *prêt-à-porter* masculino. Os principais produtores de tecidos artificiais eram a Du Pont, nos EUA, e a Courtaulds, no Reino Unido. Estilistas de primeira linha, entre eles Mary Quant, Pierre Cardin e Lanvin, foram convidados a preparar coleções especiais para promover as mais recentes fibras sintéticas e elevar o seu *status*. Mas, apesar das tentativas de penetrar no mercado de alto poder aquisitivo, os tecidos artificiais continuaram a ser o esteio de trajes baratos, produzidos em massa. Seu impacto mais notável foi no desenvolvimento de roupas de baixo e roupas esportivas. A introdução de novos tecidos elásticos (especialmente a *lycra*, em 1959) e de tecidos leves, mas fortes, que conservavam a forma depois de esticados, possibilitaram que as indústrias produzissem roupas mínimas, de padrão delicado. As cintas tornaram-se quase redundantes quando, a bem do decoro, colantes substituíram as meias-calças sob as minissaias. As cintas em tecido *stretch* decorativo combinavam com sutiãs mínimos e os corpetes com sustentação tornaram-se populares. Os produtores de meias-calças fizeram experimentos com meias-arrastão, meias de renda e tecido grosso. Sob as saias cada vez menores as jovens"por dentro" usavam meias-calças e colantes de cores brilhantes desenhados por Mary Quant e lançados pela primeira vez em 1965.

As sementes da nova mudança estilística de importância foram semeadas em meados da década de 1960, quando casacos longos (maxicasacos) foram colocados sobre minissaias e o filme *Dr. Zhivago* [Dr. Jivago] (1965) inspirou uma invasão de sobretudos rodados, compridos, até os pés, com nuanças militares. Dois anos de pois, o filme de *gangsters* Bonnie and Clyde, com trajes da década de 1930, com comprimento na altura da barriga da perna, aceleraram a mudança para linhas longas, fluidas e sinuosas. Os produtores têxteis enfrentaram um desafio econômico e tecnológico quando os tecidos sólidos, próprios para formas curtas e triangulares tornaram-se obsoletos com a procura por tecidos moles e maleáveis.

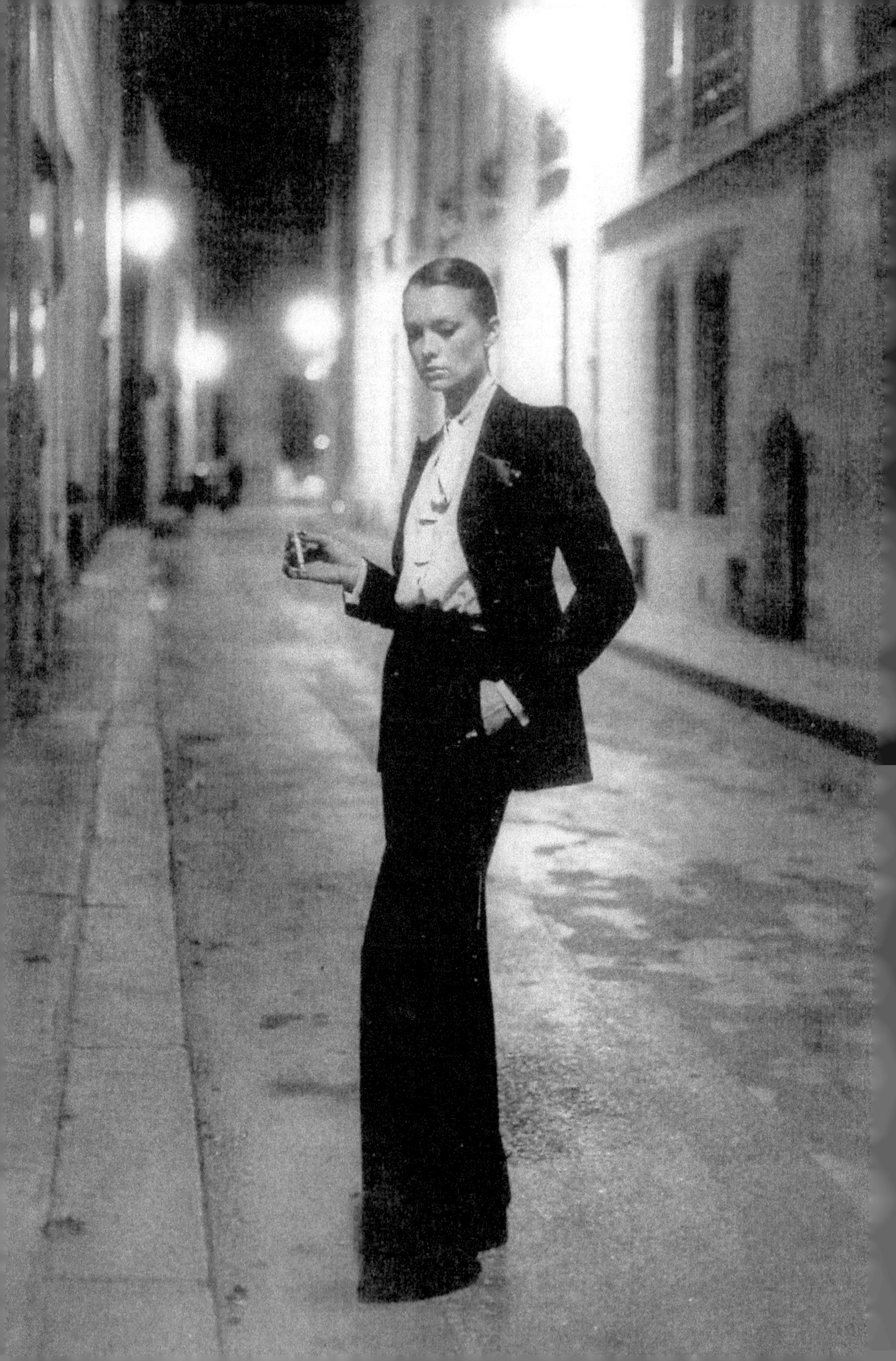

7. 1968-1975
ECLETISMO E ECOLOGIA

Orientando-se pela juventude, a moda tornou-se cada vez mais diversificada e, em meados da década de 1970, havia se dividido em duas amplas áreas – roupas clássicas, fáceis de usar, e trajes de fantasia. Houve dois fatores de grande importância no vestuário feminino: a substituição da silhueta rígida, triangular, da minissaia pelas linhas longas e esbeltas da midi e da máxi, e a crescente dependência feminina das calças. Enquanto isso, a preocupação dos homens com o estilo aumentava.

Embora Paris continuasse no centro do mundo da moda, Milão e Nova York continuavam a afirmar sua considerável força. A indústria de todo o mundo tinha de lutar com a inflação e a crise econômica deflagrada pelo aumento de 70% no preço do petróleo, em 1973, que, por um breve período, impôs a prejudicial semana de três dias aos fabricantes britânicos. O mesmo ano viu também o fim da Guerra do Vietnã, mas continuaram os conflitos violentos, entre eles distúrbios raciais e protestos estudantis nos EUA e na Europa, e uma escalada mundial de ataques terroristas. No clima de "vale tudo" da década de 1970, os estilistas, em busca de novas fontes, encontraram inspiração mesmo nesses acontecimentos soturnos. Também fizeram uma exploração retrô da alta moda, com uma série, de rápida duração, de visuais das década de 1930 e 1940, assim como de estilos baseados no vestuário profissional, das roupas do caubói aos trajes da ordenhadeira. No todo, porém, a moda havia se tornado menos um ditame do estilista e mais uma questão de escolha pessoal – na verdade, pode-se afirmar que a míni foi a última moda universal.

No fim da década de 1960 e no começo da de 1970, as seguidoras do crescente Movimento de Libertação Feminina tendiam a ser antimoda. Contudo, os textos a favor da libertação, como *The Feminine Mystique* (1963), de Betty Friedan, e, em 1970, *The Female Eunuch*, de Germaine Greer, e *Sexual Politics*, de Kate Millett, tiveram uma influência formadora sobre muitas jovens com consciência da moda e consciência social: o visual menininha foi abandonado por estilos mais "adultos". O vestuário antiautoritário e de protesto assumiu a forma da roupa "hippie" estereotipada ou do adorado macacão de trabalho de algumas feministas. O ano de

02. Yves Saint Laurent adaptou as técnicas da alfaiataria masculina para criar conjuntos femininos com calças, altamente desejáveis. Este conjunto de meados da década de 1970 foi feito em lã antracita, usado com uma blusa de crepe de marroquino cinza-pérola. As ombreiras deram-lhe um perfil agudo, e as calças, de bocas largas, quase no nível do chão, foram jogadas sobre sapatos-plataforma. O penteado curto, puxado para trás, a mão no bolso lateral e, especialmente, a maneira masculina de segurar o cigarro, tudo contribuía para o senso de androginia. Fotografia de Helmut Newton.

204 1968 viu a estréia de *Hair*, anunciado como o musical de amor e rock tribal americano. Este celebrava não apenas os cabelos compridos – o sinal mais evidente de rebelião juvenil –, mas também o caráter permissivo do movimento *hippie*, com sua postura liberal diante do sexo e das drogas. A posição antiautoritária do musical e os sentimentos contra a guerra eram apoiados por uma batida ensurdecedora e por efeitos de luz psicodélicos. Um corolário da cultura *hippie* era a rejeição dos valores corporativos urbanos, que envolviam o amor e o retorno à natureza. Esse espírito de "volta à terra" alimentou o crescente movimento ecológico e foi um dos pontos de partida para uma importante revigoração do artesanato nos Estados Unidos e no Reino Unido. Trajes com apliques, feitos em tricô e crochê começaram a figurar em boa parte do *prêt-à-porter* e mesmo em algumas coleções de alta-costura. À medida que a sociedade se tornava progressivamente multicultural, os estilistas também se voltavam, em busca de inspiração, para conceitos de vestuário não ocidentais. Os pacotes de viagem e as viagens aéreas baratas (os jumbos foram introduzidos em 1970) trouxeram para mais perto lugares, costumes e trajes exóticos; todos foram ricas fontes de inspiração para os estilistas. Produtos de beleza e alimentos naturais eram vistos como a alternativa saudável aos produtos com aditivos químicos e coincidiram com o nascimento da cultura da boa forma.

Em 1968, aos setenta e três anos, Balenciaga fechou sua casa parisiense, depois de declarar que a alta-costura estava no fim. Em 1971, a morte de Chanel marcou ainda outra etapa no declínio da costura. Não obstante, apesar de a clientela de elite da alta-costura ter minguado para aproximadamente três mil, as forças financeiras, políticas e criativas que sustentavam a alta-costura garantiram que ela se adaptasse e se ajustasse ao clima predominante. A tradição das coleções bissazonais foi mantida e as mostras de costura foram usadas para anunciar o grande negócio das coleções de *prêt-à-porter*. Esse período provou ser uma época difícil para Paris, à medida que os principais nomes tentavam ajustar-se às ameaças ao seu domínio em um clima cada vez mais eclético. Yves Saint Laurent permaneceu na dianteira, em coleções muito bem recebidas pelos editores de moda. Sua busca constante de idéias novas levou-o a um amplo leque de fontes, entre elas roupas camponesas, nacionais, ocupacionais, históricas, cinematográficas e cerimoniais. Seus modelos para o teatro também enriqueceram suas coleções e ele mostrou grande habilidade na seleção de elementos de trajes extravagantes para roupas de dia práticas e vistosas. Sua sociedade com o astuto negociante Pierre Bergé continuou e, no início da década de 1970, havia mais de vinte butiques de *prêt-à-porter* YSL em todo o

203. *Abaixo*: em 1968, em uma ousada adaptação do *smoking* tradicional, Yves Saint Laurent trocou as calças por bermudas de alfaiataria, com braguilha, e colocou uma jaqueta com as tradicionais lapelas de cetim sobre uma provocante blusa de *chiffon* transparente, com um laço.

204. *Página ao lado*: uma cena do filme musical *Hair* (1979) (com figurinos de Ann Roth), que captou com precisão o vestuário e o comportamento de um grupo de *hippies* no fim da década de 1960. Os cabelos tinham a forma de penteados afro ou eram sedosos e longos enquanto roupas pitorescamente desarranjadas misturavam-se com peças etnográficas ou antigas, denins personalizados, jaquetas franjadas e botas.

mundo. Embora a saúde de Saint Laurent sofresse com a pressão de manter um império em rápida expansão e uma vida social agitada – sua glamurosa *entourage* incluía sua musa Loulou de la Falaise, a estrela de cinema Catherine Deneuve, Andy Warhol, Rudolf Nureiev e Paloma Picasso –, suas coleções ainda conquistavam as manchetes. Muitos de seus estilos eram deliberadamente ostentatórios e sensacionais – seus trajes transparentes de 1968-69, por exemplo –, mas eram exibidos juntamente com modelos clássicos e elegantes. Com sua criatividade incansável, Saint Laurent abriu caminhos que outros seguiriam nas décadas de 1980 e 1990. Em 1969, ele introduziu esculturas corporais de Claude Lalanne, que reproduziam o torso e eram usadas como brilhantes armaduras de gladiador sobre vestidos de noite em *crepe-georgette*. Alerta e sintonizado com a cultura jovem, não foi imune às tendências e manias de curta duração, às quais conferiu um fascínio parisiense. Em uma época em que a arte do *patchwork* estava sendo revivida na Europa e nos EUA, Saint Laurent levou a técnica ao mercado de alto poder aquisitivo, criando não apenas sofisticados trajes de noite feitos de retalhos, mas também um vestido de casamento de retalhos de sedas e cetins caros. Em outro nível, usou chita não tingida e algodões estampados, despretensiosos, para batas em camadas e estilos ciganos.

05. Yves Saint Luarent trouxe *chic* parisiense ao tradicional conjunto safári, 1968.

198 A MODA DO SÉCULO XX

Em 1971, a paixão de Saint Laurent pelas modas da década de 1940 tornou-se evidente em uma coleção que exagerava enormemente as características das roupas do tempo da guerra. Casacos de pele de raposa (um deles tingido de verde-brilhante), com ombros enormes, eram usados com grandes turbantes e atrevidos saltos-plataforma. Colorista habilidoso, com uma percepção decorativa altamente sintonizada, produziu modelos que eram notáveis pela inter-relação de tons e texturas. Ao longo de todo esse período, também permaneceu fiel ao seu repertório-padrão, atualizando as linhas conforme a necessidade. Os conjuntos com calças surgiram em várias formas para o dia e para a noite, juntamente com macacões de jérsei e, em 1971, conjuntos em risca de giz para mulheres.

O principal rival de Saint Laurent, Pierre Cardin, continuou a diversificar e a construir seu império, expandindo as operações de licenciamento, acumulando propriedades e usando a costura como bandeira para seu nome. Foi um dos primeiros estilistas a colocar maxicasacos sobre minivestidos, oferecendo às mulheres a vantagem de ambos os comprimentos. Uma solução ainda mais provo-

206. Muito engenhosamente, Pierre Cardin resolveu o dilema da transição das roupas, de míni para mídi e máxi, juntando longas saias, de "franjas" largas, a corpetes esguios, na altura dos quadris. Feito de jérsei duplo maleável, este vestido de 1970 tinha "franjas" terminadas em discos. O manequim girava para revelar as vantagens deste modelo dois-em-um.

207. Adaptando-se prontamente às linhas mais suaves da década de 1970, Cardin criou uma série de vestidos fluidos, combinando suéteres colantes a longas saias franzidas (com capas integrais) em malhas de lã fina e jérsei angorá. Os chapéus justos, combinando e unificando cada conjunto, eram toques típicos de Cardin.

cante para a linha em mutação da bainha envolvia saias longas, compostas de franjas de painéis estreitos, terminando em pompons ou discos. Quando a usuária se movia, os painéis, como móbiles, rodopiavam, deixando as pernas à mostra. Em alguns de seus trajes de noite, Cardin ligou círculos concêntricos de tecido, caindo dos ombros sobre colantes pretos ou brancos. Usando malhas pesadas de jérsei, em cores lisas, criou vigorosas formas geométricas para túnicas, vestidos e conjuntos com calças. Vestidos de gola alta receberam bainhas em lenço (mais uma vez produzindo uma mistura de longo e curto), ao passo que, em 1971, as calças terminavam em círculos, fendidos sobre botas chukka. Cardin permaneceu fiel à tradição de alfaiataria, com sua ênfase no corte perfeito e nos tecidos de alta qualidade, rejeitando o visual étnico, então popular, e a influência do traje histórico. No fim da década de 1970, ele se voltou para tecidos suaves da moda, concentrando-se no jérsei angorá. Também fez experimentos com vestidos retos em jérsei brilhante, com as saias mantidas abertas por fileiras descendentes de arcos. Embora ficassem notáveis em modelos esbeltas, eram, muitas vezes, difíceis de usar, e não foram um sucesso comercial. Em meados da década de 1970, Cardin drapeou e franziu malhas de jérsei suaves em macacões sofisticados e vestidos incomuns, cujas linhas fluidas incorporavam painéis traseiros curvados, integrados a capas flutuantes. Em 1977, lançou sua nova série de *prêt-à-porter*, a meio caminho entre a alta-costura e o *prêt-à-porter*.

208, 209. Os estilistas tinham momentos mais leves criando roupas divertidas para os jovens. Em 1972, usando suas listras favoritas, Sonia Rykiel fez um cardigã apertado, abotoado até em cima, para ser usado sobre um suéter ainda mais apertado (*esquerda*), ao lado de um cardigã curto, com textura encaracolada e um cinto de amarrar grosso (*direita*). Os gorros de tricô puxados sobre a testa foram adornados com ramalhetes artificiais. Em um estilo igualmente descuidado, para a temporada outono/inverno de 1971 (*página ao lado*), Kenzo concebeu um par de trajes joviais, "malucos", com casacos curtos e fofos, combinando com boinas enormes, caídas, enfeitadas com penas, golas roulé e meias-calças com sugestões de pantomima. As modelos usavam tamancos com plataforma alta – calçados perigosamente altos como este torceram muitas canelas na época.

Longe dos *grands salons*, o grupo de *créateurs de mode* de prêt-à-porter em Paris tornou-se uma força cada vez mais importante. Tratava-se de novos estilistas, distintos dos grandes costureiros, que criavam estilos jovens para suas próprias grifes. Sonia Rykiel abriu sua butique em 1968. Uma estilista séria, com inclinações filosóficas, estava e continua a estar profundamente comprometida com roupas versáteis, fáceis de usar, com linhas de bom caimento deslizando sobre o corpo. Ela rejeitou enfeites complicados e deu preferência a luxuosas malhas de jérsei em lã e algodão finos, para peças intercambiáveis com sugestões clássicas. Na condição de mulher criando para mulheres, suas postura e abordagem sensata podem ser comparadas às de Jean Muir. As visões dessas duas estilistas podem ser consideradas quase antimoda já que ambas acreditavam que as roupas não deviam ser meros caprichos sazonais, mas durar por anos. A paleta discreta de Sonia Rykiel às vezes era alegrada por listras. O preto era central para sua produção, suplementado por discretos cinzas, marrons, azuis borrados e terracota, com brancos matizados e damasco para as roupas de verão. Ocasionalmente, usava vermelho e azul brilhantes com verve considerável. Rykiel conquistou o respeito de seus pares e, em 1973, foi eleita vice-presidente da Chambre Syndicale du Prêt-à-Porter des Couturiers et des Créateurs de Mode.

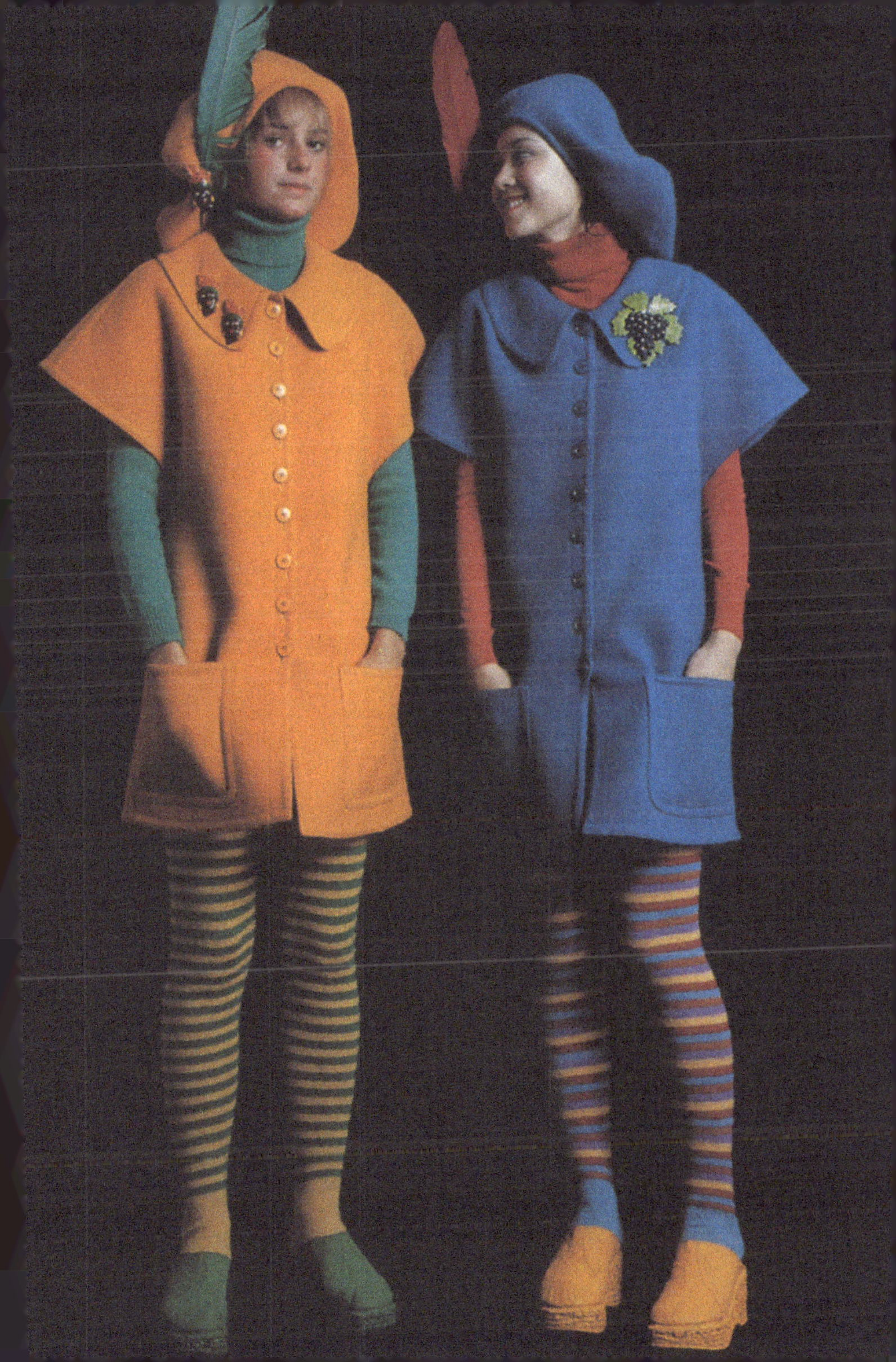

O estilista Karl Lagerfeld, nascido na Alemanha, começou a trabalhar com a equipe de estilistas da Chloé em 1963 e, no início da década de 1970, sua poderosa visão prevaleceu. Seus modelos eram informados por muitos fatores, inclusive seu treinamento na Chambre Syndicale, seu período na Balmain, seu conhecimento detalhado da história da arte e do vestuário e seu pronunciado senso de diversão. Lagerfeld tinha consciência de que o *prêt-à-porter* revigorado era da mais alta importância na satisfação das necessidades de seus jovens clientes, que achavam a alta-costura sem graça e cara e as roupas produzidas em massa baratas e repulsivas. Ele capturou o espírito do início da década de 1970 usando tecidos ousados, brilhantemente coloridos. Abraçando apaixonadamente o movimento retrô, produziu divertidas paródias de estilos das décadas de 1930 e 1940, virando notícia em 1971, com sua adaptação dos desenhos Art Deco em cores primárias sobre fundos de seda negra.

Apresentando sua coleção em Paris desde meados da década de 1960, Hanae Mori tornou-se uma pioneira do talento de moda japonês. Enquanto Mori incorporava têxteis e motivos japoneses a suas coleções clássicas e elegantes, estilistas subseqüentes que seguiram seus passos, expondo em Paris, combinaram o corte do vestuário japonês com uma moderna estética Oriente-Ocidente. Kenzo Takada, Kansai Yamamoto e Issey Miyake criaram estilos soltos, em camadas, muitas vezes em tecidos de padrões vibrantes e tecelagem texturizada, introduzindo um visual radicalmente novo na moda ocidental.

Kenzo Takada foi um dos primeiros na nova onda de estilistas japoneses, chegando a Paris em 1965. Em 1970 estava projetando sua própria grife, a Jungle JAP. Desde seus estudos na Faculdade de Moda Bunka, em Tóquio, havia conseguido um conhecimento completo dos métodos de produção. Seus modelos – informais, de corte solto e em camadas, em cores e padrões contrastantes – eram inspirados nos trajes e têxteis etnográficos e demonstravam sua íntima familiaridade com os tecidos japoneses, o vestuário cerimonial e o de trabalho.

Kansai Yamamoto, também diplomado na Faculdade de Moda Bunka, estabeleceu sua própria grife em 1971. Suas roupas dramáticas, em cores vivas, tinham um atrativo gráfico poderoso e, como as de Kenzo, faziam referência ao vestuário japonês tradicional. As formas fortes e o volume desses trajes (seculares e militares, além de teatrais) foram pontos de partida para roupas com um brilho e um exotismo que atraíram seguidores na Europa e nos EUA. Richard Martin, do Museu Metropolitano de Nova York, determinou o fato de que o trabalho de Kansai Yamamoto combinava as sensi-

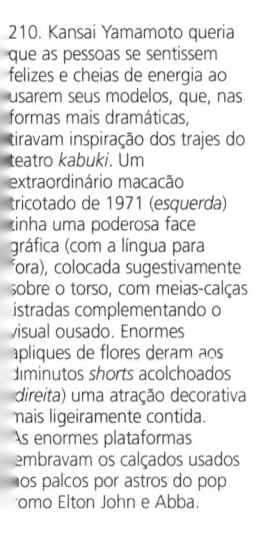

210. Kansai Yamamoto queria que as pessoas se sentissem felizes e cheias de energia ao usarem seus modelos, que, nas formas mais dramáticas, tiravam inspiração dos trajes do teatro *kabuki*. Um extraordinário macacão tricotado de 1971 (*esquerda*) tinha uma poderosa face gráfica (com a língua para fora), colocada sugestivamente sobre o torso, com meias-calças listradas complementando o visual ousado. Enormes apliques de flores deram aos diminutos *shorts* acolchoados (*direita*) uma atração decorativa mais ligeiramente contida. As enormes plataformas embravam os calçados usados nos palcos por astros do pop como Elton John e Abba.

bilidades pop do Ocidente com as convenções altamente formais do Japão. Suas coleções exuberantes foram especialmente populares na década de 1970, quando desenvolveu uma forma extravagante de apliques figurativos com cetins e couros brilhantes.

Issey Miyake diplomou-se em *design* gráfico na Universidade Tama, de Tóquio, em 1964, e, depois, foi trabalhar com Guy Laroche, Givenchy e Geoffrey Beene. Em 1970, fundou o Miyake Design Studio, em Tóquio, e, no ano seguinte, estabeleceu a Issey Miyake Inc. Inicialmente, Miyake expunha em Nova York, mas, a partir de 1973, passou a apresentar suas coleções em Paris. Muitos de seus modelos foram inspirados pela armadura samurai, assim como pelo volume e pelo corte reto do quimono japonês tradicional e pela funcionalidade das roupas de trabalho.

Em meados da década de 1970, a indústria de moda italiana estava prosperando. Com suas excelentes técnicas de negócios e produção, representava uma ameaça real ao poder de Paris. A competição entre Roma, Florença e a novata Milão como principal centro da moda italiana foi vencida por Milão, especialmente por causa do transporte aéreo, dos grandes hotéis e dos espaçosos estabelecimentos comerciais. Os italianos tinham a vantagem das sedas, linhos e lãs de luxo e dos couros mundialmente famosos produzidos

211, 212. Uma série de roupas tricô de Missoni, adaptadas a u[m] clima mutável. *Na esquerda*, pa[ra] tempo frio, dois conjuntos de p[eças] intercambiáveis de lã, tempora[da] outono/inverno 1972-73. Podi[a-se] escolher entre uma saia plissa[da,] aconchegantes calças boca de [sino,] enquanto camadas forneciam [o] calor necessário, formando um esquema de listras ricamente decorativo. *Página ao lado*: pa[ra o] verão de 1968, um vestido de [malha] leve, folgado, fácil de usar, list[rado] de preto e cores vívidas, com p[ontos] angulares soltos, que permitia[m a] circulação de ar e mantinham [o] corpo fresco.

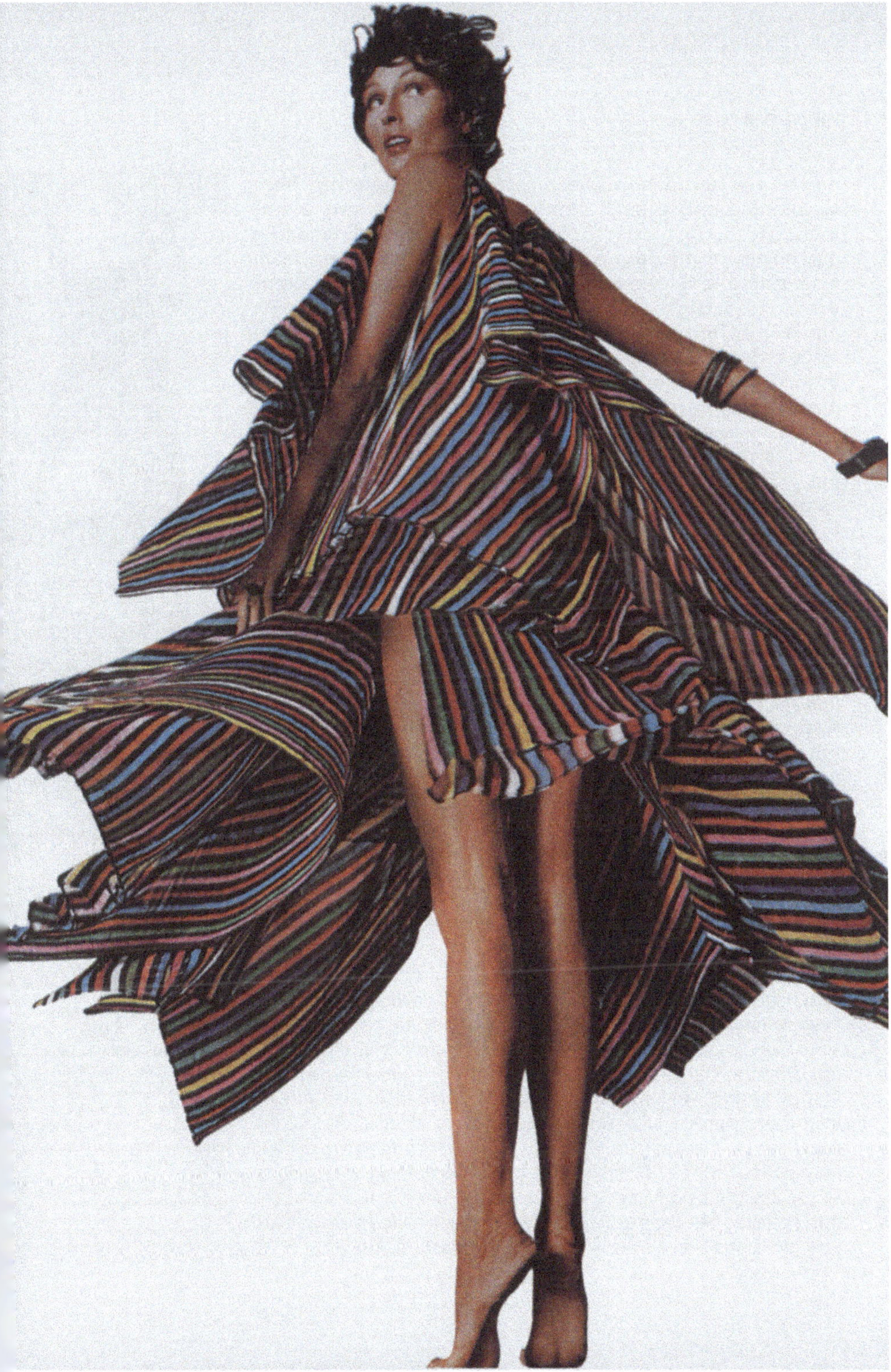

no país, aos quais a moda oferecia um veículo de exposição. Tecelagens e estamparias produziam séries para uso exclusivo de estilistas específicos em suas coleções. Foi um período fértil, durante o qual nomes estabelecidos, como Valentino e Mila Schön, receberam a companhia de Giorgio Armani e Gianni Versace, as estrelas ascendentes que viriam a dominar a moda italiana da década de 1980. Em 1975, a Câmara Nacional de Comércio da Moda Italiana organizou os primeiros eventos de *prêt-à-porter* em Milão, e a semana de moda da cidade tornou-se, subseqüentemente, um evento permanente para os compradores e a imprensa internacionais.

Os estilistas italianos construíram com base na longa tradição artesanal de seu país, levando novo espírito à moda internacional. Em 1973, os estilistas de tricô Rosita e Ottavio Missoni receberam o Prêmio de Moda Neiman Marcus por suas inovações no tricô feito à máquina. Sua introdução de listras nas cores do arco-íris, tecidos texturizados e padrões intrincados, que iam de desenhos de chamas a chevrons interligados haviam elevado o tricô à forma de arte. Como muitas empresas italianas, a firma Missoni empregava os talentos complementares de toda a família Missoni. Também na Fendi os artigos de couro e as peles eram o produto dos esforços combinados das cinco irmãs Fendi – filhas do fundador – e de suas famílias. Estabelecida em Roma, em 1925, como uma pequena butique de artigos de couro, a firma foi fornecedora de uma clientela privada até 1962, quando, então, começou a expandir-se rapidamente, fazendo imaginativos produtos de couro e coleções de peles que serviam à alta-costura e o *prêt-à-porter*. Durante o início da década de 1960, em um espírito de inovação, Fendi encomendou ao estilista Karl Lagerfeld linhas especiais para suas peles exclusivas. Rompendo com as tradicionais peles de *status* elevado, Lagerfeld usou esquilo, toupeira e furão, cortando e tingindo de maneiras novas e heterodoxas, dispensando os desajeitados alinhavos de costume para criar enunciados de modo leve e versátil.

Roupas ostensivamente glamurosas eram uma importante característica da criação italiana. Valentino foi saudado como o mestre desse gênero. Depois de estudar em Paris e trabalhar para Jean Dessès e Guy Laroche, ele estabeleceu seu ateliê em Roma, em 1959, e alcançou proeminência internacional com sua espetacular coleção branca de 1968. Ao longo das décadas de 1960 e 1970, seus modelos extravagantes e ultra-sofisticados atraíram clientes destacados como Jacqueline Onassis, Elizabeth Taylor e a imperatriz do Irã. Suas butiques de *prêt-à-porter*, a primeira delas aberta em 1969, logo se espalharam pelo resto da Europa, pelos EUA e, por fim, chegaram ao Japão. As clientes americanas, em particular, eram atraídas pela alfaiataria suave e pelos esfuziantes vestidos de noite.

213. As pernas eram importantíssimas no início da década de 1970, encorajando a exploração da fórmula longo com curto. Para a temporada primavera/verão de 1971, Valentino desenhou este conjunto em camadas preto e branco, composto de uma pudica blusa de crepe de bolinhas e gola alta (sob uma camiseta regata) e *shorts* combinando, não tão pudicos. Uma saia longa, com a frente aberta oferecia a opção coberta quando um visual mais discreto era necessário.

214. As *hot-pants* foram diminuindo até sair de moda. Não eram para as envergonhadas e exigiam boa forma. Em 1971, Krizia conjugou um par de *hot-pants* de xadrez simples com sandálias de plataforma presas por tiras, lembrando a década de 1940.

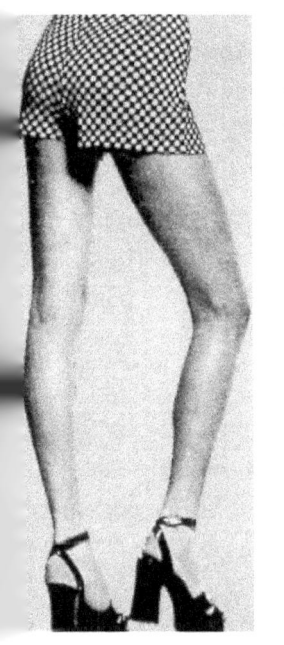

Dois outros estilistas italianos, trabalhando em diferentes idiomas, alcançaram o sucesso combinando conforto e estilo. Laura Biagiotti introduziu sua primeira coleção em 1972 e, após a aquisição de uma firma de casimira, começou a fazer práticos vestidos de tricô em casimira, de manutenção fácil, que quase eliminaram o problema da engomagem. Também desenhou um guarda-roupa cápsula transazonal, composto de peças avulsas clássicas, fáceis de usar. Em 1968, Mariuccia Mandelli, fundadora da Krizia, acrescentou modelos de tricô a sua série inicial de saias e vestidos. Seus suéteres decorados com motivos animais eram tão populares que, subseqüentemente, ela passou a introduzir uma nova criatura em seu "zoológico" de moda a cada estação. Krizia também se especializou em trajes de noite intrincadamente plissados, inspirada nas técnicas de plissado tradicionalmente praticadas nos conventos da Itália.

Nova York continuou a ser o centro da indústria de moda americana e, como os italianos, os estilistas americanos exibiram nova confiança. Nomes de destaque continuaram a fazer roupas no modo refinado europeu, mas vieram juntar-se a eles estilistas que desenvolveram um estilo americano distinto. O visual longo de fins da década de 1960 não alcançou sucesso imediato nos Estados Unidos: as mulheres o rejeitavam como deselegante, envelhecedor e sem atrativos. Em uma tentativa de superar essa resistência, os estilistas introduziram máxis e mídis com longas fendas na frente e dos lados para deixar as pernas à mostra. Em 1970, foi feita uma última tentativa de moda acima do joelho, com a introdução de *shorts* diminutos. Feitos com ou sem peitilhos ou alças em denim, couro e lã duráveis para o dia e em veludo e cetim para a noite, eram usados principalmente por mulheres jovens e ousadas. Eles tiveram origem nas coleções de *prêt-à-porter* parisiense e tinham melhor efeito quando usados sobre meias-calças de tecido grosso. (Como uma indicação do relaxamento dos códigos de vestuário, deve-se observar que esses *shorts* foram permitidos no Royal Enclosure em Ascot, em 1971, se seu "efeito geral" fosse satisfatório.) Eles alcançaram notoriedade quando foram batizados de "*hot-pants*" pelo *Women's Wear Daily*. John B. Fairchild (neto do fundador) transformou essa publicação, na década de 1960, em um jornal com as mais recentes informações de moda e fofocas sobre a sociedade e seus formadores de tendências (conhecidos como "Beautiful People"). Internacional na abrangência, era leitura essencial para qualquer um do ramo. Em 1973, Fairchild surgiu com mais uma publicação colorida, a *W*, que examinava a moda em conjunção com os estilos de vida das "pessoas que fazem as coisas acontecerem". A revista *Nova* (1965-75), sediada em Londres, desempenhou um papel no alargamento de perspectivas sobre a relação entre moda e sexo. Sua talentosa equipe unia artigos originais e estimulantes a fotografias de moda vanguardistas de Helmut Newton, Deborah Turbeville e Harri Peccinotti.

Peças avulsas informais, porém elegantes, permaneceram centrais na moda americana e, na década de 1970, foram atualizadas por estilistas como Calvin Klein, Geoffrey Beene e Halston. Depois de diplomar-se no Fashion Institute of Technology, em 1962, Klein trabalhou para várias firmas de *prêt-à-porter*, antes de estabelecer sua própria companhia, em 1968. Ele criou coleções de trajes clássicos intercambiáveis, discretos, informalmente elegantes, ideais para

215. Inifinitamente versátil, o denim azul recebeu um popular tratamento descorado, em 1971, para um conjunto safári (da Aljack Sportswear de Montreal) composto de calças boca de sino e jaqueta longa com cinto e mangas com punhos, botões castanhos e quatro bolsos com abas.

216. Um conjunto caracteristicamente sofisticado e com consciência de corpo, desenhado por Halston, em 1972, combinava um esbelto macacão de jérsei de seda (com um decote revelador) e uma capa de chuva de ultrapelúcia (uma marca de Halston) displicentemente jogada sobre os ombros do manequim. Os óculos escuros, o ar de segurança e um cigarro empunhado confiantemente criavam o estado de espírito perfeito para este traje de noite elegante, mas simples, com sugestões de estilos da década de 1930.

mulheres trabalhadoras. Deu preferência a materiais naturais como casimira, pelúcia e lãs finas, além de inclinar-se à atração sutil de tons de terra ou neutros, adotando o marrom como sua marca. O trabalho de Klein logo atraiu uma clientela internacional e, em meados da década de 1970, seu nome era sinônimo de estilo americano contemporâneo.

Os modelos de Halston (Roy Halston Frowick) eram igualmente simples e clássicos. Halston abandonou uma carreira bem-sucedida de chapeleiro para tornar-se estilista em fins da década de 1960. Em 1972, oferecia séries de *prêt-à-porter* e roupas feitas sob encomenda, e suas roupas recebiam destaque nas páginas sociais – suas clientes incluíam Jacqueline Onassis e Liza Minelli. Ao especializar-se em trajes fluidos, de linhas suaves, simultaneamente chiques e confortáveis, aperfeiçoou uma combinação de calças e túnica destinada tanto para o dia como para a noite. Os fechos complexos e detalhes não-funcionais foram mantidos em vestidos-camiseta justos, feitos de jérsei, suéteres longos de casimira, caftãs de seda deslizantes, além de saias e vestidos de enrolar no corpo. Jóias abstratas e audaciosas de Elsa Peretti muitas vezes complementavam os modelos dinâmicos de Halston.

Enquanto Calvin Klein e Halston eram minimalistas da moda, Ralph Lauren reinventou o tradicionalismo. No início da década de 1970, ele usou o tipo de roupas normalmente associado à vida da elite proprietária britânica e reinterpretou-as, acrescentando um elemento de sofisticação que as tornou atraentes para o mercado americano. Sem nenhuma instrução formal no ramo, Lauren conseguiu experiência trabalhando para a exclusiva loja de roupas masculinas, a Brooks Brothers, de Nova York, e como vendedor de gravatas, antes de iniciar a sua Polo Fashions, na condição de divisão da Beau Brummel Neckwear, em 1967. No ano seguinte, estabeleceu a Polo Fashions como companhia de roupas masculinas separada, fornecendo o visual total. A escolha da palavra Polo por Lauren – com suas associações de exclusividade elitista, *tweeds* rurais e brilho esportivo – foi um dos pontos de partida para a comercialização de um estilo de vida total. Em 1971, introduziu camisas de estilo masculino para mulheres, completas, com o logotipo do jogador de pólo, e seu sucesso impulsionou coleções femininas completas. Suas roupas muitas vezes faziam referências a modas das décadas de 1920 e 1930, como exibidas em fotografias, revistas e filmes; assim, foi a escolha óbvia como estilista do vestuário masculino para o filme *The Great Gatsby* [O grande Gatsby], de 1974. Três anos depois, Diane Keaton usou seus modelos em *Annie Hall* [Noivo neurótico, noiva nervosa], popularizando, assim, um estilo masculinizado, composto de camisas, calças e paletós bem largos, muitas vezes usados com gravata e colete.

Enquanto Ralph Lauren procurava inspiração no cavalheiro rural inglês, Mary McFadden, uma mulher viajada, antiga editora de moda da *Vogue* americana, voltou-se para os estilos de vestuário de civilizações antigas e culturas exóticas. McFadden começou a exibir suas coleções em 1973 e, durante os dois anos seguintes, desenvolveu os modelos para sua marca registrada, cetim de poliéster com plissado permanente. Para os trajes de noite à maneira de Fortuny, muitas vezes combinava esse tecido com contas e fechos elaborados. O material era ideal para viagem: resistia ao amarrotamento e voltava à forma original tão logo era desempacotado. Podia ser envergado com um suéter de algodão ou lã durante o dia ou receber glamur extra à noite com o acréscimo de *tops* plissados ou bordados.

O lado mais jovial e maluco da moda americana foi representado por Stephen Burrows, Scott Barrie e Betsey Johnson. Em 1970,

1968-1975: ECLETISMO E ECOLOGIA

o lugar mais moderninho para compras em Nova York era a Stephen Burrows World, dentro da loja de departamentos Henri Bendel. Burrows estudou no Fashion Institute of Technology e, para suas coleções iniciais, inspirou-se nas roupas dos motociclistas e na sua própria cultura afro-americana. Voltado para um mercado juvenil, tornou-se conhecido por trajes de couro e pelúcia com tachas, remendos e franjas e gostava de criar roupas vistosas, com retalhos de materiais diferentes, em cores espalhafatosas. Também fazia estilos clássicos, simples, para homens e mulheres, em flexíveis malhas de jérsei, que deslizavam sobre os contornos do corpo. Seus modelos vibrantes, ocasionalmente iconoclastas, estavam mais próximos em espírito dos jovens estilistas europeus do que do trabalho de seus contemporâneos americanos. Avesso às convenções na sua abordagem, colocava as costuras do lado de fora, destacando-as com linhas pespontadas brilhantes em ziguezague e preferia presilhas e cordões proeminentes a botões discretamente ocultos.

No fim da década de 1960, os *blue jeans* haviam se tornado quase que um uniforme universal para adolescentes e jovens na casa dos vinte anos, levando os jornalistas a lamentar os "mares de denim". Em 1973, o Prêmio de Moda Neiman Marcus foi oferecido a Levi Strauss pela "mais importante contribuição individual dos Estados Unidos para a moda de todo o mundo". Para muitos jovens em todo o mundo era crucial usar a grife certa, fosse ela Levi's, Lee ou Wrangler, e ter o tipo correto de *jeans* – denim lavado em pedra, encolhido, desbotado, branqueado ou escovado. Abriam-se os *jeans* e colocavam-se tacos para fazer saias de denim com retalhos. As pessoas mais velhas escolhiam o denim pelo simples conforto e praticidade, ao passo que os nova-iorquinos chiques usavam os seus *jeans* imaculadamente lavados, com vincos marcados e jaquetas ou *blazers* em azul-marinho, assinados por estilistas. A arte do denim atingiu a independência quando os *jeans* e jaquetas foram personalizados pelos usuários: enfeitados com bordados, tachas e apliques com uma série de motivos decorativos, nomes e *slogans*, pintados, rasgados. Os estilos unissex prevaleciam. Inicialmente, os estilistas de primeira linha permaneceram distantes dessa tendência juvenil, mas os mais aventureiros logo introduziram *jeans* nas suas coleções. Entre os mais desejáveis estavam os brancos de Gloria Vanderbilt, os cáquis de Elio Fiorucci e os feitos em índigo tradicional por Ralph Lauren – todos usados com as etiquetas claramente visíveis. Os produtores em larga escala copiaram as famosas marcas de trabalho e também produziram *jeans* com cintura baixa, então na moda, com ou sem bocas de sino. Plataformas perigosamente altas, que impediam que as barras e os vestidos longos to-

217. A estilista Mary McFadden usou um de seus vestidos de noite plissados para esta fotografia da década de 1970. Inspirada pelo traje e pelos adornos históricos e etnográficos, ela realçou o vestido colunar sem alças com jóias artesanais – uma gargantilha em crescente e, dividindo o corpete tubular, um "escudo" longo em forma de folha.

218. David Bowie tornou-se um astro no Reino Unido em 1969 e nos EUA em 1972. Era um talentoso manipulador de imagens e enriquecia suas apresentações vestindo roupas femininas, usando maquiagem pesada e fazendo constantes mudanças no seu personagem de palco. Sua fase Ziggy Stardust, no início da década de 1970, quando ele tingiu os cabelos, caracteristicamente espetados, em uma série de cores brilhantes, teve enorme influência sobre os fãs jovens.

cassem o chão, tornaram-se um dos mais evocativos ícones da moda da década de 1970.

As bocas de sino eram um componente vital no guarda-roupa do homem na moda. A silhueta juvenil vigente tinha como características o torso vestido com roupas justas e *jeans* apertados até pouco abaixo dos joelhos, quando então se alargavam em amplas bainhas. O destaque da moda era para os jovens que usavam cores e estilos audaciosos de uma maneira cada vez mais extrovertida. Especialmente popular no vestuário informal era a combinação de camiseta sem mangas ou blusão de malha, com cintura pequena, multicolorida, sobre uma camisa com padões psicodélicos, de gola grande, pontuda ou em lágrima, usada com calças boca de sino em veludo ou cotelê. Os funcionários burocráticos eram obrigados a observar um código de vestuário formal, mas, embora os mais velhos permanecessem fiéis aos conjuntos de corte conservador, seus

1968-1975: ECLETISMO E ECOLOGIA **213**

colegas mais novos usavam conjuntos com jaquetas cinturadas, lapelas largas e calças boca de sino. À medida que a década avançava as bocas das calças ficavam cada vez mais largas até que, em meados da década, as bocas largas saíram de moda.

A cena pop foi uma importante força na moda, especialmente no vestuário masculino. Idéias emprestadas dos trajes de músicos pop surgiam nas ruas com apenas algumas modificações. Em 1969, o formador de estilos Mick Jagger causou comoção ao exibir-se em um concerto gratuito no Hyde Park, em Londres, em uma túnica com babados, despudoradamente feminina, com calças boca de sino brancas e uma gargantilha de couro com tachas. Os expoen

219. *Esquerda*: uma jovem *hippie*, com calças bufantes de veludo e um *top* franjado folgado, com echarpe de seda e longos colares de contas, retornando de um concerto pop na Ilha de Wight, em 1970.

220. *Acima*: Peter Fonda em traje de Capitão América, com a bandeira americana nas costas da jaqueta de couro, em uma cena de *Easy Rider*. Filme amplamente influente, um culto entre os jovens, *Easy Rider* seguia dois heróis contraculturais que percorriam os EUA de motocicleta. Os críticos da época – 1969 – fizeram comentários adversos sobre o comprimento dos cabelos de Fonda.

tes principais do *glam rock* – Gary Glitter (exibindo-se sobre sapatos de plataforma perigosamente altos) e Marc Bolan – tomavam elementos anteriormente restritos aos trajes de noite femininos e os retrabalhavam, dando-lhes a forma de trajes sexualmente ambíguos em lurex, cetim e tecidos elásticos com lantejoulas. Apesar de ainda chocarem alguns, os estilos andróginos já não eram mais um tabu. Marc Bolan matinha longos os seus cabelos escuros e encaracolados e enfatizava sua beleza com maquiagem ostensiva. Como David Bowie, adotou o boá de plumas como acessório de palco. Para o seu personagem, Ziggy Stardust, Bowie criou um visual transexual espalhafatoso, que ia da maquiagem meticulosamente aplicada e penteados marcantes a trajes cuidadosamente produzidos e munidos de acessórios. Descrito como um "camaleão andrógino", ele deliciava seus fãs e, com as transformações rápidas e radicais de sua imagem, produziu um impacto significativo sobre os estilos da década.

Os estilos anti-*establishment* continuaram a ter influência dramática internacionalmente, afetando o vestuário dos estudantes e as roupas de lazer dos jovens profissionais com inclinações *hippies*. O filme do grande concerto pop de Woodstock, em 1969, familiarizou os jovens europeus com uma variedade de roupas antimoda: camisas "vovô", sem gola, vestidos de musselina ou de algodão indiano estampados, faixas para a cabeça e colares de contas étnicos. Mais tarde, em 1969, milhares de fãs, em um caleidoscópio de estampas florais ou de tingimento irregular, afluíram ao festival da Ilha de Wight para ouvir astros do *rock* e do *folk*, entre eles Bob Dylan. No mesmo ano, Dennis Hopper e Peter Fonda representaram dois típicos marginais *hippies*, motociclistas, no filme *Easy Rider*. O visual Capitão América de Fonda, completo, com estrelas e listras, e os *jeans* e a jaqueta de couro com franjas, os cabelos longos e o bigode caído de Hopper teriam influência não apenas nos EUA, mas também na Europa.

A ampla difusão do vestuário não tradicional pelos jovens no Reino Unido teve sérias implicações para os eminentes alfaiates da Savile Row. Enquanto os aluguéis subiam vertiginosamente, a base de clientes de elite diminuía, e, quando os trabalhadores se aposentavam, não eram substituídos, já que a aprendizagem do ofício era considerada fora de moda. Um raio de luz foi a abertura do estabelecimento de Tommy Nutter, no qual o estilo moderno era combinado com excelentes técnicas de construção. Em 1969, John Lennon e Yoko Ono compraram de Tommy Nutter seus conjuntos de casamento brancos, unissex, e Bianca Jagger era freguesa constante, comprando sofisticados conjuntos com calças, complementados por elegantes bengalas. Nutter rompeu muitas convenções de alfaiataria ao usar materiais e combinações de peças avulsas ousados. A maioria de seus conjuntos tinha como marca os debruns trançados, as lapelas exageradamente largas e o estilo geralmente exagerado.

Bryan Ferry e seu grupo, o Roxy Music, geralmente vestidos por Antony Price, reviveram os vistosos estilos do período entre guerras e ajudaram a popularizar os visuais retrô. Em uma época de depressão econômica e desemprego crescente, após a crise do petróleo do início da década de 1970, a moda dos estilos retrô endossou a prática de caçar roupas de segunda mão nos brechós e nas lojas de caridade e de pechinchas.

Em meados da década, as linhas da moda masculina começaram a exibir sutis mudanças. As jaquetas perderam as cinturas pronunciadas e, à medida que as bocas de sino saíam de moda, as calças justas gradualmente cediam lugar a trajes mais largos, com pregas e linhas mais suaves. O italiano Giorgio Armani desempenhou um papel importante nesse período de transição. Após um período com a cadeia de lojas La Rinascente, trabalhou primeiro para Nino Cerruti (desenhando a série Hitman) e, depois, independente, exibindo sua primeira coleção masculina de *prêt-à-porter* em 1974. A base estava pronta para a posterior mudança rumo a um visual novo e desestruturado.

Embora a tendência do vestuário fosse para uma silhueta mais relaxada, era imperativo que o corpo fosse flexível e estivesse em forma. A voga das academias de ginástica que começou nos EUA espalhou-se rapidamente. O movimento foi promovido por ideólogos que acreditavam que um corpo em forma, sadio, significava uma vida melhor, mais produtiva – uma filosofia sustentada por vídeos, programas de televisão e revistas de moda. Os fabricantes de roupas de esporte e lazer foram rápidos no fornecimento de roupas de exercícios que enfatizassem antes a atração da moda do que a praticidade esportiva. A *lycra*, excelente por ser elástica sem perder a forma e por secar rápido, alcançou independência. Combinada com outras fibras, foi usada para perneiras e colantes, que migraram dos estúdios de dança e tornaram-se protótipos para enunciados de moda nas discotecas e nas academias de ginástica. A *lycra* também tornou possíveis as roupas de baixo finas e praticamente à prova de amarrotamento de fins da década de 1960 e da década de 1970. A mania do *jogging* e da patinação, também originária dos EUA, pedia novas linhas de trajes de corrida, *shorts*, colantes e até mesmo perneiras e faixas para a cabeça. Esportistas profissionais de primeira linha não apenas apoiaram esses desen-

221. Este conjunto flutuante fez parte do movimento, de finais da década de 1960, de afastamento das roupas curtas e estruturas em tecidos duros. Ossie Clark desenhou-o em 1968, usando *chiffon* estampado com um padrão lírico de Celia Birtwell. Colocadas no viés, pontas de lenço ondulavam graciosamente em torno do corpo, permitindo vislumbres das pernas, neste período de transição, de modas à altura das coxas para a altura dos tornozelos.

volvimentos, mas também assinaram contratos para endossar equipamentos e roupas especializadas. Os jogos olímpicos de 1972 revelaram os trajes de banho "segunda pele", que incrementavam o desempenho e levaram a estilos similares nas lojas.

O regime de beleza ideal começava com o exercício. Modelos que irradiavam boa saúde abandonaram a imagem infantil *faux naïf* de fins da década de 1960 por uma sofisticação segura de si, exemplificada nas fotografias de Jerry Hall, Marie Helvin e Iman. O movimento "Black is Beautiful" trouxe um número crescente de manequins negras – entre elas Beverly Johnson, Princesa Elizabeth de Toro e Mounia Orhozemane – para as revistas e passarelas. Outras modelos características da década incluíam Bianca Jagger, Jane Fonda, Farrah Fawcett-Majors e Angela Davis. A maquiagem era discreta, em cores naturais, aplicada de maneira que produzisse o rosto pálido, branco-púrpura que deu fama à Biba, ou era pesada, em tons brilhantes, de *clown*. Os penteados favoritos incluíam o

1968-1975: ECLETISMO E ECOLOGIA **217**

222. Fotografado aberto, este casaco acolchoado conversível de Rhodes, em um modelo chamado "xale de chevron" (1970), foi cortado de maneira que se conformasse à forma da estampa, conferindo-lhe uma borda serrilhada. Os livros de roupas de Max Tilke, com suas ilustrações claras de trajes etnográficos, forneceram a inspiração para o corte deste casaco, e a idéia da estampa decorativa veio de um xale vitoriano com borlas. Este casaco específico era um favorito da própria estilista, que muitas vezes o usava com calças bufantes, enfiadas em botas Biba.

afro, as madeixas desgrenhadas "californianas" e as sinuosas tranças pré-rafaelitas.

Os estilistas londrinos logo endossaram as novas linhas, mais longas, em tecidos flexíveis. No início da década de 1970, Jean Muir, Zandra Rhodes, Bill Gibb, Gina Fratini, Foale & Tuffin e Ossie Clark haviam deixado de ser apenas promissores. Com a exceção de Jean Muir, compartilhavam uma predileção pela fantasia e pelo romance – derivados talvez da atmosfera liberal das escolas de arte britânicas, menos formais do que o ensino de alta-costura ou de ensino voltado para o comércio da França, EUA, Itália.

Ossie Clark diplomou-se no Royal College of Art em 1964 e logo se tornou o *enfant terrible* da moda londrina, conquistando sucesso imediato com seus modelos iniciais, influenciados pela Op Art. Clark desempenhou um papel central na cena jovem londrina e desfrutava a companhia de músicos pop e pintores. Começou sua carreira produzindo para a butique Quorum, de Alice Pollock, e seu trabalho atraía celebridades como Bianca Jagger, Marianne Faithfull e Patti Boyd. Ao mesmo tempo que evitava a vulgaridade, usava aberturas entre o tórax e a barriga e nos ombros, e fendas estrategicamente colocadas, para expor partes tentadoras da anatomia feminina. Em fins da década de 1960, descobriu o seu forte, que era cortar tecidos maleáveis, difíceis de manejar como crepe-musgo, *chiffon* de cetim e seda, em estilos sedutores, que fluíam sobre o corpo. Casado com a *designer* de estamparia têxtil Celia Birtwell, usou os tecidos produzidos por ela com o máximo de efeito. Seus padrões tinham uma qualidade fluida, que se harmonizava perfeitamente aos conceitos dele. O fabricante Radley encomendou modelos a Clark, que foram produzidos em massa em crepe-musgo em uma série de pastéis suaves, assim como em branco e preto.

O *design* lírico também foi central na produção de Zandra Rhodes. Após diplomar-se em estamparia têxtil no Royal College of Art, em 1964, ela passou um período como autônoma e associou-se à estilista Sylvia Ayton, antes de produzir sua primeira coleção independente, em 1969. Um talento não convencional, prolífico, Rhodes criou estampas distintas, que usou para fazer vestidos para ocasiões especiais – estes atraíram imediatamente compradores nos EUA e no Reino Unido. Seus vestidos e casacos de noite de 1969 eram feitos com imensas saias circulares, que atuavam como fundos, de *chiffon* de seda e feltro, para surpreendentes estampas inspiradas nos pontos de crochê e bordado dos séculos XVIII e XIX. Subseqüentemente, cada coleção passou a ser ligada a um tema derivado de suas pesquisas de vestuário e tecidos históricos e de suas viagens ao redor do mundo – todas documentadas em esboços vivazes. O uso que Rhodes fez de suas fontes nunca foi imitação servil; elas funcionavam como ponto de partida para seus modelos. Reconhecendo a natureza lírica de seu trabalho, referia-se a suas criações como "borboletas". Entre 1970 e 1976, suas coleções – "Ucrânia e xale de chevrons", "Nova York e penas índias", "Paris, babados e flores de botão", "Japão e lírios adoráveis" e "México, sombreiros e leques", entre outras – eram estimuladas por uma variedade de imagens e lugares. O padrão estampado era o fator de controle – os detalhes de construção e decoração eram desenhados de maneira que realçasse a natureza da estampa. Bainhas crenuladas e em lenço – algumas com prolongamentos em forma de pingentes – eram acabadas com contas ou plumas; as costuras eram ostensivamente colocadas no lado de fora dos trajes e suas bordas eram recortadas ou guarnecidas de babados; os vestidos de seda e jérsei tinham bordas roladas à mão e muitas vezes eram feitas com vivos, painéis ou faixas largas em cetim com reflexo. As técnicas laboriosas de aplique, acolchoamento e pregueado enfatizavam o ar-

223. Vestido de noite colunar, elegante, de Yuki (1974). O jérsei fluido foi minuciosamente plissado em uma gola alta, a partir da qual foi drapeado em torno do corpo, caindo até os pés. Yuki aperfeiçoou uma técnica que empregava antes uma peça de tecido inteira que os painéis cortados, da costura tradicional. Ele compunha vestidos em um manequim artificial, prendendo minuciosamente com alfinetes cada mínimo plissado.

tesanato de Rhodes. Com sua aura de romance, seu trabalho era muito procurado para retratos de destaque, como as fotografias de noivado da princesa Anne, em 1973.

O escocês Bill Gibb estudou na St. Martin's School of Art. Com a pintora e tricoteira Kaffe Fassett, introduziu a influente técnica de *design* de "padrão sobre padrão intercambiáveis" em um grupo de ondulantes tartãs e intrincadas malhas, que lhe valeu o Prêmio de Estilista do Ano de 1970 da *Vogue*. No ano seguinte, fundou a própria grife e embarcou em uma série de coleções extravagantes, inspiradas por trajes folclóricos, medievais e renascentistas, assim como pelo traje das Terras Altas escocesas. Ao usar tecidos contrastantes, altamente decorativos, realçados por enfeites rebuscados, Gibb produziu modelos de impacto, que encontraram acolhida em personagens dos meios de comunicação, que precisavam de trajes dramáticos para suas aparições públicas. Em 1971, Twiggy encomendou vestidos para as estréias do filme *The Boyfriend* [O namoradinho]. Os vestidos de noite e de casamento de saia cheia vinham com toques característicos de Gibb, como costuras com vivo e enfeites trançados, e suas roupas muitas vezes tinham a insígnia da abelha [*bee*, "abelha", homófono de B, de Bill], na forma de motivos bordados, diminutos botões de esmalte e fivelas. Embora fosse excelente em roupas românticas e de fantasia, Gibb também desenhava roupas de dia práticas, em *tweeds* e tartãs escoceses, como longas saias em xadrez baseadas no tradicional *kilt*. Especialmente bem-sucedidos foram os seus conjuntos coordenados de tricô (com até dez peças em um traje), feitos de lã pesada para o inverno e em *bouclé* leve para o verão. Sua carreira chegou ao auge em meados da década, com uma sala Bill Gibb na Harrods e uma loja na Bond Street.

Jean Muir, ao contrário, evitou qualquer retomada nostálgica de estilos passados. Muir não teve nenhuma instrução formal, mas trabalhou na Liberty, Jacqumar, Jaeger e na fabricante de *prêt-à-porter* Jane & Jane, antes de lançar a própria grife, em 1966. Logo encontrou seu próprio vocabulário e raramente desviou-se dele. Em suas instalações na Bruton Street, ela exibia modelos refinados e discretos, de bom caimento e autoridade. Suas roupas dinâmicas mostraram ser ideais para mulheres profissionais de destaque, combinando graça feminina e elementos práticos. Eram fáceis de vestir, descomplicadas e geralmente tinham bolsos práticos e espaçosos. Jérsei fosco, crepe de lã, sem estampas, pelúcias e couros flexíveis, tingidos em séries sutis (que invariavelmente continham azul-marinho e preto) tornaram-se seus tecidos característicos. A força e a integridade de seu trabalho derivavam de sua simplicidade e austeridade. Acentos decorativos eram criados por nervuras e pespontos, assim como pelo uso de botões caseiros e fivelas encomendadas de jovens artesãos.

Yuki (Gunyuki Torimaru) também trabalhou em um idioma puro. Nascido no Japão, fez o curso de engenharia têxtil antes de mudar-se para a Europa, onde estudou na Faculdade de Moda de Londres e ganhou experiência em várias casas importantes, entre elas a Hartnell e a Cardin. Estabeleceu sua própria grife em Londres, em 1972, e logo construiu reputação internacional com seus trajes fluidos de jérsei drapeado. Ao contrário de outros estilistas japoneses que trabalhavam no Ocidente, os modelos de Yuki sempre tiveram consciência de corpo. Ele drapeava o torso, unindo suaves dobras de tecido em frentes únicas presas em rouloté ou anéis, de onde o jérsei rolava sensualmente pelo corpo. Era admirado tanto por sua artesania como pelo fato de seu trabalho adaptar-se a mulheres grandes e pequenas. Seus fluidos vestidos "gregos", em jérsei Qiana (uma poliamida lavável) da Du Pont, possuem uma graça atemporal que os coloca à parte dos estilos da corrente principal da moda da década.

No início da década de 1970, os jovens fregueses podiam selecionar visuais do momento a preços razoáveis nas butiques londrinas Mr. Freedom, Biba e Laura Ashley. Durante dois anos, antes que a crise do petróleo mergulhasse a moda em contidos marrons e beges, Tommy Roberts estocou sua loja, a Mr. Freedom, com uma profusão de roupas vivamente coloridas e espirituosas, inspiradas nas roupas esportivas americanas, nas histórias em quadrinhos e no *glam rock*. O lançamento do grande empório Biba, na Kensington High Street, pode ser visto como a última cartada dos fervilhantes anos 1960. A grife Biba tivera sucesso crescente ao longo da década e, em 1973, Barbara Hulanicki e Stephen Fitz-Simon ocupavam uma loja de departamentos inteira (antigamente Derry & Toms) para vender o estilo de vida completo da Biba – modas e acessórios para toda a família, além de alimento e decoração de interiores. O edifício, da década de 1930, foi reformulado em um pastiche de Art Nouveau e Art Deco, com uma camada de glamur hollywoodiano. As roupas que haviam feito da Biba um culto eram exibidas sob luz suave, em cabides torcidos, como nas primeiras butiques Biba. Desenhados por Barbara Hulanicki e sua equipe, os estilos tinham consciência de corpo, iam geralmente até os tornozelos, em cores típicas da Biba: azuis, tons de ameixa e rosa, borrados. A série de maquiagem escura permaneceu popular e foi amplamente imitada. Contudo, a grande loja Biba sobreviveu apenas dois anos. Além de problemas no controle de estoque, também so-

224. Os maxicasacos difundiram-se no fim da décad de 1960. Levando um traje masculino para o guarda-roup feminino, Barbara Hulanicki f um modelo de grandes venda inspirado nos casacos trespassados dos militares. El personalizou o máxi curvando na cintura para satisfazer os jovens clientes da Biba – um azul força-aérea foi especialmente popular.

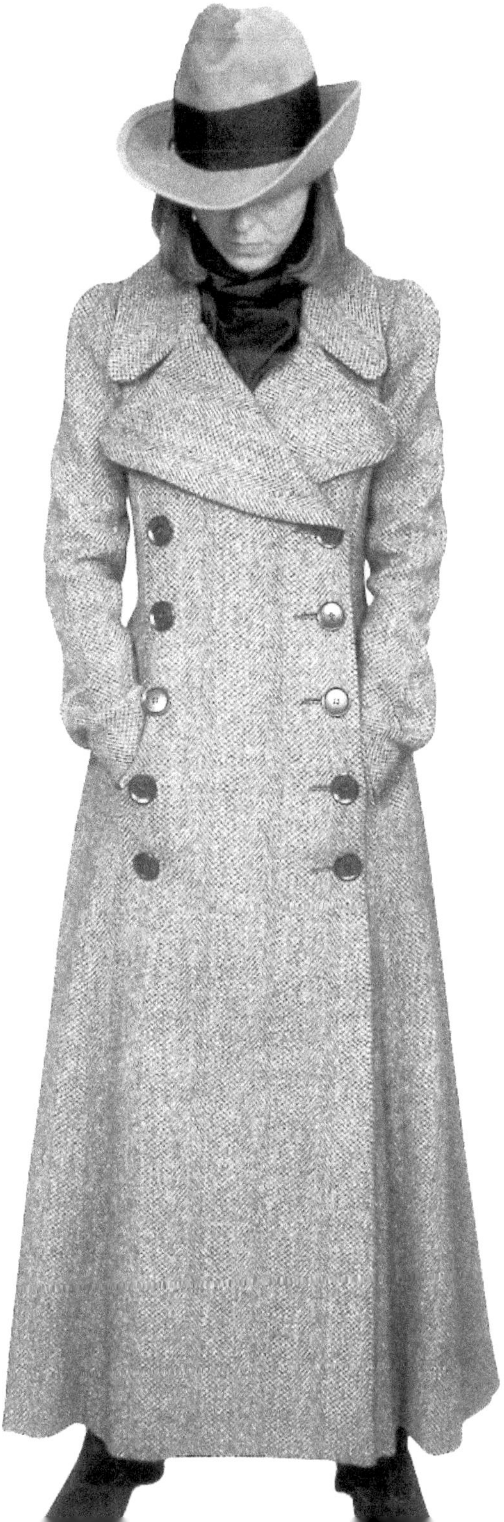

225. No início da década de 1970, as lojas Laura Ashley estavam cheias de jovens comprando trajes de algodão baratos. A procura era tão grande que as araras ficavam apertadas e um considerável espaço era reservado a vestidos e blusas brancas simples. As camisolas e roupas de baixo de fins do século XIX e começo do século XX foram o ponto de partida para essas roupas nostálgicas, feitas de algodão suave, razoavelmente rústico, às vezes com inserções de renda feitas à máquina. A firma usava jovens de ar inocente nas suas campanhas, geralmente com locação no campo, para criar uma impressão de vida rural saudável.

freu pelo fato de atrair muitas pessoas que vinham pela experiência (ou para roubar), não para comprar. De qualquer modo, dificuldades financeiras forçaram seu fechamento em 1975.

Em contraste com o visual decadente da Biba, Laura Ashley oferecia vestidos estampados de algodão, que conjuravam imagens de inocência e vida campestre. Fundada em 1953, a companhia lançou sua primeira série de roupas em fins da década de 1960. Vestidos e saias em camadas, em algodões floridos, logo varriam ruas cinzentas nas cidades e satisfaziam a ânsia por uma utopia rural. Em resposta à procura, a companhia construiu uma cadeia mundial de lojas. A fórmula Laura Ashley envolvia variações sobre vestidos longos e aventais com corpetes justos e características que lembravam o vestuário vitoriano e eduardiano – babados, debruns, mangas bufantes e golas altas. Os trajes eram feitos de algodões e cotelês baratos, tingidos em cores profundas ou estampados com padrões diminutos, tirados diretamente de têxteis históricos. O visual persistiu por quase quinze anos, antes de sair de moda, no fim da década de 1970. Nessa época, escapismos alegres como esse haviam cedido lugar a fantasias estilísticas mais sombrias, construídas em torno de imagens de violência e anarquia, resumidas em uma palavra – *punk*.

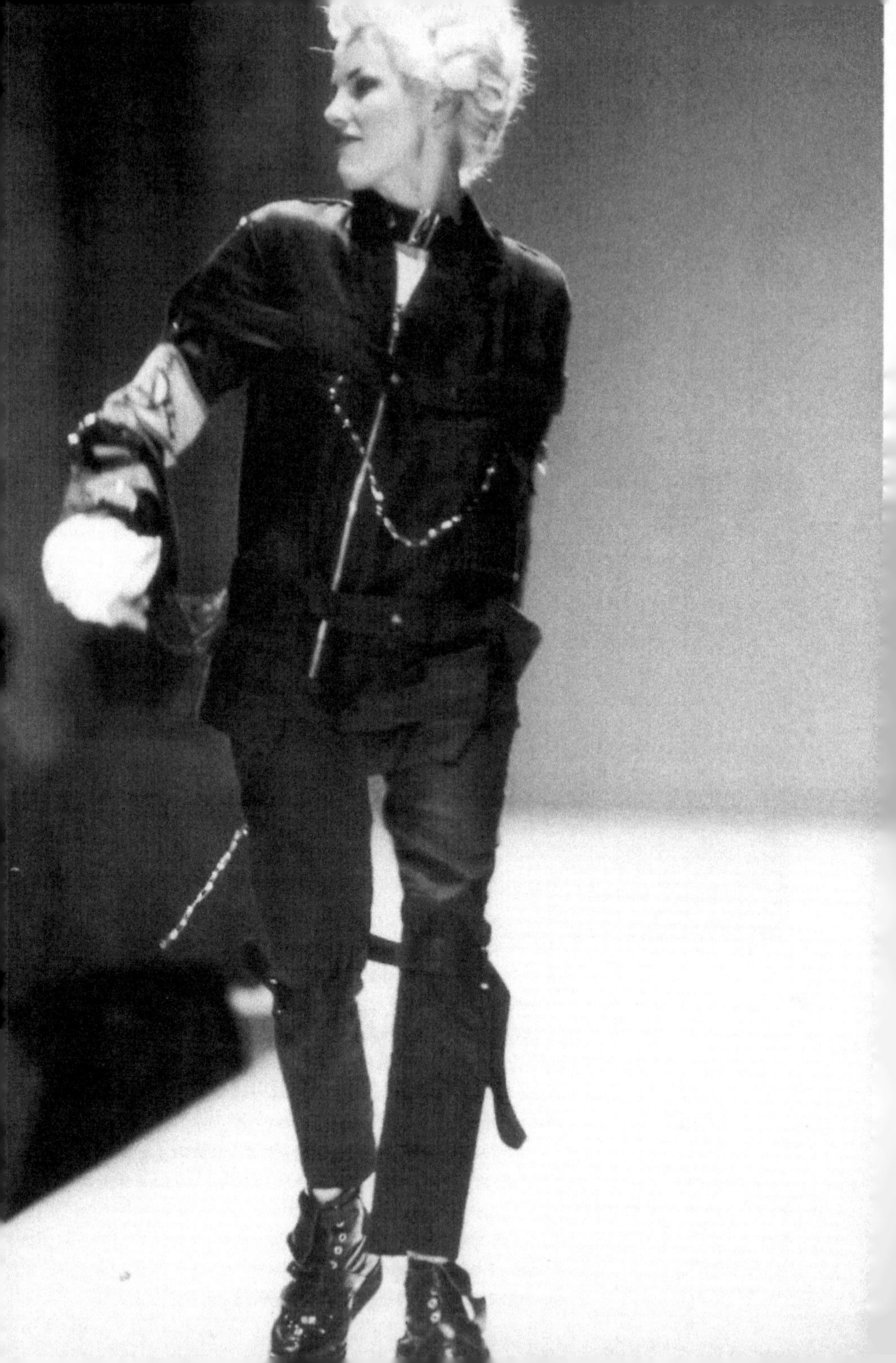

8. 1976-1988
SEDIÇÃO E CONSUMISMO

Embora o período que vai de meados ao fim da década de 1970 geralmente seja caracterizado como um período de declínio econômico, distúrbios políticos e fragmentação social contínuos, para muitas pessoas, a década de 1980 – pelo menos até a quebra do mercado de ações de outubro de 1987 – foi um tempo otimista e próspero. Esses dois climas muito diferentes viram a ascensão de modas igualmente distintas. O período inicial foi, em muitos aspectos, um período de conservadorismo cultural – uma época de nostalgia, quando tudo o que era velho ou "tradicional" era considerado desejável. O desencanto com o presente e uma desconfiança geral diante da inovação moderna refletiram-se em muitas das coleções de moda internacionais, que ofereceram estilos clássicos ou retrô "seguros". Inversamente, os aspectos mais negativos do período forneceram o estímulo para desenvolvimentos culturais radicais, entre eles o *punk*.

Nascido em Londres, no verão de 1976, o *punk* manifestou-se primeiramente entre grupos de jovens desempregados e estudantes, muitos deles das escolas de arte da capital, reunidos em torno da famosa butique de Vivienne Westwood e Malcolm McLaren na King's Road, Chelsea. Conhecida nesse momento como "Seditionaries", a butique havia assumido outras identidades anteriormente: em 1971 era "Let it Rock" e vendia roupas inspiradas nos *teddy boys*; em 1972, como "Too Young to Live, Too Fast to Die" tinha modelos baseados nos conjuntos *zoot* e nas jaquetas de couro dos *rockers*; em 1974 era "SEX" e oferecia estilos fetichistas em couro e borracha.

A identidade *punk* foi moldada por vários fatores: a estilização dos próprios *punks*, os modelos de Westwood e McLaren, e a formação e administração, por McLaren, do seminal grupo *punk*, os Sex Pistols. Embora o *punk* seja primordialmente associado à Grã-Bretanha, desenvolvimentos similares estavam se formando, na mesma época, nos clubes de Nova York e na cena musical americana, entre cantores como Iggy Pop e Lou Reed e bandas como Television e New York Dolls. Gradualmente, o *punk* espalhou-se pelos Estados Unidos, Europa e Extremo Oriente, especialmente no Japão.

O *punk* era um estilo anárquico, niilista, que procurava chocar deliberadamente. Em contraste com os trajes naturalistas e colori-

26. Traje sadomasoquista da Seditionaries, em cetim de algodão preto, de Vivienne Westwood e Malcolm McLaren, 1976. Derivando elementos do vestuário militar, a fornecedora de motociclistas Belstaff, e das roupas fetichistas vendidas na SEX, este traje sem gênero tem tiras para prender as pernas, uma aba traseira destacável, um pano de toalha preto imitando uma tanga), anéis de metal, alfinetes e zíperes – exclusive um no entrepernas. Desafiando noções tradicionais de beleza feminina, a modelo tem cabelos descoloridos, curtos e espetados, usa botas de trabalho brutas e desfila com uma postura agressivamente arrogante.

226

dos usados pelos geralmente utópicos *hippies*, o vestuário *punk* era quase inteiramente negro e conscientemente ameaçador. Muitas vezes de fabricação caseira, ou comprados em lojas de roupas usadas ou de excedentes do exército, os trajes muitas vezes eram rasgados e usados em camadas amarfanhadas. As roupas, para ambos os sexos, incluíam calças pretas apertadas, conjugadas a suéteres de *mohair*, jaquetas de couro personalizadas com tinta, correntes e tachas de metal, e botas Doctor Marten. As variações incluíam – para as mulheres – minissaias, meias arrastão e sapatos de salto-agulha e – para ambos os sexos – calças sadomasoquistas com tiras de joelho a joelho e sapatos pesados com solado de crepe. As jaquetas e camisetas muitas vezes tinham palavras ou imagens obscenas e perturbadoras, que incluíam iconografia nazista. O couro, a borracha e o PVC, fetichistas, eram os materiais favoritos do *punk*, assim como algodões lavados e sintéticos brilhantes ou cintilantes. Os trajes eram amarrados com correntes, zíperes, alfinetes e lâminas. Havia muitos estilos *punk* à venda, prontos, na "Seditionaries", comprados pelos *punks* em melhor situação.

Os penteados, a maquiagem e as jóias também desempenharam seu papel no visual *punk*. Pintados em cores espalhafatosas, os cabelos eram esculpidos com gel, e, espetados, eram cortados à maneira moicana; a maquiagem era usada para produzir uma palidez doentia e para enegrecer as sobrancelhas e os lábios: os brincos múltiplos eram populares e os *punks* mais radicais também furavam o rosto e o nariz. Embora, no início, a reação do público ao *punk* tenha sido de susto e medo, à medida que a década avançava, aspectos do estilo começaram a ser comercializados e a ter seu nível elevado, até, por fim, ser filtrado para a moda de massa e para a alta moda. Em 1977, Zandra Rhodes criou uma coleção "Chic Conceitual", com vestidos de jérsei de *rayon* rasgado, decorados com alfinetes de contas, correntes e *diamantés* aleatórios. No fim, o *punk* teve um efeito revigorante na moda britânica e ajudou a estabelecer a reputação de Londres como inovadora do estilo jovem. Também desafiou os estereótipos masculinos e ideais longamente aceitos de beleza feminina.

No campo da alta moda, o fim da década de 1970 produziu três tendências discerníveis. Nos EUA, os estilistas foram excelentes na criação de trajes para o dia e roupas de lazer esportivas; na Europa, trajes de noite glamurosos competiam com outros modos escapistas, inpirados em estilos étnicos, rústicos e retrô, e, em Paris, os estilistas japoneses começavam a exibir coleções que se concentravam em sobrepor camadas e envolver o corpo em roupas folgadas e desestruturadas.

227. Zandra Rhodes, vestido de noite chique conceitual, 1977. Justapondo a tradição e a estética *punk*, Zandra Rhodes juntou uma saia de jérsei rasgada a um corpete de seda convencional com alfinetes de segurança. O traje foi concebido como moda de elite, de modo que os buracos na saia são situados para revelar vislumbres sedutores da perna e são meticulosamente acabados com uma costura em ziguezague. A modelo, imaculadamente arrumada, usa meias-calças perfeitas e sandálias convencionais, com tiras e salto-agulha. Fotografia de Clive Arrowsmith.

Embora os estilistas continuassem a apresentar visuais completos, houve uma voga de construção de uma aparência mais individualizada, combinando roupas da alta moda com trajes étnicos ou de período originais, comprados em lojas especializadas. Para os consumidores menos ricos, o número crescente de butiques étnicas de baixo custo e de empórios de segunda mão proporcionava possibilidades de estilo infinitas.

Na década de 1980, porém, ocorreu um deslocamento para modas mais caras e ostensivas, que refletiam uma época mais obcecada pelo dinheiro e com consciência de imagem. Tornou-se chique que assinalar a própria riqueza usando roupas e acessórios de grife caros. As grifes proliferaram. As malas e bolsas de Louis Vuitton,

228 cobertas com seus padrões, as fivelas e botões grandes de Moschino, as jóias e bolsas de Chanel tornaram-se acessórios altamente desejáveis. Os organizadores pessoais Filofax, as canetas Mont Blanc e os relógios Rolex surgiram como cobiçados símbolos de *status*. As finanças eram notícia, e os meios de comunicação glorificavam os estilos de vida e enormes salários dos jovens corretores de ambos os sexos. O guru de estilo Peter York inventou a palavra que seria usada ao longo de toda a década para descrever essa raça competitiva – *yuppie* [*young urban professional* – profissional urbano jovem]. A procura por roupas masculinas aumentou e os estilistas de primeira linha, entre eles Thierry Mugler (1980) e Kenzo (1983), começaram a incluir roupas masculinas em suas coleções, um desenvolvimento que teve seu paralelo na expansão da imprensa de moda masculina especializada. Para as mulheres, que entraram para a força de trabalho na década de 1980 em número
229 nunca visto, o *power suit*, com ombreiras, tornou-se um símbolo potente, atuando como escudo protetor e afirmação de autoridade.

Em 1980, Londres novamente tornou-se o centro da cena *club* e do estilo jovem, com estilistas dinâmicos criando modas divertidas e desafiadoras para uma clientela livre de convenções de moda e

228. *Acima, esquerda*: os desfiles de Moschino eram ocasiões teatrais, nas quais o estilista tinha surpresas para o público, às vezes zombando das vítimas da moda e da mecânica de toda a indústria da moda. Para a temporada outono/inverno de 1986-87, ele animou uma jaqueta preta colocando nos cintos uma de suas despudoradamente grandes assinaturas em dourado, e, para completar, acrescentou um imenso chapéu de caubói.

229. Página ao lado, direita: este power suit tipicamente preciso de meados da década de 1980, feito para a mulher de negócios ambiciosa, pretendia indicar eficiência e ímpeto. Nas salas da diretoria foi o equivalente do conjunto urbano masculino. As ombreiras grandes ajudavam a projetar a confiança ao mesmo tempo que o cinturado enfatizava a boa forma. O visual poderoso era completado por óculos escuros e cabelos curtos, penteados para trás.

com as novas revistas de estilo, *The Face* e *i-D* tornando indistintas as fronteiras entre a cultura dos clubes, a moda de rua e a alta moda.

Em 1981, Vivienne Westwood e Malcolm McLaren mudaram o nome de sua loja para "World's End" e, no mesmo ano, Westwood exibiu sua primeira coleção, muito influente, "Pirata", composta de camisetas assimétricas, camisas de pirata, culotes e botas largas, de salto achatado. Esta atraiu compradores de alta moda, além de fãs da subcultura, e serviu com combustível da identidade *new romantic* de astros *pop* como Adam Ant, David Bowie e Boy George.

A coleção "Buffalo", de Westwood, para a temporada outono/inverno de 1982-83 tinha grandes sutiãs de cetim sobre camisetas um dos primeiros exemplos da tendência de usar roupas de baixo externamente, que teria um enorme impacto na moda internacional. Em 1982, Westwood e McLaren abriram uma segunda loja, "Nostalgia of Mud", cujo fechamento, no ano seguinte, coincidiu com o fim de sua colaboração. A partir de março de 1983, quando Westwood começou a exibir em Paris, ela assumiu uma nova identidade na moda, mais próxima da alta-costura do que do estilo de rua, muitas vezes retrabalhando estilos históricos em um idioma contemporâneo.

230. Capa da revista *i-D*, setembro de 1986. A *i-D* foi concebida, editada e publicada pelo antigo diretor de arte da *Vogue*, Terry Jones. Desde o início (o primeiro número saiu em agosto de 1980), ela atraiu fotógrafos, jornalistas, artistas gráficos, *designers* e estilistas de alto nível e foi revolucionária o dar destaque a "pessoas de verdade", muitas vezes em um cenário de rua. Fotografia de Barry Lategan.

Em 1983, John Galliano diplomou-se pela St. Martin's School of Art, em Londres. Sua coleção de fim de ano, muito elogiada, "Les Incroyables", foi imediatamente comprada pela Browns, uma das principais lojas de moda de Londres. No ano seguinte, Galliano fundou sua própria grife, com uma coleção intitulada "O Afeganistão repudia os ideais ocidentais", que combinava a alfaiataria ocidental a tecidos e estilos orientais. Ao longo de toda a década de 1980, foi aclamado graças aos modelos supremamente elegantes e iconoclastas, que exibiam seu fascínio pelo traje histórico – em particular pelos estilos do início do século XX –, pelo corte excepcionalmente complexo e pela habilidosa manipulação do tecido. Outro aluno da St. Martin's, Rifat Ozbek, também conquistaria respeito internacional com modelos inspirados pelo vestuário nativo de seu país, a Turquia, pelas roupas de dança e pela cena *club* de Londres.

Muitas das coleções londrinas eram conduzidas pelos têxteis, e as roupas estampadas e a malha foram especialmente fortes. Scott Crolla usou estampas florais ornadas e estampas de padrões múltiplos em suas afetadas roupas masculinas, enquanto Vivienne Westwood incorporava os *designs* gráficos do grafiteiro de Nova York Keith Haring à sua coleção "Bruxas", para a temporada outono/in-

231, 232. *Esquerda*: a "Coleção Buffalo", de Vivienne Westwoo 1982-83. Este traje foi o centro atenções da influente coleção; de cetim marrom era usado sob moleton e conjugado a uma sai em camadas, e, perneiras.
Direita: A coleção "Bruxas", de Vivienne Westwood, outono/in 1983-84, inspirada pela cena d de Nova York, incluiu moleton de couro decorados, com moti *grafitti* de Keith Haring.

233. *Página ao lado*: John Gall para a temporada outono/inve 1985-86. Chamado "Jogo Lúd os *ludi* eram jogos romanos pa apaziguar os deuses –, este foi primeiro desfile profissional de Galliano. Ele apresentou jaque podiam ser usadas como calça saias e trajes cortados em círc completo – um estilo que se to uma marca registrada.

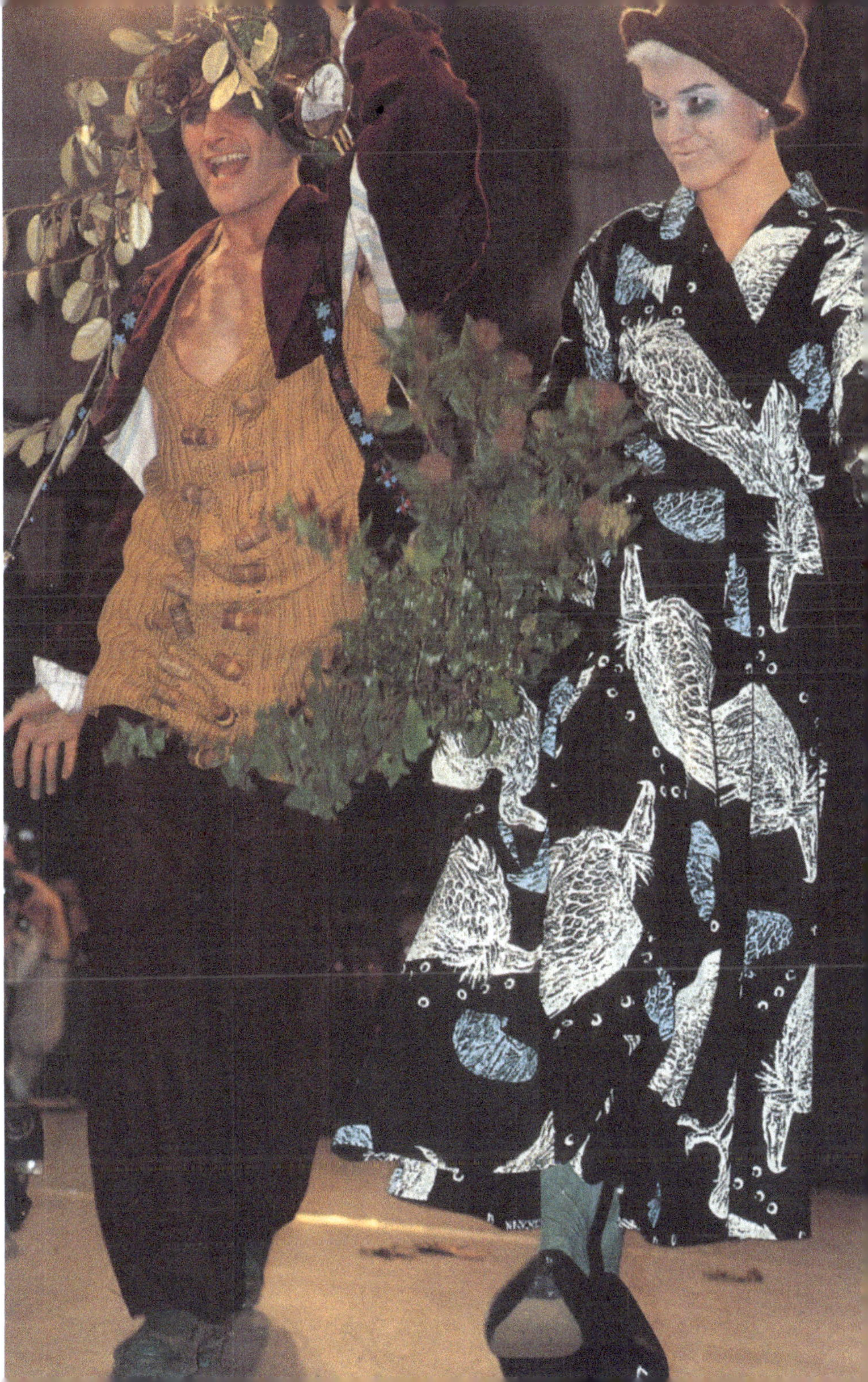

verno de 1983-84. Betty Jackson empregou os talentos de Timney Fowler e de Brian Bolger, da The Cloth, para criar estampas audaciosas e modernas para suas roupas relaxadas, cheias de estilo, e a English Eccentrics estabeleceu sua reputação com estampas ecléticas e extrovertidas. Tendo em vista o mercado jovem, mais aventureiro, os trajes tubulares com babados da Body Map eram feitos em modelos monocromáticos e malhas de cores vívidas. Edina Ronay e Marion Foale tricotaram modelos nostálgicos, retrô, e Martin Kidman, diretor de *design* de Joseph Tricot, criou séries influentes, que incluíam suéteres atarracados com querubins e grinaldas.

Os acessórios eram um componente essencial dessas tendências exuberantes. Os sapatos esculturais de Emma Hope, com linhas alongadas, completavam com perfeição a voga do *dressing up*, e o canadense Patrick Cox lançou sua carreira de criador de sapatos com modelos radicais para a Body Map, Vivienne Westwood e John Galliano. Os calçados feitos à mão, extremamente elegantes, de Manolo Blahnik serviam mercados de moda internacionais. Stephen Jones estabeleceu-se como um chapeleiro de ponta, combinando as mais finas habilidades de artesanato a uma estética vanguardista e muito espirituosa, e Kirsten Woodward explorou recursos surrealistas em modelos encomendados por Karl Lagerfeld e pela Chanel.

Enquanto muitos estilistas britânicos eram atraídos para a fantasia e o escapismo, outros confrontavam ativamente questões contemporâneas. Katharine Hamnett trouxe as questões da paz mundial e do ambiente à arena da moda com sua coleção "Escolha a vida", para a temporada outono/inverno de 1983-84, exibindo camisetas com *slogans* como "58% não querem os Pershing" – um modelo que, popularmente, usou para encontrar a primeira-ministra Margaret Thatcher. Seus macacões no estilo traje de descontaminação e uniformes em sedas amarrotadas, de lavar e usar, assim como suas

1976-1988: SEDIÇÃO E CONSUMISMO **233**

roupas, mais abertamente *sexy* nesse período, foram todos muito influentes. Georgina Godley também assumiu uma postura política, produzindo roupas que desafiavam os ideais vigentes de beleza feminina. Sua coleção de 1986,"Lumps and Bumps", incluía roupas de baixo esculturais, com barrigas, quadris e traseiros acolchoados.

Um dos principais nomes do vestuário masculino na década de 1980 foi o estilista Paul Smith, de Nottingham, cujas roupas clássicas, distintamente usáveis, eram tornadas características por toques típicos, como cores desusadamente ousadas e padrões estranhos. Ele abriu a primeira loja em sua cidade-natal em 1970, mudou-se para Covent Garden, em Londres, em 1979, e, em fins da década de 1980, tinha lojas em todo o mundo. Seu visual era e continua a ser essencialmente britânico. Margaret Howell também é

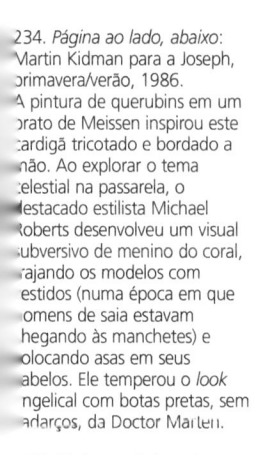

234. *Página ao lado, abaixo*: Martin Kidman para a Joseph, primavera/verão, 1986. A pintura de querubins em um prato de Meissen inspirou este cardigã tricotado e bordado à mão. Ao explorar o tema celestial na passarela, o destacado estilista Michael Roberts desenvolveu um visual subversivo de menino do coral, trajando os modelos com vestidos (numa época em que homens de saia estavam chegando às manchetes) e colocando asas em seus cabelos. Ele temperou o *look* angelical com botas pretas, sem cadarços, da Doctor Marten.

235. *Página ao lado, acima*: "Freeze", gola espirituosa de Stephen Jones e chapéu combinando, outono/inverno, 1984-85.

236. *À direita*: Katharine Hamnett, outono/inverno, 1984-85, algodões e sedas amarrotados foram conjugados a camisetas com slogans – a modelo no primeiro plano usava um modelo "WORLDWIDE NUCLEAR BAN NOW" – desarmamento nuclear mundial já]. Todo o lucro com a venda das camisetas foi para a instituição de caridade de Hamnett, a Tomorrow Ltd.

atraída pelo estilo britânico e interpretou para as mulheres uma variedade de trajes tipicamente ingleses, como roupas esportivas escolares e roupas campestres.

Na década de 1980, a moda recebeu impulso de uma fonte inesperada – a família real britânica. Quando a assistente de creche de dezenove anos, alta e desajeitada, Lady Diana Spencer, foi fotografa pela imprensa em 1980, com o sol atravessando uma saia estampada comum, revelando suas longas pernas ao mundo inteiro, poucos perceberam que ela estava destinada a tornar-se um dos mais potentes ícones da moda das décadas de 1980 e 1990 e uma defensora da moda britânica de primeira linha. Antes de seu casamento com Charles, príncipe de Gales, em 1981, Lady Diana inclinava-se para o estilo conhecido como "sloane ranger". Cunhado

237. Lady Diana Spencer, assistente de jardim-de-infância dezenove anos, alta, *gauche*, captada por um fotógrafo em 1980, cuidando de duas crianças, com o sol filtrado po uma saia estampada comum. Ela era uma típica *sloane ranger* quando a fotografia fo tirada.

238, 239. *Esquerda*: Lady Diana logo deixou sua fase *sloane ranger* e, no primeiro compromisso oficial com o príncipe Charles, em março de 1981, surpreendeu a todos com um ousado vestido de tafetá preto de Emanuels. Apesar de provido de um xale debruado combinando, Lady Diana não estava inclinada a ocultar os belos ombros e o decote baixo.
Direita: Apenas dois anos depois, uma Diana mais magra, princesa de Gales, escolheu um vestido colunar de uma manga, feito em chiffon creme e decorado com contas, do estilista japonês, sediado em Londres, Hachi, para a última noite de sua viagem à Austrália, em 1983. Representava uma princesa de novo estilo, ultra-sofisticada. Em 1997, foi um dos artigos do leilão de caridade da princesa, em Nova York.

por Peter York, em 1975, o termo descrevia a aparência de um grupo de jovens, muitas vezes com títulos de nobreza, que viviam ao redor da Sloane Street, no oeste de Londres. Para uso na cidade, esse grupo dava preferência a peças avulsas práticas – blusas com decotes de babados, saias mais ou menos longas sobre meias-calças, suéteres e cardigãs de boa qualidade, lenços amarrados e jaquetas acolchoadas, todas com a marca característica das *sloane rangers*: uma volta de pérolas.

A condição real da princesa Diana excluiria qualquer afirmação de moda genuinamente vanguardista, mas seu estilo impecável mostrou ser atraente para a massa. O visual seguro e matronal de seu conjunto azul comprado pronto, nas fotografias de noivado de 1981, foi quase imediatamente obscurecido pela sua aparição pública em um vestido de noite preto, sem alças e de decote revelador. Os estilistas desse vestido, Elizabeth e David Emanuel, criaram seu romântico vestido de casamento, com saia dramaticamente cheia, cauda imensa e corpete apertado. Cópias desse vestido foram colocadas à venda uma semana depois e, por ocasião de seu casamento, o visual "Lady Di" havia sido transmitido para o mundo todo pela televisão e pela imprensa. Durante os dezesseis anos seguintes, atuando como figura de proa da indústria britânica, Diana exerceu uma enorme influência sobre a corrente principal da moda, encomendando a um círculo de estilistas – que incluía Bellville Sassoon, Caroline Charles e Arabella Pollen – roupas de "trabalho" para as viagens reais ou vestidos de impacto para as ocasiões de destaque. Como os eventos reais eram governados por um protocolo estrito e exigiam o uso de chapéu, os chapeleiros também se beneficiaram do patrocínio da princesa. Seus chapéus eram feitos sob encomenda por estilistas importantes, em particular John Boyd e Graham Smith. No início da década de 1980 ela dava preferência a estilos pequenos e justos, mas, à medida que foi ganhando confiança, começou a usar modelos mais dramáticos, com abas mais largas. A segurança e a sofisticação crescentes refletiram-se em seu gosto por vestidos de noite dinâmicos e com consciência de corpo, de cores vivas, para uso durante o dia. Vestidos-tubo apertados, de um só ombro foram criados para ela por Bruce Oldfield, Hachi e Catherine Walker, enquanto Jasper Conran fornecia conjuntos de alfaiataria com autoridade.

Embora a moda britânica fosse admirada pela diversidade do talento de seus estilistas, a indústria doméstica não foi promovida o suficiente para fornecer a infra-estrutura necessária, como apoio no lançamento e na comercialização de estilistas jovens, e, como resultado, muitos fracassaram comercialmente. Outros escolheram expor em Paris, onde podiam valer-se de uma organização de comunicações mais sofisticada, orquestrada pela Chambre Syndicale de la Couture, que atraiu atenção mundial do comércio, de clientes privados e dos meios de comunicação.

As economias mundiais em ascensão do início da década de 1980 fizeram muito para assegurar a sobrevivência da indústria da alta-costura, embora os clientes ainda não fossem mais do que duas ou três mil mulheres em todo o mundo. Destas, apenas seiscentas ou setecentas compravam regularmente. Não obstante, seu gasto era considerável. O negócio em Paris foi grandemente impulsionado por americanas ricas (que se beneficiavam da força do dólar americano), pela expansão do mercado japonês de bens de luxo europeus e por uma nova clientela árabe, enriquecida pelo petróleo. Nessa época, as cinco casas dominantes em Paris eram Christian Dior, Chanel, Yves Saint Laurent, Ungaro e Givenchy.

Trajes de alta-costura muitas vezes custam mais do que o que muitas pessoas ganham em um ano, mas os lucros obtidos com eles são mínimos; na verdade, a indústria de moda geralmente perde dinheiro nas vendas de roupas de alta-costura. Contudo, as coleções continuam a ser desenhadas, expostas e propagandeadas – com enorme custo – porque criam o prestígio que vende não apenas as roupas, mas também, mais importante, produtos licenciados altamente lucrativos. A maioria das casas tem vínculos comerciais com fabricantes que usam o nome da casa para aumentar o *status*, a desejabilidade e, por fim, o preço de seus produtos. Essa prática não era nova no início da década de 1980, mas tratava-se de um tempo em que as grifes tornaram-se objeto de culto e o licenciamento assumiu uma escala sem precedentes.

Perfumes com o nome de estilistas são os bens mais lucrativos e constituem a principal receita de muitas casas parisienses, de modo que muito capital é investido no lançamento e na publicidade. Alguns estilistas trabalham intimamente com os fabricantes para assegurar a qualidade e a identidade visual de produtos como malas, meias e óculos escuros, mas, muitas vezes, uma companhia simplesmente compra o direito de usar o nome do estilista. Para proteger futuras transações, as casas de moda têm de manter a exclusividade, importantíssima, de sua marca. Se for considerado que uma casa está vulgarizando a imagem da indústria, ela é retirada do registro da Chambre Syndicale, a organização que monitora essas atividades. Chanel e Hermès estão entre as poucas casas que continuaram a ser companhias particulares e nunca franquearam seus nomes.

Embora a indústria de moda nos EUA e na Itália seja relativamente mais jovem, em comparação com Paris, seus estilistas logo reconheceram o potencial comercial de produzir linhas de difusão mais acessíveis. Em Nova York, Ralph Lauren, Calvin Klein e Donna Karan rapidamente passaram de estilistas de moda individuais para chefes de enormes organizações de difusão internacional. As grandes companhias italianas – Armani, Fendi, Valentino e Versace – também exploraram o sucesso de seus estilistas desenvolvendo e exportando linhas de difusão em todo o mundo.

Foi durante a década de 1980 que uma nova geração de estilistas japoneses tornou-se peça importante na arena internacional. Desde 1981 Rei Kawakubo, trabalhando sob a grife Comme des Garçons (Como os garotos), e Yohji Yamamoto começaram a apresentar suas coleções em Paris. Juntamente com o já estabelecido Issey Miyake, formaram uma nova escola de moda de vanguarda.

Durante a década de 1970, Miyake usou tecidos feitos principalmente de fibras naturais, muitas vezes em *ikat weaves* ou estampados com blocos, mas, em 1980, havia adotado uma visão mais modernista e desenvolvido inventivos materiais e formas de trajes. Para a temporada outono/inverno de 1981-82, ele conjugou bustiês de silício com zíper e calças de jérsei de poliéster coberto com poliuretano; para a temporada primavera/verão de 1983 túnicas e estolas inspiradas no *wakame* (alga-marinha) foram criadas a partir de um sintético plissado irregularmente combinado com tecido metálico. Em 1984, foram exibidas calças de náilon acolchoado e, para a temporada primavera/verão de 1988, em colaboração com Maria Blaisse, Miyake criou chapéus esculturais feitos de espuma de poliuretano moldada. Miyake também fez experiências com tecidos naturais e desenvolveu misturas de ligamentos e fibras como seda e lãs *shetland* de urdidura dupla, inspirados pelo *mushiro* (capacho de palha), a partir dos quais criou sobrevestes para a coleção outono/inverno de 1984-85. Embora alguns de seus modelos envolvam o corpo e restrinjam o movimento, Miyake é mais conhecido por trajes fluidos, orgânicos, que combinam praticidade e conforto. "Não crio uma estética de moda", ele disse. "Crio um estilo baseado na vida."

Para um estilista radical e visionário, Miyake teve enorme sucesso. Ele estabeleceu sua linha de difusão, a Plantation, em 1981, a Issey Myiake Permanente, que exibe seus modelos clássicos, em 1985, e uma série de roupas masculinas, em 1986. Seu trabalho foi exposto em museus e galerias de todo o mundo e, a partir de 1986, foi ainda mais publicado e registrado por meio de sua colaboração com o fotógrafo Irving Penn.

Antes de formar a grife Comme des Garçons, em 1969, Rei Kawakubo trabalhou como estilista na indústria da propaganda, o que talvez explique seu controle meticuloso da identidade visual de seu trabalho, na passarela, nos ambientes e varejo e nas muitas publicações da companhia. Certa vez, ela afirmou, celebremente, que desenhava em três tons de preto, e suas primeiras coleções, inspiradas pelo traje de trabalho japonês, eram dominadas por trajes pretos e índigo, o que lhe permitia concentrar-se na forma. Seus trabalhos posteriores foram mais radicais. Em março de 1983, ela apresentou uma coleção subversiva, que incluía vestidos-casaco, de corte grande e quadrado, sem nenhuma linha, forma ou silhueta reconhecíveis. Muitos eram cortados "dissimetricamente", com lapelas, botões e mangas nos lugares errados, decotes mal formados e tecidos não combinados. Desarranjos mais calculados foram criados em tecidos com nós, rasgões, que eram amarrotados, pregueados e tecidos em texturas incomuns. Os calçados eram compostos de chinelos ou sapatos de borracha de biqueira quadrada. Os modelos que exibiam essa coleção tinham cabelos presos por trapos e pareciam inteiramente desprovidos de maquiagem, exceto por um perturbador azul-hematoma nos lábios inferiores. Esses cosméticos desafiadores, e o fato de que as roupas ocultavam o corpo inteiramente levaram o trabalho de Kawakubo a ser interpretado como uma expressão de feminismo. A imprensa de moda deu-lhe o nome de "visual pós-Hiroshima", vendo-o como um comentário político. A única resposta de Kawakubo foi declarar que

240. Comme des Garçons, outono/inverno, 1984-85. Desafiando a uniformidade estéril dos têxteis produzidos em massa, Rei Kawakubo utilizou técnicas artesais (ou a mais recente tecnologia) para criar tecidos únicos, muitas vezes de produção própria. Neste enorme casaco, ela explorou as qualidades inerentes ao tecido de trama frouxa usando a largura completa do tear e destacando simultaneamente a face e o reverso.

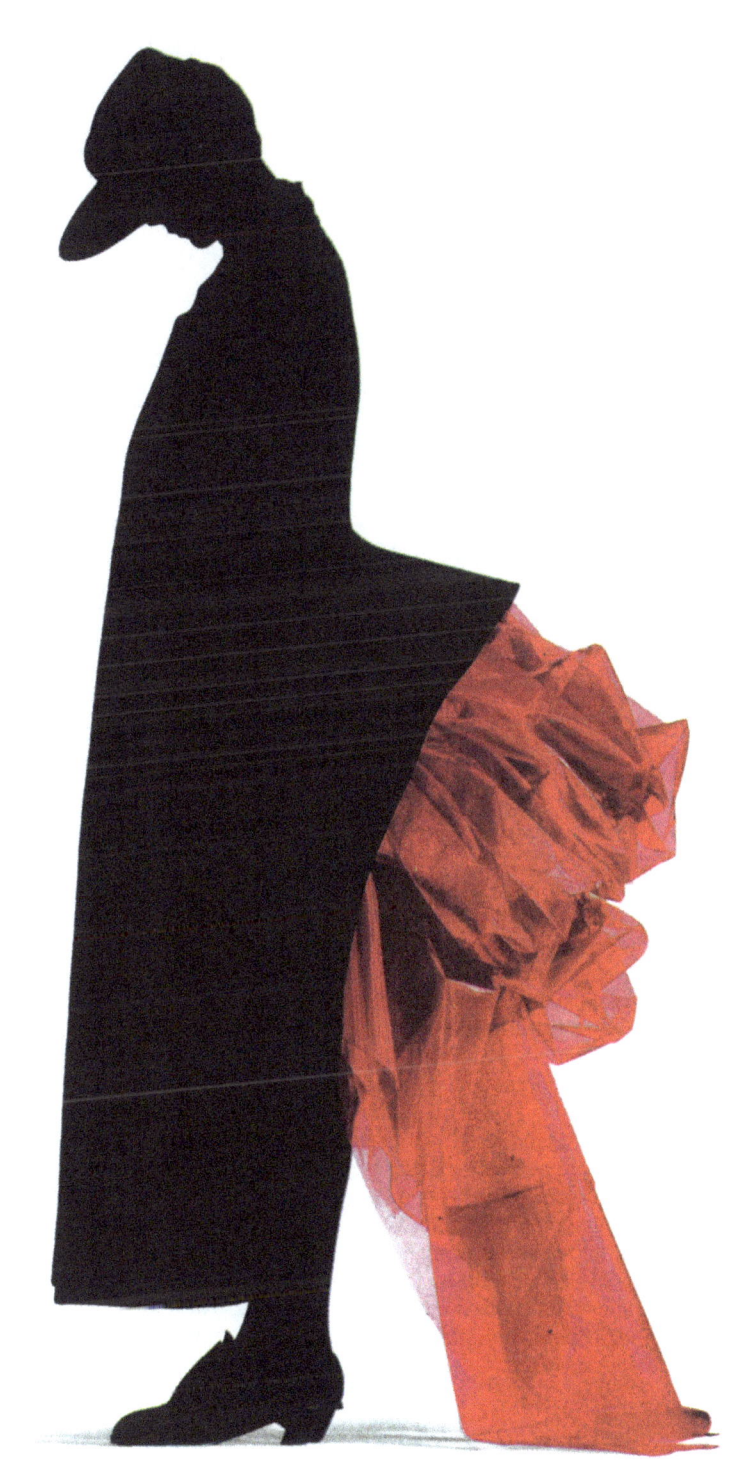

41. Yohji Yamamoto, [o]utono/inverno, 1986-87. [Y]amamoto subverte as [c]onvenções de vestuário [o]cidentais e japonesas – [es]maecendo noções de [n]ação, cultura e história – [a]o mesmo tempo que [r]econhece que a moda é [m]oldada por elas. [O] surpreendente conjunto [d]e casaco longo de casimira [la]na preta, usado sobre [an]quinhas, no estilo de [1]880, em tule vermelho [br]ilhante, fotografado em [sil]hueta por Nick Knight, [le]mbra um pássaro com [pl]umagem exótica.

desenhava para mulheres fortes, que atraem os homens antes com suas mentes do que com seus corpos.

Como Kawakubo, Yohji Yamamoto é aclamado pela visão radical e pela notável habilidade para cortar. Também ele fez seu nome em Paris, no início da década de 1980, embora houvesse trabalhado como estilista em Tóquio desde 1970 e estabelecido o próprio estúdio, em Tóquio, já em 1972. Yamamoto é um purista e intelectual do *design*, interessado em esmaecer as categorias de sexo. Os trajes muito grandes, em camadas, drapeados, são cortados engenhosamente, de maneira que envolvesse o corpo, não caísse bidimensionalmente, no estilo que caracteriza a maior parte do vestuário ocidental. Yamamoto não gosta do conformismo preciso e arrumado: suas roupas elegantíssimas exibem bainhas, colarinhos e bolsos assimétricos, lapelas que fluem até formarem xales e pences colocados de maneira incomum. Ele é incansável no uso do negro e utiliza muito têxteis experimentais. Durante o início da década de 1980, ele e Rei Kawakubo acrescentaram, como acessório de suas roupas, sapatos de couro preto Doc Marten, dando um novo sinete de moda a uma companhia antes associada apenas a calçados utilitários e subculturais.

242. Jean-Paul Gaultier, primavera/verão, 1985. Para esta coleção, Gaultier apresentou uma série de modelos cosmopolitas, andróginos – ainda que revelassem o corpo. As mulheres usam as boinas bascas (com faixa à mostra) que se tornaram uma das assinaturas do estilista.

1976-1988: SEDIÇÃO E CONSUMISMO **241**

243. Thierry Mugler, outono/inverno, 1983-84. As coleções sedutoras e provocantes de Mugler inspiram-se em um inebriante coquetel de influências – aqui, a rainha do glamur hollywoodiana encontra-se com a andróide das histórias em quadrinhos. Sempre servindo a figura curvilínea, o estilista regularmente talha uma silhueta de ombros largos. Dizem que ele tenta revelar a deusa em cada mulher.

Enquanto os estilistas da vanguarda japonesa rompiam as fronteiras da moda, as casas estabelecidas de Paris continuaram a especializar-se na alfaiataria clássica e em vestidos de noite de saia cheia. Mas, no início da década de 1980, alguns estilistas franceses recém-estabelecidos – além de nomes famosos disfarçados – haviam começado a desafiar o *chic* parisiense. Jean-Paul Gaultier trabalhou com Pierre Cardin e na Patou antes de apresentar suas primeiras coleções, em 1976. Logo cognominado o *enfant terrible* da moda parisiense, ele criou modelos pós-modernos inspirados no dadaísmo, no glamur da década de 1950, no pavão macho e na cena dos clubes londrinos. Os clientes mais ousados usavam botas pós-*punk* Doc Marten, perneiras e tutus, e mesmo seus modelos mais clássicos incorporavam toques de impudência, como costas nuas, corta-

242 das. Sua coleção primavera/verão de 1985 exibiu o que, aparentemente, eram saias para homens. Talhadas em tecido com as respeitáveis riscas-de-giz urbanas, esses trajes que conquistaram as manchetes eram, na verdade, calças com frente em avental; não obstante, provaram ser muito radicais para a maioria dos consumidores. Para as mulheres, desenhou vestidos apertados, de sutiã cônico e estilos sadomasoquistas. Também combinou conjuntos masculinos a espartilhos e sutiãs ultraglamurosos, para criar um visual poderoso, mas *sexy*, posteriormente promovido pela estrela pop Madonna, na sua turnê mundial de 1990. Gaultier faz amplo uso de fibras artificiais, inclusive imitações de couro, peles falsas, náilon, metal e borracha. Seu trabalho explora a transgressão sexual e ele utilizou

244. Claude Montana, outono/inverno, 1986-87. Famoso pelo senso de dramaticidade e por prover a armadura dos dias modernos, com sua silhueta formidável, Montana veste suas modelos em calças de couro, suéteres de gola alta, casacos com ombros ultralargos, cintura apertada com cintos de couro, e sapatos de salto-agulha.

45. Os modelos de Yves Saint Laurent eram sinônimos de glamur e, no fim da década de 1980, ele criou conjuntos sedutores, com jaquetas decorativas, de ombros destacados, usadas com saias bem curtas. Datado de 1988, este conjunto tem uma jaqueta justa, com um atraente padrão de flores e folhas, e uma saia [...]. Acessórios impecáveis – escarpins de salto alto, luvas e chapéu com aba decorado com flores – completam o visual refinado.

regularmente modelos que desafiam as noções convencionais de beleza.

No fim da década de 1980, Thierry Mugler havia trazido um rumor de excitação às coleções parisienses e estabelecido uma reputação de modernidade inflexível, inspirada em imagens futuristas e tecnológicas. Seus trajes de contornos duros exageravam a feminilidade, ao passo que os de Azzedine Alaïa celebravam os contornos femininos naturais. Carinhosamente descrito pela imprensa de moda como "the king of cling", Alaïa criou vestidos e conjuntos com consciência de corpo em *lycra* preto-fosco e couro, com costuras provocantes e um uso inventivo de zíperes. Os vestidos elásticos, plissados e drapeados de Emanuel Ungaro, de meados da dé-

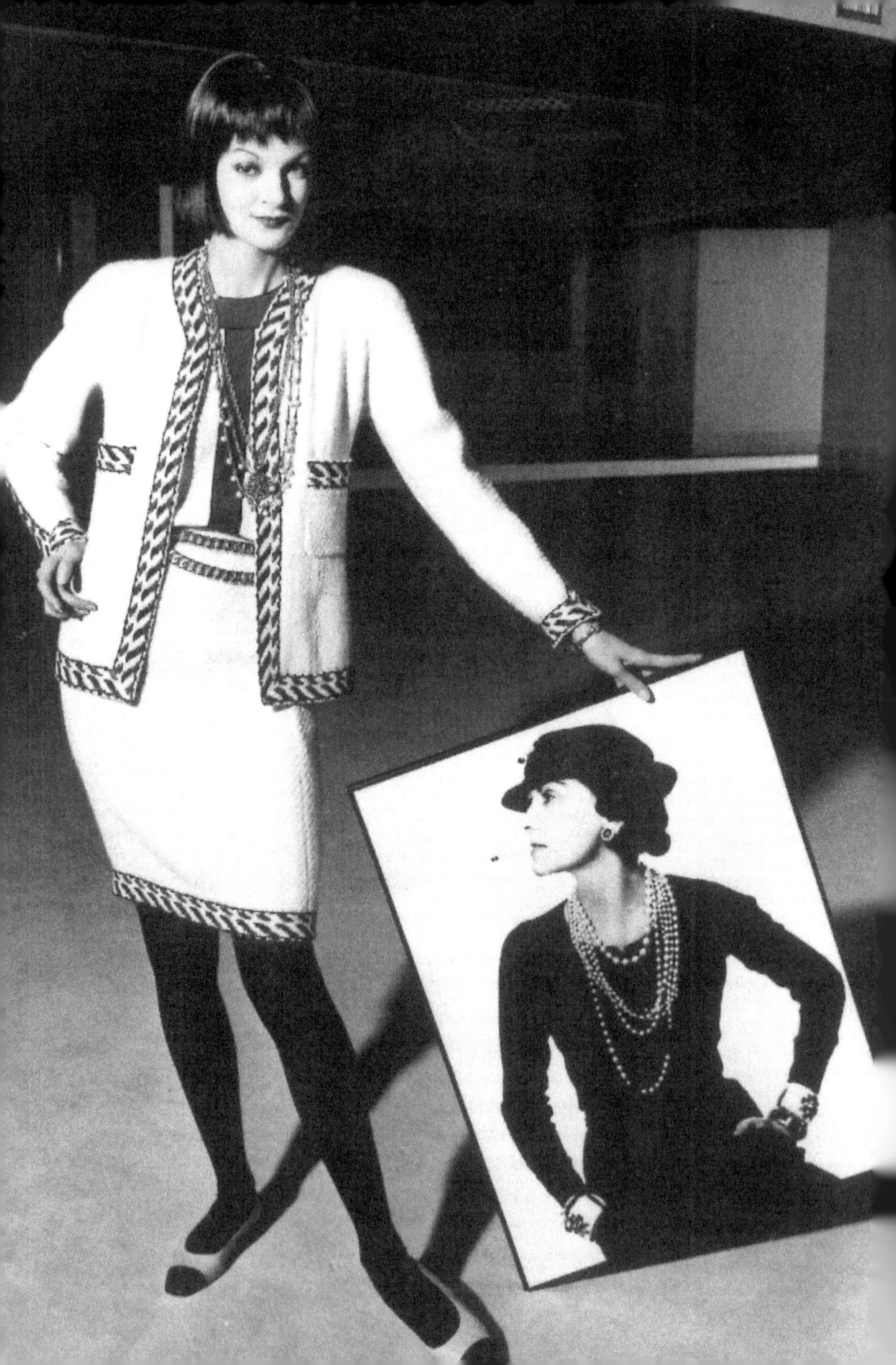

46. *Página ao lado*. Karl Lagerfeld para a Chanel, coleção de alta-costura "Chanel-Chanel", outono/inverno, 1986. Lagerfeld retrabalhou o conjunto em estilo cardigã, assinatura de Chanel, em *tweed* marfim com lançado duplo e uma abundância de jóias falsas.

47. *Acima*: Christian Lacroix, coleção de alta-costura, outono/inverno, 1987-88. Vestido com corpete em linha e xale sobre renda preta e saia curta, listrada, estilo crinolina, inspirada pela moda do século XVIII e pela moda regional francesa.

cada de 1980, eram vistosos e sensuais, ao passo que os trajes de ombros largos de Claude Montana, que incluíam sobretudos de couro inspirados nos uniformes militares, faziam uma afirmação mais agressivamente vigorosa. Yves Saint Laurent continuou a ser um líder na década de 1980, com coleções que pagavam tributo às belas-artes e aos elementos exóticos de culturas não ocidentais, exibindo um talhe meticuloso, incluindo variações sobre seus famosos conjuntos "smoking".

Em 1983, com a nomeação de Karl Lagerfeld como consultor de *design*, a Casa Chanel despiu a imagem um tanto antiquada que adquirira durante os doze anos seguintes à morte da fundadora. Desde o início, Lagerfeld retrabalhou os modelos de Chanel em uma linguagem inteiramente contemporânea e, à medida que a década avançava, permitiu que suas leituras do estilo Chanel se tornassem cada vez mais irreverentes. Com grande aprumo, trouxe humor e modernidade à casa, ao mesmo tempo que satisfazia os gostos mais clássicos de algumas de suas clientes. Em 1984, além de desenhar para a Chanel e a Fendi, Lagerfeld também começou a trabalhar sob o próprio nome.

A nova casa de costura de Christian Lacroix foi aberta em 1987, patrocinada por Bernard Arnault, proprietário da Financier Agache e presidente do conglomerado francês de artigos de luxo LMVH (Louis Vuitton Moët Hennessy). Lacroix, que se diplomara em história da arte e museologia, foi empregado inicialmente para fazer esboços de moda, tornando-se depois assistente na Hermès e na Guy Paulin e, a partir de 1981, diretor artístico e estilista na Patou. Ele fez sua primeira mostra de alta-costura sob o próprio nome em julho de 1987 e introduziu uma linha de *prêt-à-porter* em março de 1988. Lacroix trabalha na grande tradição, criando trajes de corte intrincado, em tecidos de luxo enfeitados com contas, borlas, tranças, flores de tecido, rendas e bordados feitos à mão, dando sustentação e investimento a ofícios auxiliares e, em alguns casos, agonizantes. Seus modelos exuberantes provêm de uma série eclética de fontes, que incluem sua infância na Provença, o traje histórico e os estilos de rua londrinos.

No início da década de 1980, a Austrália produziu uma onda de estilistas talentosos. Os modelos de Adele Palmer e de Stephen Bennett e Jane Parker para a Country Road tinham certa relação com tendências européias, mas receberam um estilo mais relaxado. Havia visuais menos ortodoxos de um grupo de *designers*-artistas, entre eles Linda Jackson, que usava tecidos com estampas coloridas em formas ousadas, e Jennie Kee, que fazia peças de tricô em camadas com padrões abstratos poderosos, em tons vívidos. Os longos verões tropicais e inúmeras praias da Austrália criaram setores de mercado essenciais para roupas de lazer e esporte. A Speedo assegurou um mercado internacional em Nova Gales do Sul para roupas de banho dinâmicas e peças avulsas de praia e exercício em cores brilhantes. Os jovens praticantes de *surf* e *windsurf* personalizavam suas roupas e iniciaram tendências em roupas de praia. Roupas protetoras usadas no interior do país, inclusive o uniforme de criador de gado, com calças e camisas de molesquim duro, usadas com chapéus e botas de pele de canguru, também influenciaram a moda urbana. R. M. Williams produziu trajes ocupacionais fortes, sob o *slogan* "The Original Bushman's Outfitters", e seu casaco de tecido impermeável, com capa de ombro, projetado especificamente para as asperezas climáticas e físicas do agreste australiano, foi adotado como traje de moda em Londres, Paris e Nova York. Eventos nacionais como a Copa de Melbourne sustentaram chapelarias inventivas.

248. Chanel Couture, outono/inverno, 1986-87. Este vestido de noite longo e refinado, como corpete bordado, usado com luvas longas, é uma reminiscência dos modelos de Chanel na década de 1930. Com a tendência da década de 1980 para estilos históricos, está perfeitamente adaptado para um evento formal à noite.

Na Itália, o *boom* da moda continuou em todos os níveis. Enquanto estilistas de primeira linha estabeleciam o ritmo estilístico em Milão, fabricantes italianos eram contratados para fazer *prêt-à-porter* para o resto da Europa, inclusive para eminentes casas parisienses e estilistas sediados em Londres. A moda é a terceira maior indústria da Itália, e companhias de moda poderosas, como Basile, Complice e MaxMara satisfizeram o crescente mercado do visual italiano encomendando modelos de nomes estabelecidos e contratando novos talentos (muitos deles vindos de escolas de arte britânicas). Em meados da década de 1980, um grupo seleto de multimilionários da alta moda era festejado como celebridade. Entre eles, destacavam-se Gianni Versace e Giorgio Armani, que vieram a representar as duas faces da moda italiana – Armani defendendo estilos clássicos

249. Lãs e sedas de alta qualidade foram cruciais nas peças avulsas, de linhas suaves, de Giorgio Armani, que incluíam paletós desestruturados, de feitura impecável. Ele tinha uma preferência por listras, xadrez e texturas sutis em cores discretas. A grife foi associada a conjuntos urbanos de visual imponente e masculinizado para mulheres, e a conjuntos mais informais, campestres, como este paletó de tamanho generoso e ombros largos, usado sobre uma blusa de seda de decote redondo e saia franzida em xadrez largo. Primavera/verão, 1986.

e discretos, e Versace explorando modelos glamurosos, com consciência de corpo.

Armani começou a carreira desenhando roupas masculinas para Nino Cerruti. Com sua primeira coleção independente, em 1975, indicou que seu objetivo principal era criar roupas elegantes para uma clientela rica. Centrais no conceito de *design* de Armani, para homens e mulheres, eram paletós de talhe folgado, espaçoso, que conseguiam suas formas suaves e relaxadas dispensando, tanto quanto possível, entretelas e forros. O típico, e muito copiado, paletó drapeado Armani tinha ombros largos e lapelas longas, abotoado na cintura, ou pouco abaixo, por um único botão. De seu

250. Giorgio Armani deu aos conjuntos urbanos uma elegância descuidada que foi bem recebida pelos jovens executivos. Apesar de reter a formalidade metropolitana e as tradicionais listras de banqueiro, este conjunto (outono/inverno, 1987-88), com as famosas lapelas longas e largas de Armani (que lembram a década de 1930), tinha um ar confortável.

tempo com Cerruti, Armani trouxe uma apreciação altamente sintonizada de têxteis finos. Ele introduziu lãs texturizadas e misturas de tecidos contrastantes e persuadiu os homens a abandonarem os impiedosos cinzas, negros e azuis dos ternos urbanos pelos mais suaves marrom e bege. Richard Gere ajudou a levar os modelos informais, porém chiques, de Armani a um público internacional no filme de 1980, *American Gigolo*. Armani evitava malabarismos e recusava-se a satisfazer os caprichos de um mercado adolescente – sua única concessão aos consumidores mais jovens foi vender linhas um pouco mais baratas nas lojas Emporio Armani, lançadas em 1981. Ao mesmo tempo, criou os *jeans* Armani e, um ano depois, as fragrâncias Armani. Em 1983, acreditando que o burburinho das mostras de moda, com sua ênfase em supermodelos, ameaçava alienar os compradores, ele assumiu o risco de exibir suas coleções em mostras estáticas, não na passarela. Junto com Versace e Gianfranco Ferre, Armani foi um pioneiro na tendência de meados da década de 1980, compartilhada por ambos os sexos, de conjuntos de linho.

Depois de trabalhar por cinco anos como estilista autônomo, Gianni Versace entrou no negócio com a irmã, Donatella, e o irmão, Santo, e lançou sua primeira coleção em 1978. Logo estabeleceu a reputação com roupas de noite *sexy* e brilhante, que atraíam *socialites* e atrizes. Cada temporada trazia novas notas de ousadia e osten-

251. No início da década de 1980, Gianni Versace era fascinado por roupas feitas de extensões de tecido sem trabalho de alfaiataria – muitas vezes delicadamente torcido e amarrado ao redor do torso. Suas investigações culminaram na coleção "Nonchalance de Luxe", primavera/verão, 1981. Os marrons e verdes foram tirados de cores naturais da terra e das plantas, com formas confortáveis, suavemente enroladas, plissadas e franzidas inspiradas nos trajes tradicionais da Índia e da Turquia. Os quadris enrolados em echarpes estreitas sob cintos com pendões, uniam os modelos. A justaposição de materiais – couro, seda, algodão e fio dourado – era característica de Versace.

1976-1988: SEDIÇÃO E CONSUMISMO **251**

tação. Essas afirmações teatrais e ocasionalmente vulgares muitas vezes eclipsaram seus modelos de trajes de dia, mais contidos, que incluíram, durante toda a década de 1980, conjuntos de tipo executivo em maleáveis couros de luva e lãs leves. Versace era fascinado pela tecnologia e, no início da década de 1980, fez experiências com trama de alumínio, feita sob sua especificação, que ele drapeou junto aos contornos do corpo em cintilantes vestidos de noite. Ele investigou as possibilidades de usar *laser* para soldar costuras e de produzir malhas através do desenho auxiliado por computador.

Os Missonis continuaram a produzir suas malhas características. Embora a procura houvesse atingido um pico no início da dé-

252. Missoni, outono/inverno, 1983-84. Exibindo a magistral síntese de padrão, textura e, acima de tudo, cor, o estilista, nesta coleção, adotou o tema do "homem, o caçador". Derivando elementos dos trajes folclóricos da Europa central, os modelos enormes, quase andróginos, usados em camadas, estavam perfeitamente afinados com as tendências correntes. Ilustração de Antonio.

cada de 1970, uma década depois, seus modelos foram reconhecidos como clássicos e sua pesquisa e desenvolvimento constituíram um exemplo para os estilistas emergentes.

Enquanto Armani e Versace voltavam-se para pessoas conscientemente sofisticadas, um novo talento, Franco Moschino, estava começando a criar roupas que zombavam de toda a idéia de alta moda. Moschino começou como ilustrador e, então, juntou-se à companhia de roupas italiana Cadette, antes de apresentar sua primeira coleção independente, em 1983. Inspirado nos surrealistas, ele dominou a arte de transformar um traje aparentemente inócuo em um comentário ambulante desmascarando a indústria. Ele atacou as vítimas da moda e zombou de grifes famosas. As piadas de Moschino, como seus anúncios fortes, sempre foram bem executadas e as roupas com sua grife eram caras e de feitura imaculada. Sempre um homem de negócios, assegurou que seu nome atravessasse a maioria de seus modelos. Sua refrescante irreverência valeu-lhe o título de "menino mau da moda italiana", mas também furou os aspectos mais hipócritas dos estilos dessa década.

Em contraste com as roupas impudentes, "upfront" de Moschino, os modelos de Romeo Gigli eram opulentos e românticos, incorporando referências sutis a estilos históricos. Educado como arquiteto, Gigli exibiu sua primeira coleção em 1983. Sua paleta ia de tons opalescentes a nuanças ricas e profundas, e ele empregou uma variedade de têxteis artificiais com novos acabamentos texturizados, além de fibras naturais para obter trajes de forma sensual. Um expoente das linhas suaves, tornou característico o uso de trajes de cintura alta, com corpetes cruzados drapeados, construídos assimetricamente, saias em forma de casulo afinando-se na direção da bainha. Seu trabalho ofereceu a jovens profissionais uma bela alternativa ao visual executivo, de contornos duros, que havia começado a surgir na segunda metade da década de 1970.

Para as mulheres nos anos competitivos da década de 1980, o equivalente do visual executivo era o "power dressing". O perfil arquetípico da década, de ombros largos, teve seus defensores mais entusiastas entre os italianos e os americanos. Os paletós muitas vezes eram trespassados, embora as calças se tornassem gradualmente mais aceitáveis no local de trabalho, o conjunto com saia continuou a ser a opção mais segura. As séries de televisão americanas, *Dallas* e *Dinastia*, transformaram em culto a mulher dominante, de ombros largos e maquiagem pesada.

Apesar de ocasionalmente acusados de sobriedade, os estilistas americanos orgulhavam-se justificadamente de sua habilidade em

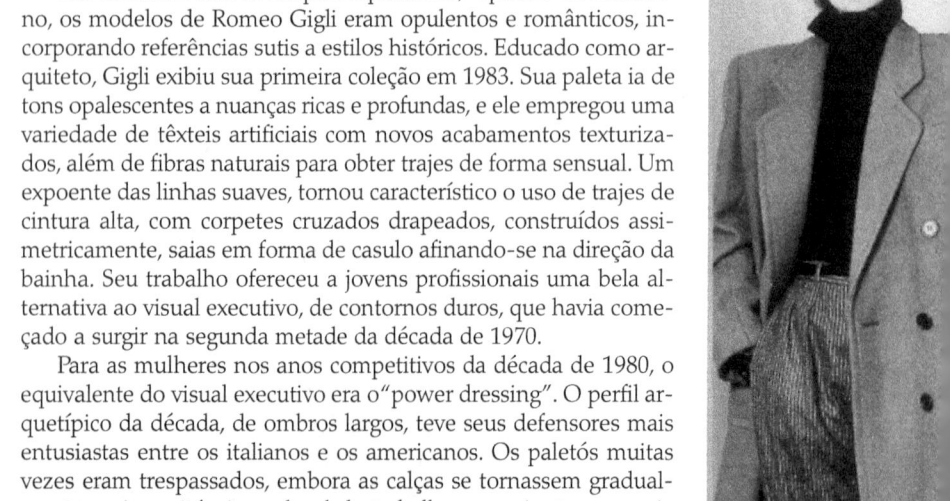

253. *Página ao lado*: Calvin Klein dava preferência a um minimalismo clássico, fazendo roupas que se ajustavam a muitas ocasiões. Seus modelos de 1980 eram chiques, práticos, fáceis de usar e feitos de materiais exclusivos. Um suéter com gola roulé extragrande foi conjugado a calças e, completando o visual seguro, um casaco de ombros largos, trespassado, que atualizava o tradicional casaco de pele de camelo.

254. No final da década de 1970 e durante toda a década de 1980, Ralph Lauren deu preferência ao visual comportado americano e ao visual da aristocrata inglesa na informalidade. Acreditava muito na eficácia de blusas imaculadamente brancas (esta com gola de babados) e gostava de conjugá-las a bons *tweeds* e suéteres de lã tricotados. Uma blusa Fair Isle, combinando com o cardigã, pende negligentemente da cadeira; uma saia plissada "sensata" e calçados "vovó" completavam o retrato de privilégio e boa criação.

fazer roupas adequadas para o crescente número de mulheres trabalhando fora de casa. Esses estilistas foram excelentes na criação de trajes clássicos, duráveis, que podiam ser intercambiados para conseguir variações estilísticas. As peças avulsas foram centrais na abordagem e a diversidade foi introduzida com a variação de silhueta, comprimento de saias e tecidos. Na *W*, Calvin Klein dava conselhos para um guarda-roupa de carreira chique, que envolvia apenas três paletós, três suéteres e um vestido, mas estes tinham de ser feitos de casemira, seda e couro caros, para dar "à mulher com autoridade e poder uma percepção de qualidade e estilo". A ênfase em geral recaía sobre conforto não restritivo combinado a elegância – o impacto final valia-se de uma boa toalete e de um físico saudável e dinâmico. A imprensa de moda americana recomendava que as mulheres americanas comprassem trajes importados do Japão ou da Europa se quisessem fazer afirmações ostensivamente teatrais.

Ralph Lauren e Calvin Klein ativeram-se à fórmula de *design* que lhes trouxera sucesso. Sempre insistindo na pureza da linha, Klein geralmente fazia, em cada temporada, apenas mudanças sutis de corte, cor, comprimento e proporção, embora na sua coleção primavera/verão de 1983 tenha abandonado a imagem americana esbelta em favor de roupas com sugestões pronunciadamente européias. De talhe preciso, eram cinturadas e tinham abas proeminentes. No mesmo ano, introduziu o que se tornaria uma série de roupas de baixo de sucesso fenomenal. Os trajes femininos eram desenhados nas mesmas linhas dos masculinos e incluíam calcinhas com cinturas grossas, elásticas, com a marca bem aparente e *shorts* de boxeador com braguilhas. As campanhas publicitárias sexualmente sugestivas de Klein foram controvertidas e comercialmente eficazes.

Ralph Lauren permaneceu fiel ao seu visual inglês, aristocrático, de boa venda, mas ampliou suas fontes, de maneira que incluísse o estilo "Ivy League" e o folclore americano. Particularmente influente foi o estilo "Novo Oeste", que cresceu a partir de suas impressões do Novo México. Também conhecido como *"chic* reserva índia", abrangia suéteres Santa Fé, de padrões vistosos, feitos a mão, com cintos, sobre longas saias de camurça, sob os quais eram visíveis anáguas brancas com babados. O objetivo de Lauren era dar a homens e mulheres roupas que anunciassem seu sucesso e, para esse fim, criou todo um mundo e uma filosofia Ralph Lauren, empacotando um estilo para o lar e a família em sua loja principal na Rhinelander Mansion, em Nova York, aberta em 1986.

Duas mulheres sediadas em Nova York, Donna Karan e Norma Kamali, alcançaram proeminência na década de 1980. Formada na Parsons School of Design, Donna Karan começou a carreira como assistente de Anne Klein, e assumiu após a morte de Klein, em 1974. Junto com seu sócio estilista, Louis Dell'Olio, estabeleceu uma reputação de bom estilo nova-iorquino – clássicos intercambiáveis que eram ideais para o escritório e chiques o suficiente para serem usados à noite. Karan produziu a primeira coleção com grife própria em 1985. Ela compreendia as exigências de profissionais ocupadas e oferecia-lhes "sofisticação da cidade grande" combinada com características práticas. Havia casacos largos, enrolados sobre conjuntos, saias tipo cachecol, ajustáveis, e colantes com blusas que não saíam para fora das roupas. Seu objetivo era servir mulheres que tinham pouco tempo para comprar, oferecendo-lhes linhas padrão em preto, branco e tons neutros, com notas opcionais de cores mais vivas. Desde o início, incluiu acessórios em sua abordagem dos pés à cabeça, declarando que "toda a minha coleção baseia-se em opções e flexibilidade".

Os modelos de Norma Kamali tinham uma atração mais louca e mais jovial. Após diplomar-se no Fashion Institute of Technology, ela abriu uma butique em Nova York com o marido, em 1968. Seu divórcio, em 1977, originou o título de sua nova butique, OMO (On My Own – Sozinha, por conta própria), notada pelo interior de concreto e pelos arranjos de vitrine espetaculares. A partir dessa base, ela vendeu modelos extrovertidos, que atraíam uma clientela de celebridades. Seu trabalho foi aventuroso; ela produziu as primeiras *hot-pants* de Nova York e tornou-se conhecida pelos casacos acolchoados, tipo "saco de dormir". Em 1981, para o Jones Apparel Group, Kamali levou o humilde moletom das pistas para a alta moda, com sua influente série de abrigos em preto, cinza, rosa e azul-pálido. Ela fez *tops* curvos, com abas atrevidas e grandes ombreiras, e conjugou-as com pequenas saias *rah-rah*, inspiradas nos trajes das animadoras de torcida, ou com perneiras cortadas como culotes, com longos debruns que iam até os joelhos. A cópia de tais modelos era fácil e barata e logo as cadeias de loja estavam vendendo versões produzidas em massa, em belos tons pastéis e, o mais vendido de todos, cinza. Essa roupa de atividade foi personalizada dispondo *tops* de algodão que caíam displicentemente sobre os ombros, mas eram sustentados por profundos cintos de couro. O sucesso das linhas de lazer quase eclipsaram o resto de seu trabalho, que ia de sofisticados vestidos de noite a provocantes trajes de banho.

Um estilo jovial similar marcou o trabalho de Perry Ellis, conhecido como o Mr. Pop da moda americana. Ellis entrou na indústria por meio do varejo e produziu sua primeira coleção individual em 1978. Seu objetivo era vender afirmações audaciosas, incomuns, que atraíssem clientes jovens, e ele fez seu nome com jaquetas e calças de tamanhos exagerados, saias volumosas e suéteres grandes. As malhas desempenharam um papel essencial em sua produção, indo de bustiês apertados a vestidos-suéter atarracados e de linha longa. Ellis vendeu *kits* de tricô e teve notável sucesso em 1984 com uma coleção de malhas inspiradas pelas vívidas pinturas e desenhos geométricos de Sonia Delaunay. Sua carreira foi abreviada pela morte prematura em 1986.

Além dos grandes nomes dos Estados Unidos, Nova York e Califórnia nutriram uma onda de estilistas de pequena escala que es-

255. Perry Ellis especializou-se no vestuário de lazer, muitas vezes empregando imagens figurativas chamativas e audaciosas e malhas jovens e divertidas. Em 1985, ela usou a rainha de copas para criar um divertido suéter de verão, sem mangas. Calças lisas, ligeiramente afuniladas e mocassins simples mantinham a atenção sobre o vigoroso desenho.

256. Norma Kamali criou trajes esportivos que eram, deafiadoramente, de alta-costura, mas também práticos e com liberdade de movimento. Este vivaz traje de sua famosa e muito copiada coleção "Sweats", primavera, 1981, tem muitas de suas marcas características – ombreiras grandes, uma bela sainha estilo peplo, franzida na cintura caída, e calças volumosas, presas abaixo do joelho. A malha de algodão com forro absorvente era o padrão para todos os praticantes de esporte, mas Kamali acrescentou uma nova dimensão ao abrigo esportivo.

tavam livres dos ditames financeiros das grandes corporações e podiam dar-se ao luxo de assumir riscos em conceitos não convencionais e técnicas de artesanato com mão-de-obra intensiva. Em Nova York, Marc Jacobs e Stephen Sprouse destacaram-se nesse grupo de estilistas inventivos e, por vezes, iconoclastas. Embora a Califórnia não estivesse no circuito internacional de coleções, ela sustentou uma importante indústria de vestuário na corrente principal da moda, com produtores em San Francisco e Los Angeles, especializados em roupas esportivas e de lazer. Além de importantes figuras da alta moda, como James Galanos, e companhias inovadoras de *prêt-à-porter*, como a Esprit, o ambiente da costa oeste forneceu inspiração para que artesãos/artistas fizessem trajes e acessórios em edições limitadas. Uma extensão sofisticada do movimento de arte"usável", que começou em meados da década de 1970, seus expoentes vendiam peças exclusivas que iam de intrincados sapatos multicoloridos de Gazaboen a quimonos de seda estampada de Ina Kozel. Enquanto a costa leste promovia vínculos com a indústria européia, a Califórnia – na orla do Pacífico – explorou o eixo cultural Tóquio-Hong Kong. As economias do mundo foram sacudidas pelo *crash* do mercado de ações na segunda-feira negra, em 19 de outubro de 1987. Isso ocasionou uma queda no comércio de moda e teve repercussões estilísticas significativas no *design* de moda.

Jean Paul GAULTIER

9. 1989-1999
A MODA GLOBALIZADA

Durante os anos de recessão do início da década de 1990, houve uma reação contra o consumo ostensivo que caracterizara a década anterior. O termo "estilista" começou a ser usado pejorativamente, para resumir tudo o que houve de arrogante na década de 1980. À medida que a vida social se tornou mais restrita e as economias debilitadas limitavam as disponibilidades de salário, as vendas de roupas de alta moda caíam. O destino das casas de costura foi atingido ainda pela Guerra do Golfo, que interrompeu o lucrativo comércio com os emirados árabes e também levou a uma queda nas vendas de perfumes isentos de impostos. Como no período de crise de fins da década de 1960, o *design* de roupas começou a refletir um interesse geral pela ecologia e pela espiritualidade, e muitos estilistas foram buscar inspiração em comunidades cujos trajes e adornos corporais não eram moldados por tendências internacionais de moda.

Aceitou-se por muito tempo que os estilos vão das passarelas para a corrente principal da moda, mas, por muitos anos, também houve indícios crescentes do processo inverso. Ecos da "rua" já haviam sido visíveis na alta moda ao longo das décadas de 1970 e 1980, mas, do início a meados da década de 1990, as coleções começaram a ficar repletas de referências a uma série eclética de subculturas do passado e do presente. Estas incluíam o estilo *hippie* de Dolce & Gabbana, o B-Boy e Surf de Karl Lagerfeld para a Chanel, o rastafári de Rifat Ozbek, o Ragga de Calvin Klein, o *teddy boy* e o *mod* de Jean-Paul Gaultier. As tatuagens e os *piercings* de rosto e corpo também tornaram-se parte da corrente principal da moda.

Logo no início da década, os estilos *punk* e *hippie* foram combinados e originaram o visual *grunge*. O *grunge* foi um estilo colorido, amarfanhado, no qual roupas de fabricação doméstica, personalizadas ou de segunda mão eram usadas em camadas, complementadas (em ambos os sexos) por pesadas botas militares. Tinha suas raízes nos grupos pop de Seattle, Nirvana e Pearl Jam, e, em muitos aspectos, foi uma reação contra a sociedade aquisitiva da década de 1980. O *grunge* foi especialmente influente nos EUA, onde o visual foi interpretado para um mercado jovem por Anna Sui e Marc Jacobs, e recebeu variações clássicas de Donna Karan e Ralph Lauren.

257

257. Ilustração da coleção primavera/verão de 1991, de Jean-Paul Gaultier. Gaultier continuamente desafia e enfraquece as concepções ortodoxas de roupas para os sexos (ele introduziu sua linha masculina em 1984). Observe a similaridade de modelo destes trajes, que revelam influências da subcultura *rocker*, da alfaiataria urbana e do vestuário etnográfico.

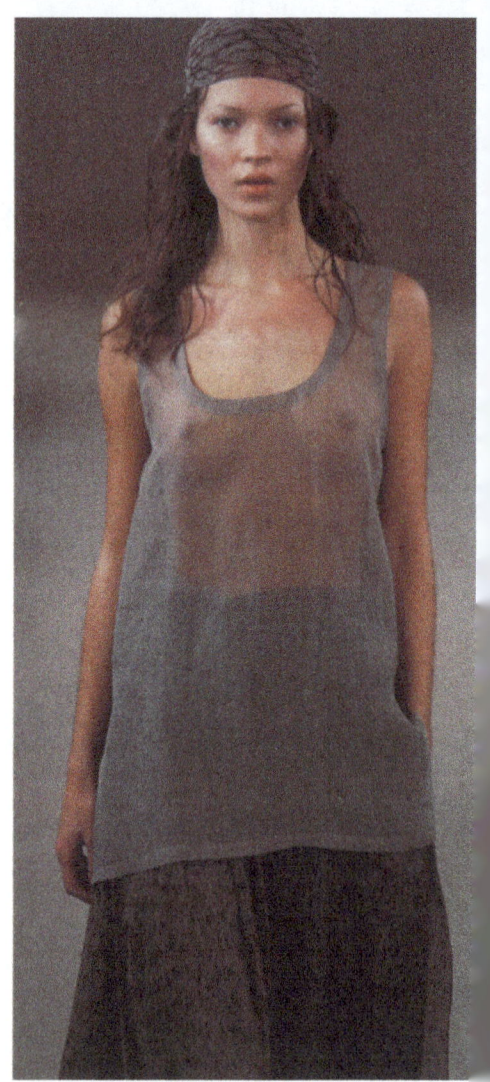

Na Grã-Bretanha – o lar do *negligent chic* – elementos *grunge* fundiram-se ao traje do "viajante da Nova Era", nas ruas e na indústria de moda. Nenhum desses estilos foi particularmente bem-sucedido entre os consumidores de alta moda, cujo estilo de vida exigia trajes mais formais, e que – não surpreendentemente – recusaram-se a pagar preços de passarela por um visual de loja de caridade.

As interpretações de tradições de vestuário não-ocidentais assumiram muitas formas na década de 1990. Fontes chinesas e japonesas inspiraram o corte e a decoração de modelos de Valentino, Alexander McQueen e John Galliano. Versace adaptou o sari; Ro-

1989-1999: A MODA GLOBALIZADA **261**

258. *Página ao lado, esquerda*: inspirado pela dança e pelo vestuário clássico, Romeo Gigli criou este sensual vestido para a temporada outono/inverno 1989-90. Tem como características um corpete assimétrico envolvendo o corpo e uma saia fluida.

259. *Página ao lado, direita*: Calvin Klein, primavera/verão 1993. Klein apresenta sua própria marca de antimoda de elite, a antítese do *power dressing* da década de 1980. Kate Moss apresenta-se em estilo "grunge", com cabelos desarrumados e rosto aparentemente sem maquiagem, mas, sempre um gênio comercial, Klein produziu peças avulsas evidentemente usáveis, que capturam a voga de tecidos diáfanos e etéreos.

260. Issey Miyake, primavera/verão 1994. A linha "Pleats Please", de poliéster levíssimo, lavável em máquina, antiamarrotagem, introduzida em 1993, foi um sucesso instantâneo e mostrou ser ideal para viagens. Apesar de familiarizado com a forma de vestuário do Ocidente, este traje cilíndrico é esculpido em torno do corpo e dispensa a forma tradicional, com um lado à frente e um lado de trás. Brilhantemente multicolorido, sugere lanternas de papel e dobraduras de *origami*.

meo Gigli criou fantasias orientais à maneira dos balés russos, e Rifat Ozbek produziu interpretações românticas do vestuário da Turquia, onde nasceu. A partir de meados da década, vários estilistas fizeram a sua versão da *shalwar kameez*, o traje tradicional de homens e mulheres no Paquistão, composto de uma longa camisa e de calças presas no tornozelo. Vários observadores culturais sugeriram que a comercialização de vestuário étnico autêntico no Ocidente reduzia as culturas não-ocidentais a pouco mais que a última afirmação de moda. Alguns estilistas, porém, notavelmente Issey Miyake, o iraniano Shirin Guild, e o indiano Asha Sarabhai, conseguiram evitar o pastiche e a nostalgia retrabalhando as suas tradições culturais de vestuário em um estilo reducionista que resultou em roupas modernas, funcionais e, em muitos aspectos, transculturais.

Em conformidade com o espírito mais despojado da década de 1990, muitos homens (muitas vezes retratados pelos veículos de comunicação como "novos homens" – sensíveis e atenciosos) descartaram seus "power suits" quadrados e de ombros largos em favor de trajes mais suaves, de talhe mais sutil, com ombros em declive e um ajuste longo e esbelto. Paletós não trespassados dominaram, e o estilo Nehru, mais informal, também entrou na moda. No Reino Unido, muitos alfaiates importantes entram no mercado de roupas sob medida, levando a um acentuado aumento na procura por conjuntos personalizados entre jovens com consciência de moda. Inversamente, os EUA lideraram a tendência para o despojamento no local de trabalho e algumas companhias adotaram uma política de simplicidade permanente, que permitiu que roupas informais elegantes substituíssem o conjunto executivo.

A coleção de 1990 de Rifat Ozbek, New Age, toda em branco, de enorme influência, foi um exemplo perfeito do desejo de iluminação espiritual. Outros estilistas abraçaram ativamente questões ecológicas: Katharine Hamnett endossou tecidos e processos ecológicos e, em 1992, Helen Storey defendeu a reciclagem na alta moda. Para sua coleção Segunda Vida, Storey personalizou roupas de lojas de segunda mão e as vendeu juntamente com seus modelos ecléticos. Fibras naturais e padrões têxteis inspirados na natureza foram populares durante toda a década, e o cultivo do cânhamo – descriminalizado para fins têxteis – forneceu aos estilistas uma opção adicional para tecidos e fios. Calçados confortáveis e fortes – que incluíam sandálias Birkenstock, com solas de cortiça, botas de caminhada rústicas e vários estilos feitos com substitutos de couro – formaram um componente importante da moda ecológica. Valendo-se dessas tendências, a indústria de cosméticos desenvolveu uma série de produtos naturais e "botânicos".

As preocupações com questões globais tiveram paralelo nas angústias quanto ao bem-estar e à segurança pessoais. A companhia italiana Superga criou roupas à prova de balas, com máscaras de poluição embutidas, proteção contra chuva ácida e óculos infravermelhos para visão noturna. Lucy Orta, uma estilista conceitual, voltou-se para o conflito mundial e a destruição da vida urbana. Sua série Roupa de Refúgio, apresentada em 1992, exibia roupas multifuncionais para sobrevivência, que se adaptavam para formar tendas e sacos de dormir.

A partir do início da década de 1990, o movimento contra as peles, conduzido por grupos de pressão e apoiado por figuras públicas de destaque, perdeu parte de sua sustentação quando muitos estilistas usaram peles verdadeiras em suas coleções. A pele ar-

261

261. *Esquerda*: Rifat Ozbek celebrou a nova década com esta coleção "New Age", toda em branco, para a temporada primavera/verão de 1990 (sua última mostra londrina), que exibia influências de *turquerie*, das roupas dos clubes, das ruas e dos esportes.

262. *Direita*: Shirin Guild, primavera/verão, 1996. Inspirado no corte dos trajes masculinos iranianos e utilizando o que poderia ser descrito como minimalismo étnico, Shirin Guild criou um visual que poderia ser descrito como minimalismo étnico. Aqui o casaco *abba*, um traje sagrado, usado pelos homens no Irã, e as calças curdas foram traduzidos em lã marrom e conjugados com um colete quadrado e camisa azul-clara, criando um conjunto urbano moderno para os dias inclementes de verão.

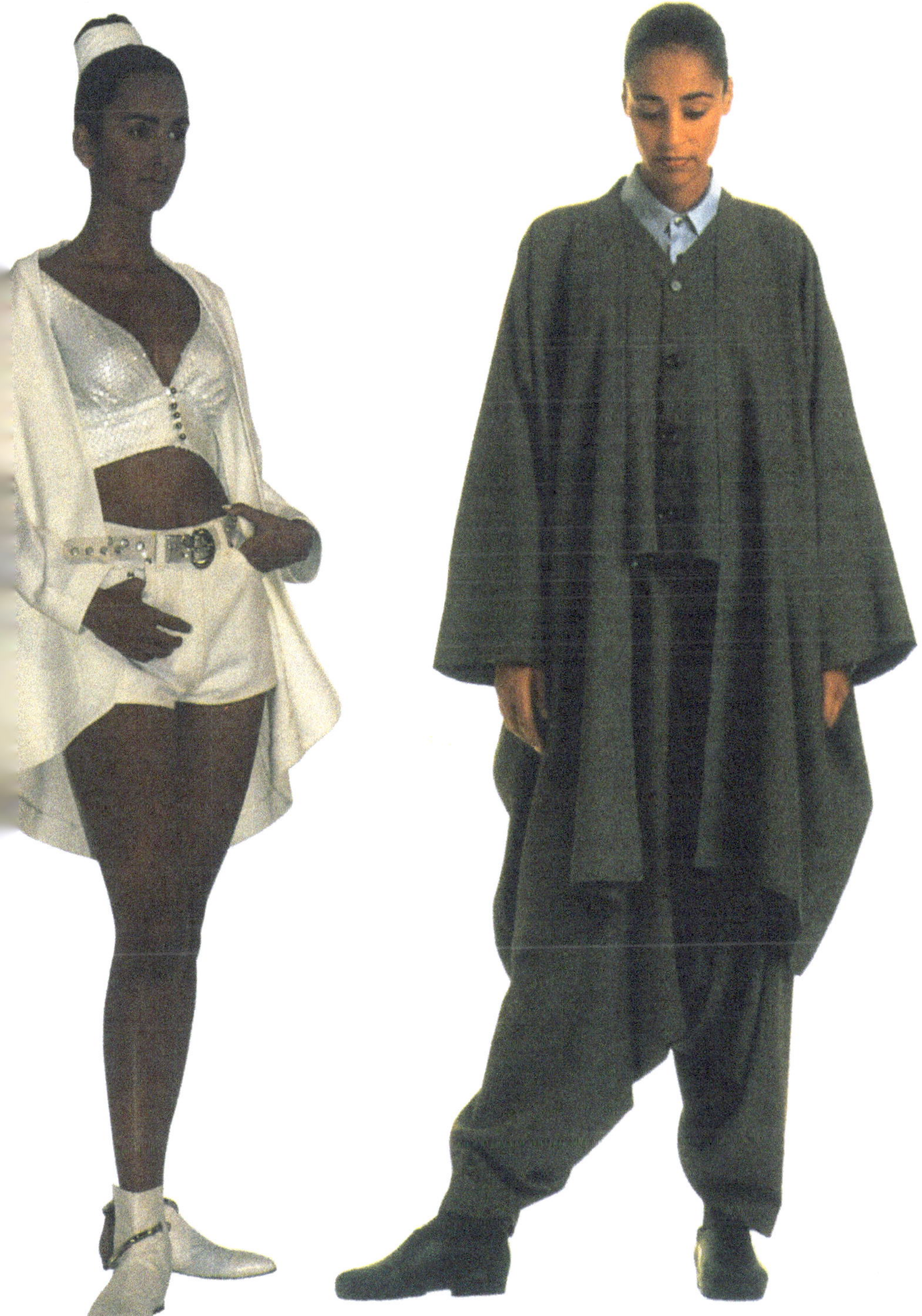

tificial permaneceu popular, embora os de convicção mais forte acreditassem que imitações realistas de peles também deviam ser banidas, já que podiam significar um desejo de usar o artigo genuíno. Em resposta à crítica, a indústria de peles assinalou que a pele sintética é inflamável, não é biodegradável nem tão quente quanto a pele verdadeira. Menos controvertidas foram as tendências de inverno de roupas acolchoadas e amolfadadas modernistas.

Do início até meados da década de 1990, os desenvolvimentos tecnológicos e um fascínio com o futuro deram origem ao que veio a ser conhecido como *cyber fashion*. Os trajes dessa tendência inspiravam-se no *punk*, na ficção científica, na realidade virtual, em filmes *cult* como *Mad Max* (1979, 1981, 1985) e personagens de quadrinhos para adultos. Roupas industriais e futuristas foram construídas com materiais nunca antes usados na moda, especialmente neoprene, polar fleece e microfibras de alto desempenho. As modas cibernéticas também encontraram inspiração na borracha, no PVC e no couro, amados pelos fetichistas, e em roupas e calçados esportivos especializados. Todos esses materiais e estilos alimentaram a corrente principal e a alta moda.

Um dos fenômenos de moda mais significativos da década de 1990 foi a promoção ativa das "supermodelos". A fama de Linda Evangelista (que "não saía da cama por menos de $ 10.000 ao dia"), Christy Turlington, Cindy Crawford, Claudia Schiffer, Naomi Campbell, Kate Moss, Stella Tennant e Honor Fraser, rivaliza com a de astros do cinema e do pop e fez muito para manter o interesse público pela alta moda. Contudo, de início a meados da década, a voga por modelos magérrimas provocou críticas da indústria ao ser ligada a distúrbios alimentares. O uso de modelos em fotografias feitas de maneira que sugerisse que essa extrema magreza se devia ao uso de drogas também foi condenada. Em 1997 e 1998, a preocupação da moda com modelos pré-adolescentes gerou preocupações adicionais.

A moda de fins do século XX continuou a ser uma indústria antes de mão-de-obra intensiva que de capital intensivo. Na ponta mais exclusiva do mercado, os costureiros exigiram as habilidades artesanais mais refinadas, intrincadas e demoradas na criação de seu produto. Desenvolvimentos tecnológicos como o desenho auxiliado por computador (CAD) e a produção auxiliada por computador (CAM) foram um presente para as indústrias de produção em massa e *design* de larga escala. Contudo, mesmo encomendadas por atacado eram desmembradas e subcontratadas com pequenas unidades de produção e trabalhadores terceirizados, que continuaram a proporcionar uma fonte de produção barata e flexível para um comércio notoriamente volátil. Embora a legislação tenha sido indubitavel-

53. Fendi, primavera/verão, 1992. Já conhecida pelos modelos de peles e malas, a Fendi apresentou uma coleção de prêt-à-porter em 1977, seguida, durante a próspera década de 1980, por séries de luvas, gravatas, artigos de papelaria, jeans, acessórios, perfumes e mais uma grife, a Fendissime. Aqui, Claudia Schiffer veste um elegante conjunto de verão de duas peças, com um ar de anos 1950.

54. Dolce & Gabbana, primavera/verão, 1992, vestido por Cindy Crawford. Parte do vocabulário da moda do século XX (e das belas-artes) foi a anexação do texto. Conhecida pela postura irônica, a dupla de estilistas usou uma estética de colagem para explorar o fetiche da moda por nomes de estilistas e clichês românticos.

mente melhorada desde o início do século XX, as indústrias altamente competitivas de moda e vestuário, no fim do século, ainda eram sustentadas por uma força de trabalho vulnerável e explorada.

Em períodos de recessão, os consumidores tornam-se altamente discriminadores, e bens de "investimento" de qualidade superior geralmente vendem bem, independentemente do preço. Embora, em 1990, um vestido de alta-costura custasse tanto quanto um carro esporte e um conjunto de alfaiataria tanto quanto um vôo transatlântico no Concorde, algumas mulheres continuaram a procurar vestidos luxuosos e de prestígio. Durante o início da década de 1990, porém, os clientes de alta-costura estavam em um ponto ineditamente baixo, com menos de duas mil pessoas. Não obstante, essas figuras, muitas vezes de destaque, sustentaram a indústria surgindo em eventos importantes usando roupas que promoviam um estilista específico.

Gianni Versace manteve sua posição como o homem que vestia os homens e as mulheres mais ricos e mais glamurosos do mundo – suas modas e campanhas publicitárias fetichistas e homoeróticas tiveram enorme influência. Em julho de 1997, o estilista foi assassinado diante de sua casa em Miami, e sua irmã e musa, Donatella, assumiu seu lugar como estilista. Três anos antes, Moschino também morrera; em 1993, um ano antes de sua morte, "Dez Anos de Caos", uma exposição retrospectiva em Milão, captou uma década de produção espirituosa. Giorgio Armani continuou a ser aclamado por

265. Roupa masculina de Giorgio Armani, fotografada por Peter Lindbergh. Com consumada desenvoltura, Armani fez a transição do estilo da década de 1980 para o visual despojado da década de 1990. Este modelo usa óculos escuros (um subproduto dos estilistas muito vendido) e peças avulsas talhadas em cores sutilmente contrastantes e tecidos texturizados. O cachecol acrescenta um toque displicente.

266, 267. *Página ao lado*: Dolce & Gabbana, primavera/verão, 1994. A dupla de estilistas muitas vezes afirmou que queria explorar o lado feminino do homem e o lado masculino da mulher. Esta coleção de sarongues, túnicas caneladas brancas, malhas de linho e linhos estampados, em camadas – com coletes por cima de saias – foi exibida por modelos descalços ou com sandálias em estilo bíblico. D&G estavam desenhando para uma nova clientela masculina, que definiram como viajante da alma, olhando para dentro de si para encontrar a resposta.

seus modelos discretos e estilosos. Dolce & Gabbana – a dupla de estilistas Domenico Dolce e Stefano Gabbana – trouxeram nova energia à moda milanesa com seus modelos glamurosos e *sexy*. Foram muito influenciados pelo romantismo apaixonado do sul da Itália e por imagens de filmes de Rossellini e Luchino, assim como por estilos subculturais e pela indumentária religiosa: para a temporada primavera/verão de 1994, sua coleção masculina homenageou os seguidores do Hare Krishna com sarongues conjugados a camisetas regata de algodão branco. As malhas geométricas coloridas de Missoni novamente foram notícia da moda de fins da década de 1990.

Desde o início da década de 1990, Paris usufruiu de um influxo de talentos da moda internacional, incluindo um círculo de novos estilistas radicais da Bélgica, diplomado pela Academia Real de Be-

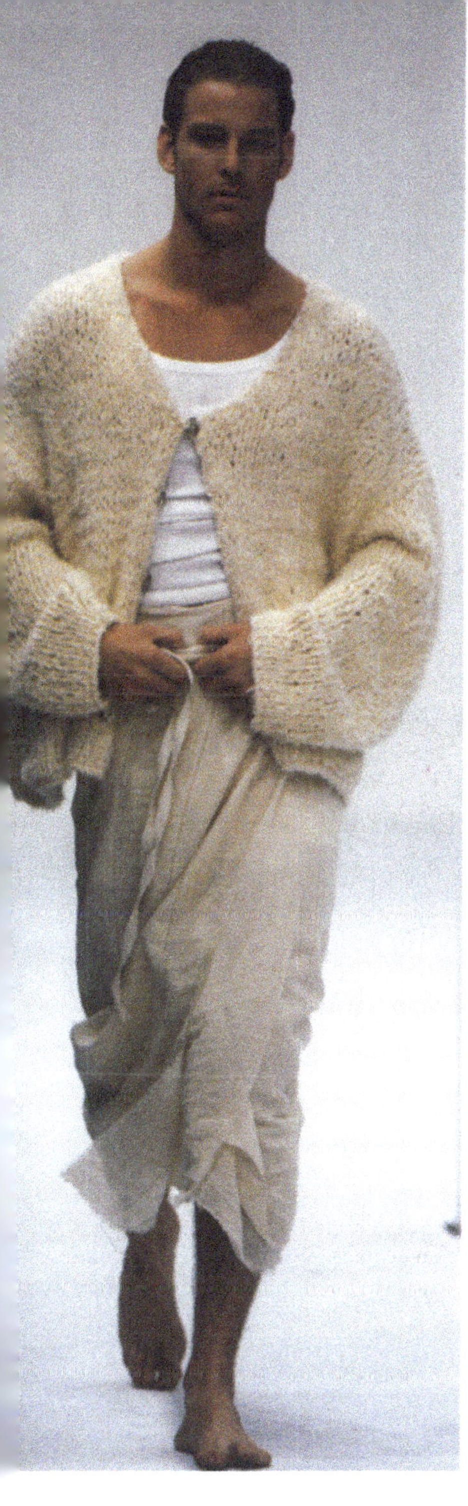
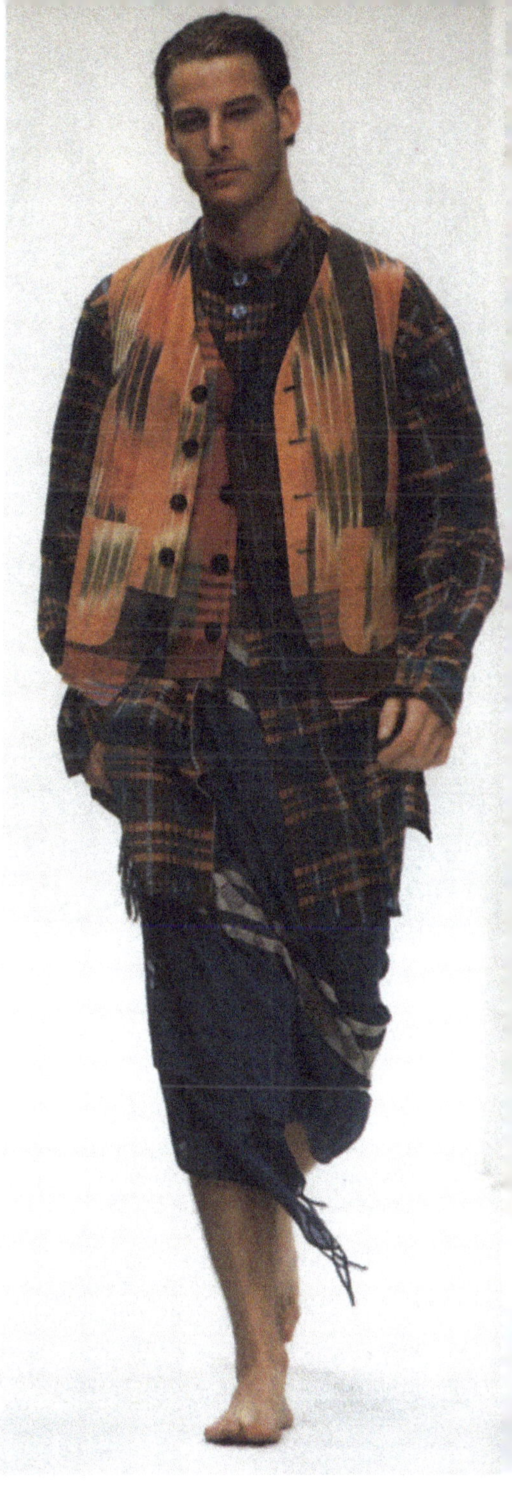

las-Artes, em Antuérpia. Talvez o mais conhecido deles seja Martin Margiela, que trabalhou como assistente de Jean-Paul Gaultier de 1984 a 1987 e exibiu sua primeira coleção parisiense em 1988, para a temporada primavera/verão de 1989. Margiela combina o bom talhe e o acabamento meticuloso a um visual de desordem artificial: os trajes parecem ter tido as mangas arrancadas e muitas vezes exibem bordas puídas meticulosamente criadas. Ann Demeulemeester começou a expor em Paris em 1992 e, como Margiela, dá preferência a uma paleta monocromática. Suas roupas fluidas, em camadas, são feitas em tecidos de alta qualidade, às vezes com texturas incomuns e pátina de antiguidade. Conhecido desde 1986 por suas inovadoras roupas masculinas, Dirk Bikkembergs enfatizou a versatilidade de seus modelos exibindo uma coleção de roupas unissex no inverno de 1995. Dries van Noten fez seu nome com coleções masculinas e femininas que revelam influências "étnico-urbanas".

268. Dries van Noten, primavera/verão, 1997. A moc de fins da década de 1990 estava repleta de referências internacionais, e os estilos asiáticos motivaram muitos dc modelos de Van Noten. Aqui, usando um grupo multirracial de modelos, ele combina jaquetas de alfaiataria contida, camisas e *tops* sem mangas, com saias de tecido diáfano, muitas usadas sobre calças, er um estilo que evocava a *kameez shalwar*.

1989-1999: A MODA GLOBALIZADA **269**

O estilista austríaco Helmut Lang apresentou suas roupas femininas em Paris de 1986 até 1998 (sua coleção para a temporada outono/inverno de 1998 foi exibida em Nova York) e suas roupas masculinas desde 1987. O que ele chama "moda não referencial" é composta de modelos descontraídos, resistentes e elegantes, que também são, sem concessões, contemporâneos. Outra modernista é Jil Sander, que já estabelecera uma empresa internacional para modas masculinas e femininas, pintura para os olhos, fragrância e cosméticos na Alemanha antes de começar a exibir suas roupas de talhe chique e característico em Paris, em 1993.

Vivienne Westwood continua a retrabalhar as tradições de costura britânicas e estilos históricos com uma combinação de irreve-

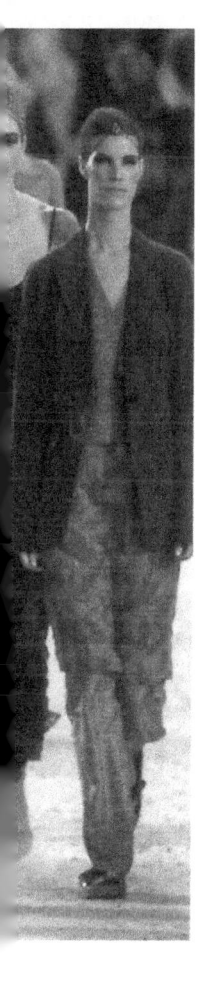

69. Vivienne Westwood, coleção "Anglomania", outono/inverno 1993-94. Da monarquia *punk* à costura de elite, Westwood explorou regularmente os tecidos de tartã e contribuiu para estabelecer a voga da década, de têxteis tradicionais feitos manualmente. Evangelista usa uma jaqueta de tartã de mohair, com uma saia de tartã contrastante, gravata, e uma minissaia que conjuga o *kilt* e *polonaise*. As meias de argyle e os famosos sapatos-plataforma de verniz preto de Westwood completam o traje.

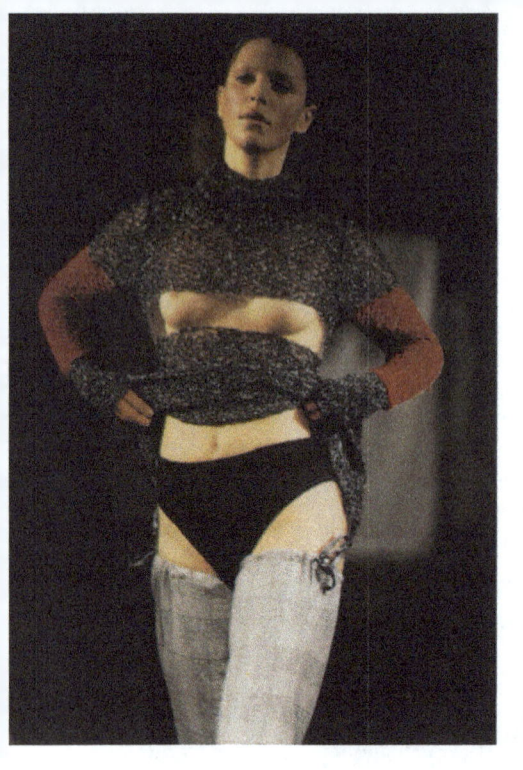

rência e sofisticação. Sua exclusiva grife, Gold Label, descrita como de semi-alta-costura e que oferece um serviço individualizado, quase que com padrões da alta-costura, é apresentada em Paris, onde Westwood expõe desde 1982. Sua grife de difusão e *prêt-à-porter*, Red Label, é exibida em Londres. Em março de 1998, ela introduziu a grife Anglomania – uma série mais barata de seus modelos de maior sucesso desde a década de 1970 –, que exibiu em Milão. Os famosos sapatos com solas de plataforma exibidos por Westwood como parte da coleção Mini-Crini, para a temporada primavera/verão de 1986 – e que saiu da passarela praticamente sob gargalhadas –, tornou-se uma expressão essencial nos calçados da moda na década de 1990.

A partir de meados da década de 1990 o comércio de alta-costura em Paris cresceu, resultado, em boa parte, de melhores economias e do astuto emprego, por Bernard Arnault, de jovens e impetuosos estilistas na revitalização de casas havia muito estabelecidas. Em 1996, Arnault nomeou John Galliano como diretor de criação da casa de Givenchy, onde o estilista cortejou uma clientela jovem com suas modas fantasiosas. No ano seguinte, Arnault passou Galliano para a Dior, reconhecendo que as criações femininas e românticas do estilista britânico eram uma evolução natural dos modelos do fundador da casa. Após muita especulação, Arnault anun-

270. Alexander McQueen, outono/inverno 1995-96. Exibida em uma passarela com urzes e samambaias, a coleção "Highland Rape" exibia roupas transparentes, rasgadas e aparentemente devastadas, muitas em tecidos de tartã. O desfile era um comentário sobre o que o estilista percebia como o estupro [*rape*] da Escócia pela Inglaterra durante as *Highland clearances*, apesar de ser erroneamente interpretada como uma referência ao estupro de mulheres.

271. Exibida em um autêntico ambiente de classe operária, no mercado de frutas de Londres, a coleção de McQueen para a temporada outono/inverno de 1997, "It's a Jungle Out There" [É uma selva lá fora] (título dado por Simon Costin), retratava os modelos "como guerreiros urbanos com instintos animais" usando trajes de couro justos, pontuados por chifres de carneiro retorcidos.

1989-1999: A MODA GLOBALIZADA **271**

ciou que Alexander McQueen, o pioneiro entre os talentos de moda britânicos da década de 1990, substituiria Galliano na Givenchy.

Antes de fundar a própria grife, McQueen estudou no Central Saint Martins College of Art and Design e conseguiu experiência na indústria trabalhando para Romeo Gigli e Koji Tatsuno, assim como para os alfaiates da Savile Row, Anderson & Sheppard e Gieves & Hawkes. Em fevereiro de 1993, a primeira coleção comercial de McQueen (para a temporada outono/inverno de 1993-94) foi apresentada em formato estático no Hotel Ritz de Londres. Fotografias do filme *Taxi Driver* foram estampadas em sobrecasacas e saias circulares de cetim *duchesse*, conjugadas a camisas de *chiffon* preto com mangas com 1,20 m de comprimento. Desde o início, McQueen revelou suas soberbas habilidades de alfaiataria e suas inteiramente originais e, às vezes, chocantes visões de moda. Sua coleção Highland Rape, para a temporada outono/inverno de 1995-96 – um comentário sobre as desocupações das terras altas escoce-

272. Chloé, primavera/verão, 1998. A homenagem de Stella McCartney ao auge da Chloé, em fins da década de 1960 e início da década de 1970 – uma combinação inebriante de vestidos étereos e *rock-chic* – capturou o estado de espírito de *haute bohemia* da moda de fins da década de 1990. A modelo usa uma camisa justa, de decote aberto, sobre um corpete e uma provocante saia justa desabotoada.

sas* do século XVIII –, exibia corpetes rasgados e correntes de ligação em T entre as partes da frente e de trás das saias. Calças "bumster" (com corte baixo na parte de trás para mostrar a linha das nádegas), sobrecasacas atrevidas, casacos em estilo militar, vestidos de renda e jaquetas de talhe apertado, com ombreiras em crescente, estão entre os seus muitos estilos poderosos e femininos.

A primeira coleção de alta-costura de McQueen para a Givenchy, apresentada em janeiro de 1997, foi inspirada na mitologia grega e tinha exóticos vestidos de deusa em *chiffon*, e vestidos do tipo gladiador em couro dourado brilhante. As coleções posteriores incluíam vestidos justíssimos de PVC, renda e couro e casacos compridos em pele de cobra tingida. McQueen desenha cinco coleções em cada temporada: alta-costura, *prêt-à-porter* e uma coleção prévia (com peças clássicas) para a Givenchy, mais as roupas masculinas e femininas para sua própria grife, que exibe com grande pompa em Londres. Para cada uma, ele combina, com sucesso, sua exclusiva veia criativa, conhecimento técnico e atração comercial.

Outras casas importantes também caçaram estilistas formados pelas escolas de arte britânicas. A casa Chanel empregou o estilista de malhas Julien MacDonald enquanto ele ainda estudava no Royal College of Art de Londres. Depois de se formar, MacDonald lançou sua própria linha de malhas tipo teia. O chapeleiro irlandês Philip Treacy, que também estudou no Royal College of Art, além de suas próprias linhas de artigos por encomenda e linhas de difusão, desenha para a Chanel e a Givenchy. Suas criações inovadoras e cheias de estilo revitalizaram o uso de chapéus na década de 1990. Em 1997, a casa Chloé nomeou a aluna do St. Martins, Stella McCartney, filha de Sir Paul e Linda McCartney, como sua nova estilista. Alexander McQueen e Julien MacDonald usaram em suas coleções acessórios e chapéus esculturais, modernistas e, às vezes, de aparência feroz do ex-ceramista Dai Rees, que lançou a própria grife em 1998. Os estilistas americanos também tiveram uma forte presença em Paris, como Michael Kors na Céline, Narciso Rodriguez, na Loewe, Alber Elbaz, primeiro na Guy Laroche e, a partir de 1999, na Yves Saint Laurent, Peter Speliopoulos, na Cerruti, e Marc Jacobs, na Louis Vuitton.

Apesar do destaque mais elevado da alta-costura em meados da década de 1990, são as coleções de *prêt-à-porter* – antes, o parente pobre da alta-costura – que são usadas hoje, mais do que nun-

---

* Processo de expulsão dos camponeses das terras altas da Escócia, de meados do século XVIII, após a derrota para os ingleses na Batalha de Aulloden, até meados do século XIX. (N. do R. T.)

ca, para promover bens licenciados. Por sua vez, linhas de difusão mais baratas, que eram pouco promovidas na década de 1980, agora aparecem nas passarelas. A indústria americana foi especialmente rápida para reconhecer e reagir à natureza mutável do mercado e teve enorme sucesso na produção de inúmeras séries de difusão e na adaptação de linhas que já existiam às circunstâncias presentes. Ralph Lauren cria mais de vinte linhas de roupas, a linha DKNY de Donna Karan – originalmente dedicada a roupas de lazer e informais – expandiu-se para abarcar trajes mais formais, e Calvin Klein teve grande sucesso com seus modelos e fragrâncias jovens, minimalistas e esportivos, mantendo, ao mesmo tempo, uma clientela leal a suas modas mais luxuosas e enxutas. As roupas de corte limpo de Tommy Hilfiger conquistaram uma posição invejável, quase antimoda, quando foram endossadas por *gangs* urbanas de homeboys. Em 1994, Hilfiger introduziu uma série de roupas de

73. O patrocínio de *rappers* e destaque, entre eles Grand ...ba, Coolio e Snoop Doggy ...oop, ajudaram a promover ... roupas esportivas de Tommy ...ilfiger. Valendo-se dessa ...edibilidade nas ruas – ele já ...spunha de um amplo ...ercado para seus modelos ...ássicos –, os anúncios de ...lfiger mostravam B-boys ...ornados com jóias de ouro ...sadas, usando roupas com ...u nome.

274. *Esquerda*: DKNY, primavera/verão, 1994. Em todos os níveis do mercado, os estilos esportivos, em confortáveis tecidos elásticos, foram itens populares do vestuário de lazer durante a década. Para sua série de difusão, DKNY, Donna Karan adaptou o *design* das roupas americanas de beisebol para criar este vestido com zíper na frente, com recortes laterais de cor escura e decote redondo, sua marca registrada.

275. *Acima*: Isaac Mizrahi, outono/inverno, 1992-93. Desde que fundou a própria companhia, Mizrahi conseguiu reputação pelas formas fortes, materiais luxuosos e modelos funcionais, pontuados por uma ou outra piada visual – como as bolsas com fechos de pressão no lugar dos bolsos nesta jaqueta de couro clássica.

alfaiataria masculina e, mais tarde, lançou dois perfumes – Tommy (1996) e Tommy Girl (1997).

Os acessórios foram manchetes de moda durante toda a década, especialmente as bolsas. Companhias havia muito estabelecidas reformularam sua imagem; vários estilistas especializados entraram no mercado, e os estilistas de moda lançaram suas próprias séries. Seu *design* também se estendeu aos trajes, notavelmente nas coleções da temporada outono/inverno de 1992-93, quando Isaac Mizrahi apresentou suas jaquetas de couro pretas com duas bolsas com fecho de pressão no lugar dos bolsos da frente, a Chanel exibiu pochetes de matelassê e John Richmond introduziu jaquetas em estilo montaria com nada menos que dez bolsos abotoados, dispostos em fileiras simétricas em cada lado da frente.

A estilista italiana Miuccia Prada transformou a grife Prada (fundada em 1913 e anteriormente conhecida pelos acessórios de couro), com suas roupas elegantes, discretas e sua série minimalista de bolsas e mochilas de *nylon*. Estas tornaram os acessórios de *status* elevado definitivos, mas, adequadamente, discretos da década. O estilista de moda americano Tom Ford trouxe modernidade e uma queda para o preto na grife Gucci, enquanto o inovador Martin Margiela foi nomeado estilista na Hermès. Marc Jacobs deu novo alento às bolsas e malas da Louis Vuitton e introduziu uma linha de roupas. Contribuindo para a voga das bolsas como parte do guarda-roupa da moda, Isaac Mizrahi, Richard Tyler, Ann Demeulemeester e Helmut Lang anunciaram em 1998 o lançamento de suas próprias séries.

Embora as bolsas de mão geralmente tenham aumentado de tamanho no decorrer do século XX – refletindo as necessidades em mutação das mulheres –, muitos estilistas da década de 1990 especializaram-se em bolsas pequenas para ocasiões especiais. Criaram nessa veia a estilista americana Judith Leiber, renomada pelas exóticas bolsas para o dia, feitas de peles de répteis e de avestruz, e pelas delicadas bolsas de noite de estilo *minaudière*, com pedras falsas, o italiano Emanuele Pantanella, que criou refinadas bolsas de noite a partir de madeiras preciosas, e a londrina Lulu Guinness, que criou uma série baseada em cestas de flores.

Durante a última década do século XX, o *revival* de modas quase chegou à produção do presente. No início da década, os estilos de fins da década de 1960 e do início da de 1970 serviram de inspiração e, em meados da década, já eram retomados aspectos da moda da década de 1980 – especialmente os ombros acentuados, que receberam um atrativo contemporâneo quando combinados com roupas sutis e despojadas. Embora a moda fosse pluralista, tendências sazonais distintas em corte, cor, tecido e ornamentação ain-

76. Bolsa Lulu Guinness, "Cesta de florista", 1996. Este modelo extravagante, ıique, em cetim de seda 'eto com rosas de veludo ırmelhas contribuiu para a ıga por bolsas pequenas ara ocasiões especiais.

da podiam ser identificadas nas passarelas internacionais e eram apresentadas pela imprensa como os temas prevalecentes. Visuais centrais nas coleções para a temporada outono/inverno de 1998-99 incluíram roupas minimalistas e de corte preciso, modelos modernistas, esculturais, principalmente em tons neutros, em particular o cinza, e, em um contraste completo, estilos boêmios, coloridos e fluidos. Todos os três uniam-se na ênfase sobre materiais de luxo (principalmente naturais), que incluíam pelúcia e couro ultrafinos, casemira, peles reais e artificiais, plumas exóticas, lã feltrada à mão e *tweeds* com bordados e contas. Em particular, a casemira foi usada com abundância e versatilidade: nos EUA, Donna Karan exibiu abrigos esportivos de casemira, Michael Kors criou cardigãs de linha longa e Ralph Lauren apresentou o menor artigo de casemira – uma *G-string*! Também houve uma voga de rendas finas, malhas do tipo teia e trajes de organza e *chiffon*, muitas vezes usados em camadas. Em um espírito totalmente diferente, prestando homenagem a Joana d'Arc e aos trabalhos futuristas de Paco Rabanne, tecidos de cota de malha e tecidos metálicos foram exibidos por McQueen, Versace e Ferre.

A voga de modelos despojados, deslizando sobre o corpo, trouxe consigo interpretações dos trajes de trabalho militares e do vestuário esportivo: trajes acolchoados, com capuzes e fechos de zíper ou velcro podiam ser vistos em coleções de Jean Colonna, Mark Eisen, Jil Sander, Martine Sitbon, Calvin Klein, DKNY e Nicole Farhi. O talhe refinado e discreto de alta-costura parisiense na década de 1950, especialmente modelos de Balenciaga e Jacques Fath, forneceram inspiração para Martine Sitbon, Mark Eisen, Sportmax e Nicolas Ghesquiere (na Balenciaga), os quais exibiram ombros com capas e linhas elegantes no estilo desse período.

Junya Watanabe, Yohji Yamamoto, Tse N.Y. e Atsuro Tayama manipularam tecidos e os dispuseram em camadas para construir trajes de corte refinado, inspirados em várias fontes, entre elas as obras cubistas de Picasso e Braque, a arquitetura do movimento modernista e as formas inspiradas no *origami* dos estilistas japoneses do início da década de 1980. A influência cubista também se revelou nos têxteis vibrantes usados por Romeo Gigli, Jean-Paul Gaultier, Martine Sitbon, Givenchy e Comme des Garçons.

Os que adoravam a moda ornamentada foram bem servidos pelos bordados e lantejoulas usados em abundância em modas para todos os níveis do mercado e, mais profusamente, na exibição de alta-costura de John Galliano para a Casa Dior. Para esta, Lesage produziu seu traje bordado mais caro, que levou duas mil horas para ser executado.

277. Vestido de noite Julien MacDonald, primavera/verão, 1996. Camisetas com decote V e vestido de corte enviesado da década de 1930 inspiraram este vestido de viscose e lurex, de malha intrincada, feita à máquina e à mão, com cauda semicircular. A modelo é Honor Fraser.

278. Clements/Ribeiro, outono/inverno, 1997. Suéteres de casemira levíssima (de um só), multicoloridos e gostosos de usar, para homens e mulheres, em ousados padrões com losangos, quadrados e outras, foram as marcas registradas de Suzanne Clements e Inácio Ribeiro. Seus modelos altamente desejáveis para disseminados em todos os níveis do mercado: eles ampliaram o mercado assinando com a popular cadeia de lojas britânica Dorothy Perkins para a produção de coleções especiais.

Etro, Lainey Keogh, Marni, Chloé, Julien MacDonald, Clements/Ribeiro e Rifat Ozbek lideraram a voga de estilos boêmios luxuosos, produzindo roupas de linha longa, em camadas, feitas de brocado, veludos de felpa profunda e tecidos em retalhos e franjados, todos em uma rica paleta de âmbar, terracota, verde-musgo, púrpura e dourado profundos, lembrando o trabalho dos pintores pré-rafaelitas. Os padrões eram audaciosos – alguns deles inspirados por modelos *art nouveau*, da virada do século.

Em outubro de 1998, a imprensa de moda relatou que as exibições para a temporada primavera/verão de 1999 foram marcadas pela sobriedade. Como resultado direto da crise financeira asiática, muitas casas de moda viram seus lucros cair. Os consumidores de Hong Kong, Japão e Coréia haviam se tornado mais cuidadosos com os preços e, em geral, menos deslumbrados com as grifes européias e americanas, e as tendências de mercado revelaram uma crescente confiança nas próprias indústrias de alta moda, cada vez mais sofisticadas. Assim, em uma tentativa de atrair novamente esse setor de mercado essencial (os compradores asiáticos e da orla do Pacífico haviam respondido por cerca de metade das vendas de bens de luxo franceses), muitos estilistas concentraram-se na usabilidade, qualidade e no valor.

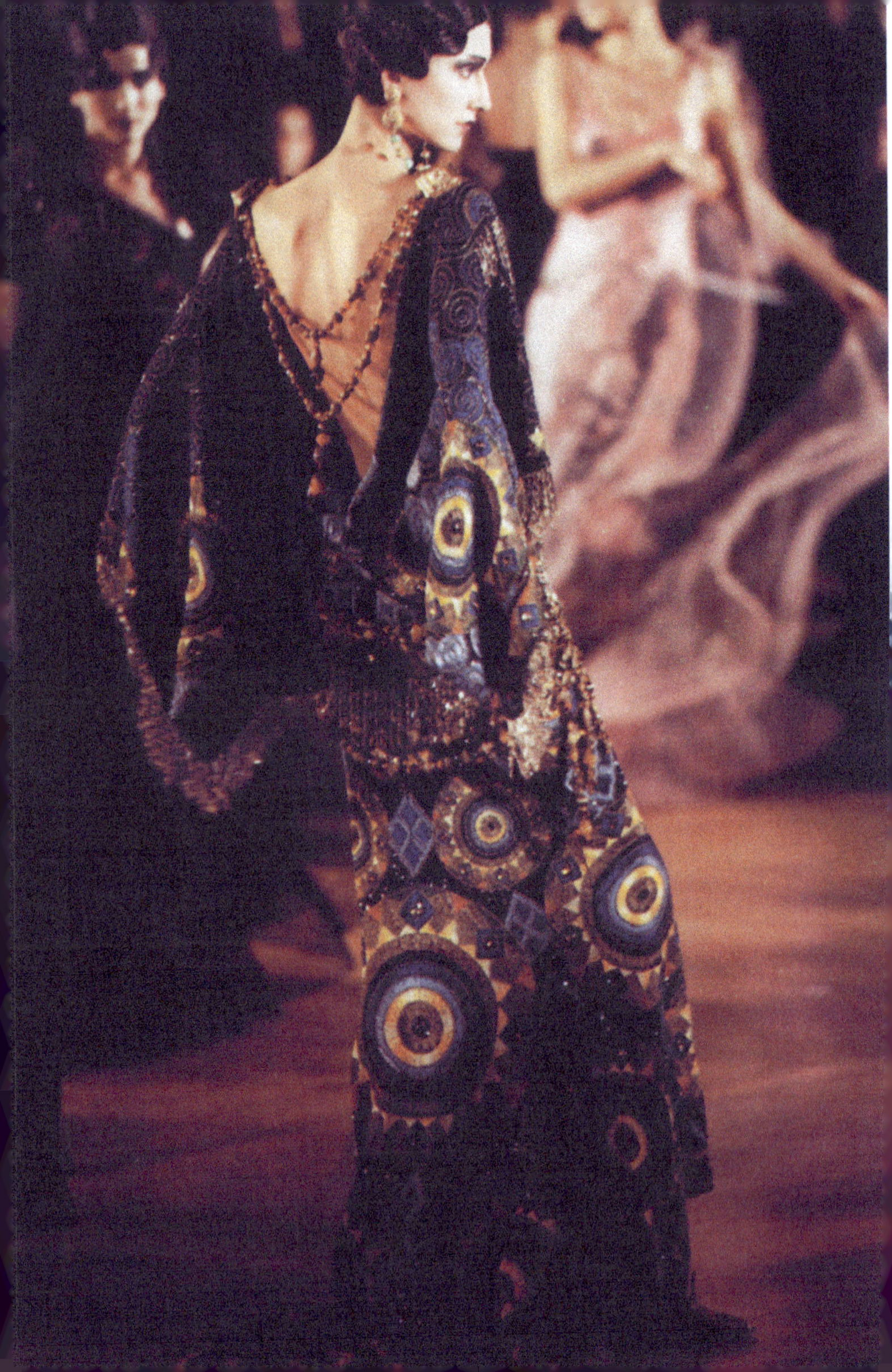

1989-1999: A MODA GLOBALIZADA **279**

279. *Página ao lado*: feito para ofuscar: John Galliano para Christian Dior, alta-costura, primavera/verão, 1997. Relembrando o corte dos vestidos de noite da década de 1930, o tecido elaboradamente trabalhado deste modelo inspira-se nas pinturas de Gustav Klimt e Sonia Delaunay.

280. *Direita*: Yohji Yamamoto, outono/inverno, 1991-92. Valendo-se das tendências do vestuário feminino para cores brilhantes e estampas exóticas, os estilistas dessa temporada – entre eles Versace, Moschino, Ferre e Yamamoto – exibiram padrões ousados e desenhos de *pop art* nas suas coleções masculinas. Com ironia pós-moderna, Yamamoto colocou a estampa fotográfica de uma beldade asiática em "estilo hollywoodiano" nas costas de uma jaqueta ocidental.

Nesse momento, foi providencial que a florescente indústria de alta moda australiana assumisse um papel mais importante. Em 1998 – quatro anos depois de a Semana de Moda de Sydney ter se integrado ao circuito internacional de mostras para a temporada verão/inverno –, a imprensa e os compradores do mundo receberam com entusiasmo a elegância relaxada das coleções australianas. Particularmente aplaudidos foram os vestidos de *chiffon* e as saias-sari com bordados e contas de Collette Dinnigan, feitas em tons opulentos de rosa e verde. Os vestidos retos de *georgette* e organza delicadamente bordados de Akira Isogawa, e a coleção urbana de calças justas, túnicas e saias lápis de Saba, em cinza e cáqui. Além disso, à luz das flutuações monetárias internacionais, os estilos australianos beneficiaram-se dos preços competitivos do exterior e do volume decrescente de importação de moda exclusiva.

Apesar dessas tendências, em fins do século XX, Paris, Milão, Nova York e Londres continuaram a ser as principais capitais de moda do mundo, para as quais os estilistas continuaram a migrar para fazer nome. Contudo, embora Paris permanecesse o centro mais popular, a indústria não era mais dominada pelos franceses: a capital acolheu mostras de estilistas de todo o mundo, além de contratar talentos internacionais para criar em suas casas tradicionais.

Em 1999, a alta moda continuou a ser – como no século anterior – uma das formas mais imediatas de produção cultural, incorporando e refletindo desenvolvimentos socioeconômicos e tecnológicos. A internet facilitou as comunicações rápidas, tão vitais para a indústria de moda e, juntamente com os canais de televisão, forneceu um serviço de compras doméstico de vinte e quatro horas. Desenvolvimentos têxteis revolucionários, muitos iniciados pelas indústrias de roupas esportivas, alimentaram e ampliaram as fronteiras das cores, texturas e construção da moda. Têxteis artificiais combinaram tecidos naturais com vidro, metal e dióxido de carbono para criar híbridos leves; os novos revestimentos incluíam acabamentos de silicone (concebidos para aumentar a velocidade dos nadadores na água) e laminados holográficos. As fibras cerâmicas foram empregadas para utilizar energia solar e produziram-se microfibras com qualidades antibacterianas, autolimpantes e liberadoras de perfume.

O papel desempenhado pelos estilistas de moda na sociedade foi levado em consideração mais do que nunca, não apenas por causa de seu potencial para enriquecer a vida com produtos funcionais e fantásticos, mas também porque a moda gerou comércio e emprego. Muitos varejistas e companhias de encomenda postal, voltados para o mercado de massa, reconheceram que fazia sentido para os negócios encomendar talentos importantes para individualizar e promover seus produtos. Assim, no fim do século XX, as modas com a marca de importantes estilistas internacionais não se restringiram aos poucos ricos, como havia sido no início do século, mas tornaram-se disponíveis para uma ampla parcela da sociedade.

BIBLIOGRAFIA

Referência geral de moda

Adburgham, Alison, *Shops and Shopping 1800-1914*, Allen & Unwin, Londres, 1964
—, *View of Fashion*, Allen & Unwin, Londres, 1966
Arnold, Janet, *A Handbook of Costume*, Macmillan, Londres, 1973
Barwick, Sandra, *A Century of Style*, Allen & Unwin, Londres, 1984
Beaton, Cecil, *The Glass of Fashion*, Weidentleld & Nicolson, Londres, 1954
—, *Fashion an Anthology by Cecil Beaton*, catálogo de demonstração, HMSO, Londres, 1971
Bertin, Célia, *Paris à la mode*, Victor Gollanez, Londres, 1956
Birks, Beverley, *Haute Couture 1870-1970*, Asahi Shimbun, Tóquio, 1993
Birnbach, Lisa (ed.), *The Official Peppy Handbook*, Workman Publishing, Nova York, 1980
Boucher, François, *A History of Costume in the West*, ed. rev., Thames & Hudson, Londres, 1996
Brady, James, *Superchic*, Little, Brown; Boston, Mass., 1974
Braun-Ronsdorf, Margarete, *Mirror of Fashion: A History of European Costume 1789-1929*, McGraw-Hill, Nova York e Toronto, 1964

Brogden, Joanna, *Fashion Design*, Studio Vista, Londres, 1971
Bullis, Douglas, *California Fashion Designers*, Gibbs Smith, Salt Lake City, Utah, 1987
Byrde, Penelope, *A Visual History of Costume: The Twentieth Century*, B. T. Batsford, Londres, 1986
Carter, Ernestine, *Twentieth Century Fashion. A Scrapbook, 1900 to Today*, Eyre Methuen, Londres, 1975
—, *The Changing World of Fashion*, Weidenfeld & Nicolson, Londres, 1977
—, *Magic Names of Fashion*, Weidenfeld & Nicolson, Londres, 1980
Chillingworth, J. e H. Busby, *Fashion*, Lutterworth Press, Cambridge, 1961
De Marly, Diana, *The History of Couture 1850-1950*, B. T. Batsford, Londres, 1980
Deslandres, Yvonne e F. Müller, *Histoire de la mode au XXe siècle*, Somogy Editions d'Art, Paris, 1986
Dorner, Jane, *The Changing Shape of Fashion*, Octopus Books, Londres, 1974
Evans, Caroline e Minna Thornton, *Women and Fashion: A New Look*, Quartet Books, Londres e Nova York, 1989
Ewing, Elizabeth, *History of Twentieth Century Fashion*, B. T. Batsford, Londres, 1974

—, *Women in Uniform*, B. T. Batsford, Londres, 1975
—, *Fur in Dress*, B. T. Batsford, Londres, 1981
Fairchild, John, *Chic Savages: The New Rich, the Old Rich and the World They Inhabit*, Simon & Schuster, Nova York, 1989
Fairley, Roma, *A Bomb in the Collection: Fashion with the Lid Off*, Clifton Books, Brighton, Sussex, 1969
Fraser, Kennedy, *Scenes from the Fashionable World*, Alfred A. Knopf, Nova York, 1987
Garland, Madge, *Fashion*, Penguin, Harmondsworth, Middx, 1962
—, *The Changing Form of Fashion*, J. M. Dent, Londres, 1970
— and J. Anderson Black, *A History of Fashion*, Orbis, Publishing, Londres, 1975
Giacomoni, Silvia, *The Italian Look Reflected*, Mazzotta, Milão, 1984
Glynn, Prudence, *In Fashion: Dress in the Twentieth Century*, Allen & Unwin, Londres, 1978
Grumbach, Didier, *Histoires de la mode*, Editions du Seuil, Paris, 1993
Hall, Lee, *Common Threads: A Parade of American Clothing*, Little, Brown, Boston, Mass., 1992.
Halliday, Leonard, *The Fashion Makers*, Hodder & Stoughton, Londres, 1966

Hartman, R., *Birds of Paradise: An Intimate View of the Nova York Fashion World*, Delta, Nova York, 1980
Haye, Amy de la, *The Fashion Source Book*, MacDonald Orbis, Londres, 1988
— (ed.), *The Cutting Edge: 50 years of British Fashion: 1947-1997*, Victoria and Albert Museum Publications, Londres, 1997
Hayward Gallery, *Addressing the Centuy: 100 years of Art & Fashion*, catálogo de demonstração, Hayward Gallery Publishing, Londres, 1998
Hinchcliffe, Frances e Valerie Mendes, *Ascher – Fabric, Art, Fashion*, Victoria and Albert Museum Publications, Londres, 1987
Howell, Georgina, *In Vogue: Six Decades of Fashion*, Allen Lane, Londres, 1975
—, *Sultans of Style: Thirty Years of Fashion and Passion*, Ebury Press, Londres, 1990
Ironside, Janey, *Fashion as a Career*, Museum Press, Londres, 1962
Jarnow, A. J. e B. Judelle, *Inside the Fashion Business*, John Wiley & Sons, Nova York, 1965
Join-Diéterle, Catherine et al., *Robes du soir*, catálogo de demonstração, Musée de la Mode et du Costume de la Ville de Paris, Palais Galliéra, Paris, 1990
Kidwell, C. and Valerie Steele (eds), *Men and Women: Dressing the Part*, Smithsonian Institution, Washington D.C., 1989

Koren, Leonard, *New Fashion Japan*, Kodansha International, Tóquio, 1984
Lansdell, Avril, *Wedding Fashions, 1860-1980*, Shire Publications, Princes Risborough, Bucks, 1983
Latour, Amy, *Kings of Fashion*, Weidenfeld & Nicolson, Londres, 1958
Laver, James, *Style in Costume*, Londres, 1949
—, *Costume through the Ages*, Thames & Hudson, Londres, 1964
— e Amy de la Haye, *Costume and Fashion: A Concise History*, ed. rev., Thames & Hudson, Londres e Nova York, 1995
Lee, Sarah Tomerlin, *American Fashion*, André Deutsch, Londres, 1975
Links, J. G., *The Book of Fur*, James Barrie, Londres, 1956
Lynam, Ruth (ed.), *Paris Fashion*, Michael Joseph, Londres, 1972
McCrum, Elizabeth, *Fabric and Form: Irish Fashion since 1950*, Sutton Publishing, Stroud, Gloucestershire; Ulster Museum, Belfast, 1996
Mansfield, Alan e Phyllis Cunnington, *Handbook of English Costume in the 20th Century, 1900-1950*, Faber and Faber, Londres, 1973
Martin, Richard, *Fashion and Surrealism*, Thames & Hudson, Londres, 1997; Rizzoli, Nova York, 1998
— e Harold Koda, *Orientalism: Visions of the East in Western Dress*, Metropolitan Museum, Nova York, 1994
Metropolitan Museum of Art,

The Costume Institute, *American Women of Style*, catálogo de demonstração, Nova York, 1972
—, *Vanity Fair*, catálogo de demonstração, Nova York, 1977
Milbank, Caroline Rennolds, *Couture*, Thames & Hudson, Londres; Stewart, Tabori and Chang, Nova York, 1985
—, *Nova York Fashion*, Abrams, Nova York, 1989
Mulvagh, Jane, *Vogue History of 20th Centuty Fashion*, Viking, Londres, 1988
Musée de la Mode et du Costume de la Ville de Paris, Palais Galliéra, *1945-1975 Elégance et création*, catálogo de demonstração, Paris, 1977
—, *Hommage aux donateurs*, catálogo de demonstração, Paris, 1980
Museo Poldi Pezzoli, *1922-1943: Vent' anni di moda Italiana*, catálogo de demonstração, Centro Di, Florence, 1980
Peacock, John, *The Chronicle of Western Costume*, Thames & Hudson, Londres; Abrams, Nova York, 1991
—, *20th Centurv Fashion: The Complete Sourcebook*, Thames & Hudson, Londres e Nova York, 1993
—, *Costume 1060-1990s*, Thame & Hudson, Londres and Nova York, 1994
Phizacklea, Annie, *Unpacking tʰ Fashion Industry: Gender, Racism and Class in Production*, Routledge, Londres, 1990
Probert, Christina, *Brides in Vogue since 1910*, Thames & Hudson, Londres; Abbeville Press, Nova York, 1984

Remaury, Bruno, *Fashion and Textile Landmarks: 1996*, Institut Français de la Mode, Paris, 1996
Richards, F., *The Ready-to-Wear Industry, 1900-1950*, Fairchild Publications, Nova York, 1951
Roscho, Bernard, *The Rag Race*, Funk & Wagnalls Co., Nova York, 1963
Roselle, Bruno du, *La Mode*, Imprimerie Nationale, Paris, 1980
— and I. Forestier, *Les Métiers de la mode et de l'habillement*, Marcel Valtat, Paris, 1980
Rothstein, N. (ed.), *Four Hundred Years of Fashion*, Victoria and Albert Museum Publications, Londres, 1984
Schmiechen J. A., *Sweated Industries and Sweated Labor: The Londres Clothing Trades 1860-1914*, Croom Helm, Londres, 1984
Scott-James, Anne, *In the Mink*, Michael Joseph, Londres, 1952
Société des Expositions du Palais des Beaux Arts, *Mode et art 1960-1990*, catálogo de demonstração, Brussels, 1995
Squire, Geoffrey, *Dress and Society 1560-1970*, Studio Vista, Londres, 1974
Steele, Valerie, *Paris Fashion: A Cultural History*, Oxford University Press, Oxford e Nova York, 1988
—, *Women of Fashion: Twentieth Century Designers*, Rizzoli, Nova York, 1991
—, *Fifty Years of Fashion*, Yale University Press, Londres e New Haven, 1997
Stevenson, Pauline, *Bridal Fashions*, Ian Allan, Addlesdown, Surrey, 1978

Taylor, Lou, *Morning Dress*, Allen & Unwin, Londres, 1983
Torrens, D., *Fashion Illustrated: A Review of Women's Dress 1920-1950*, Studio Vista, Londres, 1974
Tucker, Andrew, *The Londres Fashion Book*, Thames & Hudson, Londres; Rizzoli, Nova York, 1998
Vecchio, W. e R. Riley, *The Fashion Makers*, Crown, Nova York, 1968
Vergani, Guido, *The Sala Bianca: The Birth of Italian Fashion*, Electa, Milão, 1992
Waugh, Norah, *The Cut of Women's Clothes 1600-1930*, Faber and Faber, Londres, 1968
Williams, Beryl, *Fashion Is Our Business*, John Gifford, Londres, 1948
Wills, G. and D. Midgley (eds), *Fashion Marketing*, Allen & Unwin, Londres, 1973
Wilson, Elizabeth e Lou Taylor, *Through the Looking Glass*, BBC Books, Londres, 1989
— and J. Ash (eds), *Chic Thrills: A Fashion Reader*, Pandora Press, Londres, 1992
Wray, M., *The Women's Outerwear Industry*, Gerald Duckworth & Co., Londres, 1957

História cronológica da moda

1900-1930

Battersby, Martin, *Art Deco Fashion*, Academy Editions, Londres, 1974
Caffrey, Kate, *The 1900s Lady*, Gordon & Cremonesi, Londres, 1976
Coleman, Elizabeth Ann, *The Opulent Era: Fashion of Worth, Doucet and Pingat*, Brooklyn Museum with Thames & Hudson, Nova York e Londres, 1989
Dorner, Jane, *Fashion in the Twenties and Thirties*, Ian Allan, Addlesdown, Surrey, 1973
French Fashion Plates in Full Colour from the 'Gazette du Bon Ton', 1912-1925, Dover Publications, Nova York, 1979
Ginsburg, Madeleine, *The Art Deco Style of the 1920s*, Bracken Books, Londres, 1989
Herald, Jacqueline, *Fashions of a Decade: The 1920s*, B. T. Batsford, Londres, 1991
Laver, James, *Women's Dress in the Jazz Age*, Hamish Hamilton, Londres, 1975
Musée de la Mode et du Costume de la Ville de Paris, Palais Galliéra, *Grand Couturiers Parisiens 1910-1929*, catálogo de demonstração, Paris, 1970
—, *Paris Couture – années trente*, catálogo de demonstração, Paris, 1987
Olian, Joanne (ed.), *Authentic French Fashions of the Twenties: 413 Costume Designs from 'L'Art et la mode'*, Dover Publications, Nova York, 1990
Peacock, John, *Fashion Sourcebooks: The 1920s*, Thames & Hudson, Londres and Nova York, 1997
—, *Fashion Sourcebooks: The 1930s*, Thames & Hudson, Londres and Nova York, 1997
Penn, Irving e Diana Vreeland, *Inventive Paris Clothes, 1900-1939*, Thames & Hudson, Londres, 1977

Robinson, Julian, *The Golden Age of Style*, Orbis Publishing, Londres, 1976
—, *Fashion in the 30s*, Oresko Books, Londres, 1978
Stevenson, Pauline, *Edwardian Fashion*, Ian Allan, Addlesdown, Surrey, 1980
Victoria and Albert Museum and Scottish Arts Council, *Fahion, 1900-1939*, catálogo de demonstração, Idea Books, Londres, 1975
Zaletova, L. et al., *Costune Revolution: Textiles, Clothing and Costume of the Soviet Union in the Twenties*, Trefoil Books, Londres, 1989

1940-1950

Baker, P., *Fashions of a Decade: The 1950s*, B. T. Batsford, Londres, 1991
Cawthorne, Nigel, *The New Look*, Hamlyn, Londres, 1996
Charles-Roux, Edmonde et al., *Théâtre de la mode*, Rizzoli, Nova York, 1991
Disher, M. L., *American Factory Production of Women's Clothing*, Devereaux, Londres, 1947
Dorner, Jane, *Fashion in the Forties and Fifties*, Ian Allan, Addlesdown, Surrey, 1975
Drake, Nicholas, *The Fifties in Vogue*, Heinemann, Londres, 1987
Geffrye Museum, *Utility Fashion and Furniture 1941-1951*, catálogo de demonstração, Londres, 1974
Laboissonnière, W., *Blueprints of Fashion: Home Sewing Patterns of the 1940s*, Schiffer Publishing, Atglen, Pa., 1997
McDowell, Colin, *Fashion and the New Look*, Bloomsbury Publishing, Londres, 1997

Merriam, Eve, *Figleaf: The Business of Being in Fashion*, Lippincott, Nova York, 1960
Peacock, John, *Fashion Sourcebooks: The 1940s*, Thames & Hudson, Londres e Nova York, 1998
—, *Fashion Sourcebooks: The 1950s*, Thames & Hudson, Londres and Nova York, 1997
Robinson, Julian, *Fashion in the 40s*, Academy Editions, Londres, 1976
Sheridan, Dorothy (ed.), *Wartime Women: A Mass Observation Anthology*, Mandarin, Londres, 1991
Sladen, Christopher, *The Conscription of Fashion*, Scolar Press, Aldershot, Hants, 1995
Veillon, Dominique, *La Mode sous l'occupation*, Editions Payot et Rivages, Paris, 1990
Waller, Jane, *A Stitch in Time: Knitting and Crochet Patterns of the 1920s, 1930s and 1940s*, Gerald Duckworth & Co., Londres, 1972
Wood, Maggie, *We Wore What We'd Got: Women's Clothes in World War II*, Warwickshire Books, Exeter, 1989

1960

Bender, Marilyn, *The Beautiful People*, Coward-McCann, Nova York, 1967
Bernard, Barbara, *Fashion in the 60s*, Academy Editions, Londres, 1978
Cawthorne, Nigel, *Sixties Source Book*, Virgin Publishing, Londres, 1989
Coleridge, Nicholas and Stephen Quinn (eds), *The Sixties in Queen*, Ebury Press, Londres, 1987
Connickie, Yvonne, *Fashions of a Decade: The 1960s*, B. T. Batsford, Londres, 1990
Drake, Nicholas, *The Sixties: A Decade in Vogue*, Prentice Hall, Nova York, 1988
Edelstein, A. J., *The Swinging Sixties*, World Almanac Publications, Nova York, 1985
Harris, J., S. Hyde and G. Smith, *1966 and All That*, Trefoil Books, Londres, 1986
Lobenthal, Joel, *Radical Rags: Fashions of the Sixties*, Abbeville Press, Nova York, 1990
Peacock, John, *Fashion Sourcebooks: The 1960s*, Thames & Hudson, Londres e Nova York, 1998
Salter, Tom, *Carnaby Street*, M. and J. Hobbs, Walton-on-Thames, Surrey, 1970
Wheen, Francis, *The Sixties*, Century, Londres, 1982

1970-1990

Barr, Ann and Peter York, *The Official Sloane Ranger Handbook*, Ebury Press, Londres, 1982
Coleridge, Nicholas, *The Fashion Conspiracy*, Mandarin Heinemann, Londres, 1988
Fraser, K., *The Fashionable Mind: Reflections on Fashion 1970-1982*, Nonpareil Books, Nova York, 1985
Herald, Jacqueline, *Fashions of a Decade: The 1970s*, B. T. Batsford, Londres, 1992
Johnston, Lorraine (ed.), *The Fashion Year*, Zomba Books, Londres, 1985
Khornak, L., *Fashion 2001*, Columbus Books, Londres, 1982
Love, Harriet, *Harriet Love's Guide to Vintage Chic*, Holt,

BIBLIOGRAFIA **285**

Rinehart & Winston, Nova York, 1982
McDowell, Colin, *The Designer Scam*, Hutchinson, Londres, 1994
Milinaire, C. e C. Troy, *Cheap Chic*, Omnibus Press, Londres e Nova York, 1975
O'Connor, Kaori (ed.), *The Fashion Guide*, Farrol Kahn, Londres, 1976
—, *The 1977 Fashion Guide*, Hodder & Stoughton, Londres, 1977
—, *The 1978 Fashion Guide*, Hodder & Stoughton, Londres, 1978
Peacock, John, *Fashion Sourcebooks: The 1970s*, Thames & Hudson, Londres e Nova York, 1997
—, *Fashion Sourcebooks: The 1980s*, Thames & Hudson, Londres e Nova York, 1998
Polan, Brenda (ed.), *The Fashion Year*, Zomba Books, Londres, 1983
—, *The Fashion Year*, Zomba Books, Londres, 1984
York, Peter, *Style Wars*, Sidgwick and Jackson, Londres, 1978

Designers

Azzedine Alaïa
Baudot, François, *Alaïa*, Thames & Hudson, Londres; Universe Publishing, Nova York, 1996

Hardy Amies
Amies, Hardy, *Just So Far*, Collins, Londres, 1964
—, *Still Here*, Weidenfeld & Nicolson, Londres, 1984

Giorgio Armani
Martin, Richard and Harold Koda, *Giorgio Armani: Images of Man*, Rizzoli, Nova York, 1990

Laura Ashley
Sebba, Anne, *Laura Ashley*, Weidenfeld & Nicolson, Londres, 1990

Cristobal Balenciaga
Deslandres, Yvonne et al., *The World of Balenciaga*, catálogo de demonstração, Metropolitan Museum of Art, The Costume Institute, Nova York, 1973
Jouve, Marie-Andrée and Jacqueline Demornex, *Balenciaga*, Editions du Regard, Paris, 1988
Miller, Lesley, *Cristobal Balenciaga*, B. T. Batsford, Londres, 1993
Musée Historique des Tissus, *Hommage à Balenciaga*, catálogo de demonstração, Lyons, 1985

Pierre Balmain
Balmain, Pierre, *My Years and Seasons*, Cassell, Londres, 1964
Musée de la Mode et du Costume de la Ville de Paris, Palais Galliéra, *Pierre Balmain: 40 années de création*, catálogo de demonstração, Paris, 1985
Salvy, Gérard-Julien, *Pierre Balmain*, Editions du Regard, Paris, 1996

Geoffrey Beene
Beene, Geoffrey, *Beene Unbound*, Fashion Institute of Technology and Geoffrey Beene Inc., Nova York, 1994
Cullerton, Brenda, *Geoffrey Beene: The Anatomy of his Work*, Abrams, Nova York, 1995

Biba
Hulanicki, Barbara, *From A to Biba*, Hutchinson, Londres, 1983

Roberto Capucci
Bertelli, Carlo et al., *Roberto Capucci*, Editori Fabbri, Milão, 1990

Pierre Cardin
Mendes, Valerie (ed.), *Pierre Cardin, Past, Present and Future*, Dirk Nishen, Londres, 1990

Oleg Cassini
Cassini, Oleg, *In My Own Fashion: An Autobiography*, Pocket, Nova York, 1987
—, *A Thousand Days of Magic: Dressing Jacqueline Kennedy for the White House*, Rizzoli, Nova York, 1996

Jean-Charles de Castelbajac
Castelbajac, Jean-Charles de et al., *J C. de Castelbajac*, Michel Aveline, Paris, 1993

Coco Chanel
Baillen, C., *Chanel Solitaire*, Collins, Londres, 1973
Baudot, François, *Chanel*, Thames & Hudson, Londres; Universe Publishing, Nova York, 1996
Charles-Roux, Edmonde, *Chanel*, Jonathan Cape, Londres, 1976
—, *Chanel and Her World*, Weidenfeld & Nicolson, Londres, 1981
Haedrich, Marcel, *Coco Chanel: Her Life, Her Secrets*, Robert Hale, Londres, 1972
Haye, Amy de la and Shelley Tobin, *Chanel: The Couturière at Work*, Victoria and Albert Museum Publications, Londres, 1994
Leymarie, Jean, *Chanel*, Rizzoli, Nova York, 1987

Madsen, Axel, *Coco Chanel: A Biography*, Bloomsbury Publishing, Londres, 1990
Morand, Paul, *L'Allure de Chanel*, Hermann, Paris, 1976

Comme des Garçons
Grand, France, *Comme des Garçons*, Thames & Hudson, Londres; Universe Publishing, Nova York, 1998
Kawakubo, Rei, *Comme des Garçons*, Chikuma Shobo, Tokyo, 1986
Sudjic, Deyan, *Rei Kawakubo and Comme des Garçons*, Fourth Estate, Londres, 1990

André Courrèges
Guillaume, Valérie, *Courrèges*, Thames & Hudson, Londres; Universe Publishing, Nova York, 1998

Charles Creed
Creed, Charles, *Maid to Measure*, Jarrolds Publishing, Londres, 1961

Sonia Delaunay
Damase, Jacques, *Sonia Delaunay Fashion and Fabrics*, Thames & Hudson, Londres e Nova York, 1991

Christian Dior
Bordaz, Robert et al., *Hommage à Christian Dior 1947-1967*, catálogo de demonstração, Musée des Arts et de la Mode, Paris, 1986
Dior, Christian, *Talking about Fashion to Elie Rabourdin and Alice Chavanne*, Hutchinson, Londres,1954
—, *Dior by Dior*, Weidenfeld & Nicolson, Londres, 1957
Giroud, Françoise, *Dior: Christian Dior 1905-1957*, Thames & Hudson, Londres, 1987

Graxotte, Pierre, *Christian Dioret et moi*, Amniot Dumond, Paris, 1956
Keenan, Brigid, *Dior in Vogue*, Octopus Books, Londres, 1981
Martin, Richard and Hairold Koda, *Christian Dior*, catálogo de demonstração, Metropolitan Museum of Art, Nova York, 1996

Dolce & Gabbana
Casadio, Mariuccia, *Dolce & Gabbana*, Thames & Hudson, Londres; Gingko Press, Corte Madera, Calif., 1998
Dolce & Gabbana et al., *10 Years of Dolce and Gabbana*, Abbeville Press, Nova York, 1996

Perry Ellis
Moor, Jonathan, *Perry Ellis: A Biography*, St Martin's Press, Nova York, 1988

Jacques Fath
Guillaume, Valérie, *Jacques Fath*, Editions Paris-Musées, Paris, 1993

Louis Feraud
Baraquand, Michel et al., *Louis Féraud*, Office du Livre, Fribourg, 1985

Mariano Fortuny
Deschodt, A. M., *Mariano Fortuny, un magicien de Venise*, Editions du Regard, Paris, 1979
Desvaux, Delphine, *Fortuny*, Thames & Hudson, Londres; Universe Publishing, Nova York, 1998
Kyoto Costume Institute, *Mariano Fortuny 1871-1949*, catálogo de demonstração, Kioto, 1985

Los Angeles County Museum, *A Remembrance of Mariano Fortuny, 1871-1949*, catálogo de demonstração, Los Angeles, Calif., 1967
Musée Historique des Tissus, *Mariano Fortuny Venise*, catálogo de demonstração, Lyons, 1980
Osma, Guillermo de, *Fortuny, His Life and His Work*, Aurum Press, Londres, 1980

John Galliano
McDowell, Colin, *Galliano*, Weidenfeld & Nicolson, Londres, 1997

Jean-Paul Gaultier
Chenoune, Farid, *Jean Paul Gaultier*, Thames & Hudson, Londres; Universe Publishing, Nova York, 1996

Rudi Gernreich
Moffitt, Peggy and William Claxton, *The Rudi Gernreich Book*, Rizzoli, Nova York, 199

Hubert de Givenchy
Join-Diéterle, Catherine, *Givenchy: 40 years of Creation* Editions Paris-Musées, Paris, 1991

Madame Grès
Martin, Richard and Harold Koda, *Madame Grès*, Metropolitan Museum of Ar Nova York, 1994

Gucci
McKnight, Gerald, *Gucci: A House Divided*, Sidgwick and Jackson, Londres, 1987

Halston
Gaines, Steven, *Simply Halstor The Untold Story*, Penguin Putnam, Nova York, 1991

BIBLIOGRAFIA **287**

Norman Hartnell
Hartnell, Norman, *Silver and Gold*, Evans Bros., Londres, 1955
Museum of Costume, Bath and Brighton Museum, *Norman Hartnell*, catálogo de demonstração, Bath and Brighton, 1985

Elizabeth Hawes
Hawes, Elizabeth, *Radical by Design: The Life and Style of Elizabeth Hawes*, Dutton, Nova York, 1988

Charles James
Coleman, Elizabeth Ann, *The Genius of Charles James*, catálogo de demonstração, Holt, Rinehart & Winston for the Brooklyn Museum, Nova York, 1982
Martin, Richard, *Charles James*, Thames & Hudson, Londres, 1997

Donna Karan
Sischy, Ingrid, *Donna Karan*, Thames & Hudson, Londres; Universe Publishing, Nova York, 1998

Kenzo
Davy, Ross, *Kenzo: A Tokyo Story*, Penguin, Harmondsworth, Middx, 1985

Calvin Klein
Gaines, Steven and Sharon Churcher, *Obsession: The Lives and Times of Calvin Klein*, Birch Lane Press, Nova York, 1994

Krizia
Vercelloni, Isa Tutino, *Krizia: Una storia*, Skira, Milão, 1995

Christian Lacroix
Baudot, François, *Christian Lacroix*, Thames & Hudson, Londres; Universe Publishing, Nova York, 1997
Lacroix, Christian, *Pieces of a Pattern: Lacroix by Lacroix*, Thames & Hudson, Londres e Nova York, 1997.
Mauriès, Patrick, *Christian Lacroix: The Diary of a Collection*, Thames & Hudson, Londres, 1996

Karl Lagerfeld
Piaggi, Anna, *Karl Lagerfeld: A Fashion Journal*, Thames & Hudson, Londres e Nova York, 1986

Jeanne Lanvin
Barillé, Elisabeth, *Lanvin*, Thames & Hudson, Londres, 1997

Ralph Lauren
Canadeo, Anne e Richard G. Young (eds.), *Ralph Lauren: Master of Fashion*, Garrett Editions, Oklahoma, 1992
Trachtenberg, J. A., *Ralph Lauren*, Little, Brown; Boston, Mass., 1988

Lesage
Palmer White, Jack, *The Master Touch of Lesage*, Editions du Chêne, Paris, 1987

Lucile
Etherington-Smith, Meredith and Jeremy Pilcher, *The IT Girls*, Hamish Hamilton, Londres, 1986
Gordon, Lady Duff, *Discretions and Indiscretions*, Jarrolds Publishing, Londres, 1932

Claire McCardell
Kohle, Yohannan, Claire McCardell: *Redefining Modernism*, Abrams, Nova York, 1998

Missoni
Casadio, Mariuccia, *Missoni*, Thames & Hudson, Londres; Gingko Press, Corte Madera, Calif., 1997
Vercelloni, Isa Tutino (ed.), *Missonologia*, Electa, Milão, 1994

Issey Miyake
Benaïm, Laurence, *Issey Miyake*, Thames & Hudson, Londres; Universe Publishing, Nova York, 1997
Holborn, Mark, *Issey Miyake*, Taschen, Colônia, 1995
Koike, Kazuko (ed.), *Issey Miyake: East Meets West*, Heibonsha, Tóquio, 1978
Miyake Design Studio, *Issey Miyake by Irving Penn*, Tóquio, 1989, 1990 e 1993-95

Franco Moschino
Casadio, Mariuccia, *Moschino*, Thames & Hudson, Londres; Gingko Press, Corte Madera, Calif., 1997
Moschino, Franco and Lida Castelli (eds), *X Anni di Kaos! 1983-1993*, Edizioni Lybra Immagine, Milão, 1993

Thierry Mugler
Baudot, François, *Thierry Mugler*, Thames & Hudson, Londres; Universe Publishing, Nova York, 1998
Mugler, Thierry, *Thierry Mugler: Fashion, Fetish and Fantasy*, Thames & Hudson, Londres; General Publishing Group, Santa Monica, Calif., 1998

Jean Muir
Leeds City Art Galleries, *Jean Muir*, catálogo de demonstração, Leeds, 1980

Bruce Oldfield
Oldfield, Bruce and Georgina

Howell, Bruce Oldfield's
Seasons, Pan Books, Londres,
1987

Madame Paquin
Arizzoli-Clémentel, P. et al.,
*Paquin: une rétrospective de
60 ans de haute couture*,
catálogo de demonstração,
Musée Historique des Tissus,
Lyons, 1989

Jean Patou
Etherington-Smith, Meredith,
Patou, Hutchinson, Londres,
1983

Paul Poiret
Baudot, François, *Paul Poiret*,
Thames & Hudson, Londres,
1997
Deslandres, Yvonne, *Paul Poiret*,
Thames & Hudson, Londres,
1987
Iribe, Paul, *Les Robes de Poul
Poiret racontées par Paul Iribe*,
Société Générale
d'Impression, Paris, 1908
Musée de la Mode et du
Costume de la Ville de Paris,
Palais Galliéra, *Poiret et Nicole
Groult*, catálogo de
demonstração, Paris, 1986
Musée Jacquemart-André, *Poiret
le magnifique*, catálogo de
demonstração, Paris, 1974
Palmer White, Jack, *Paul Poiret*,
Studio Vista, Londres, 1973
Poiret, Paul, *My First Fifty Years*,
Victor Gollanez, Londres,
1931

Emilio Pucci
Casadio, Mariuccia, *Pucci*,
Thames & Hudson, Londres;
Universe Publishing, Nova
York, 1998
Kennedy, Shirley, *Pucci:
A Renaissance in Fashion*,

Abbeville Press, Nova York,
1991

Mary Quant
London Museum, *Mary Quant's
London*, catálogo de
demonstração, Londres, 1973
Quant, Mary, *Quant by Quant*,
Cassell, Londres, 1966

Paco Rabanne
Kamitsis, Lydia, *Paco Rabanne*,
Editions Assouline, Paris, 1997

Zandra Rhodes
Rhodes, Zandra and Anne
Knight, *The Art of Zandra
Rhodes*, Jonathan Cape,
Londres, 1984

Nina Ricci
Pochna, Marie-France, Anne
Bony e Patricia Canino, *Nina
Ricci*, Editions du Regard,
Paris, 1992

Marcel Rochas
Mohrt, Françoise, *Marcel Rochas:
30 ans d'élégance et de
créations*, Jacques Damase,
Paris, 1983

Sonia Rykiel
Rykiel, Sonia, Madeleine
Chapsal e Hélène Cixous,
Rykiel par Rykiel, Editions
Herscher, Paris, 1985

Yves Saint Laurent
Benaïm, Laurence, *Yves Saint
Laurent*, Grasset Fasquelle,
Paris, 1993
Bergé, Pierre, *Yves Saint Laurent*,
Thames & Hudson, Londres;
Universe Publishing, Nova
York, 1997
Duras, M., *Yves Saint Laurent:
Images of Design 1958-1988*,
Alfred A. Knopf, Nova York,
1988

Madsen, Axel, *Living for Design:
The Yves Saint Laurent Story*,
Delacorte Press, Nova York,
1979
Musée des Arts et de la Mode,
Yves Saint Laurent, catálogo
de demonstração, Paris, 1986
Rawsthorn, Alice, *Yves Saint
Laurent: A Biography*,
HarperCollins, Londres, 1996
Saint Laurent, Yves et al., *Yves
Saint Laurent*, catálogo de
demonstração, Metropolitan
Museum of Art, Nova York,
1983

Elsa Schiaparelli
Baudot, François, *Elsa
Schiaparelli*, Thames &
Hudson, Londres; Universe
Publishing, Nova York, 1997
Musée de la Mode et du
Costume de la Ville de Paris,
Palais Galliéra, *Hommage à
Schiaparelli*, catálogo de
demonstração, Paris, 1984
Palmer White, Jack, *Elsa
Schiaparelli*, Aurum Press,
Londres, 1986
Schiaparelli, Elsa, *Shocking Life*,
J. M. Dent, Londres, 1954

Paul Smith
Jones, Dylan, *Paul Smith True
Brit*, Design Museum,
Londres, 1996

Emanuel Ungaro
Guerritore, Margherita, *Ungaro*,
Electa, Milão, 1992

Valentino
Morris, Bernadine, *Valentino*,
Thames & Hudson, Londres
Universe Publishing, Nova
York, 1996
Valentino et al., *Valentino:
Trent'anni di Magia*, catálogo
de demonstração, Accademi

BIBLIOGRAFIA

Valentino, Bompiani, Milão, 1991

Gianni Versace
Casadio, Mariuccia, *Versace*, Thames & Hudson, Londres; Gingko Press, Corte Madera, Calif., 1998
—, *Gianni Versace*, Metropolitan Museum of Art and Abrams, Nova York, 1997
Martin, Richard, *Versace*, Thames & Hudson, Londres; Universe Publishing/Vendome, Nova York, 1997
Versace, Gianni et al., *A Sense of the Future: Gianni Versace at the Victoria and Albert Museum*, Victoria and Albert Museum Publications, Londres, 1985,
—, *Men without Ties*, Abbeville Press, Nova York, 1994
Versace, Gianni and Roy Strong, *Do Not Disturb*, Abbeville Press, Nova York, 1996

Madeleine Vionnet
Demornex, Jacqueline, *Madeleine Vionnet*, Thames & Hudson, Londres, 1991
Kamitsis, Lydia, *Vionnet*, Thames & Hudson, Londres; Universe Publishing, Nova York, 1996
Kirke, Betty, *Madeleine Vionnet*, Chronicle Books, Nova York, 1998
Musée Historique des Tissus, *Madeleine Vionnet – Les Années d'innovation 1919-1939*, catálogo de demonstração, Lyons, 1994

Louis Vuitton
Sebag-Montefiore, Hugh, *Kings on the Catwalk: The Louis Vuitton and Moët-Hennessy Affair*, Chapmans, Londres, 1992

Vivienne Westwood
Krell, Gene, *Vivienne Westwood*, Thames & Hudson, Londres; Universe Publishing, Nova York, 1997
Mulvagh, Jane, *Vivienne Westwood: An Unfashionable Life*, HarperCollins, Londres, 1998

Worth
De Marly, Diana, *Worth, Father of Haute Couture*, Elm Tree Books, Londres, 1980

Yohji Yamamoto
Baudot, François, *Yohji Yamamoto*, Thames & Hudson, Londres, 1997

Yuki
Etherington-Smith, Meredith, *Yuki*, Gnyuki Torimaru (publicado particularmente), Londres, 1998
Haye, Amy de la, *Yuki: 20 years*, Victoria and Albert Museum Publications, Londres, 1992

Dicionários, guias e jornais
Annual Journal, *Fashion Theory*, Berg, Oxford
Anthony, P. And J. Arnold, *Costume: A General Bibliography*, rev. ed., Costume Society, Londres, 1974
Baclawski, Karen, *The Guide to Historic Costume*, B. T. Batsford, Londres, 1995
Calasibetta, Charlotte Mankey, *Fairchild's History of Fashion*, Fairchild Publications, Nova York, 1975
Cassin-Scott, Jack, *The Illustrated Encyclopaedia of Costume and Fashion*, Studio Vista, Londres, 1994
Casteldi, A. e A. Mulassano, *The Who's Who of Italian Fashion*, G. Spinelli, Florence, 1979
Davies, Stephanie, *Costume Language: A Dictionary of Dress Terms*, Cressrelles, Malvern Hills, Herefordshire, 1994
Ironside, Janey, *A Fashion Alphabet*, Michael Joseph, Londres, 1968
Journal of the Costume Society (UK), *Costume*
Journal of the Costume Society of America, *Dress*
Lambert, Eleanor, *World of Fashion: People, Places, Resources*, R. R. Bowker, Nova York, 1976
McDowell, Colin, *McDowell's Directory of Twentieth Century Fashion*, Frederick Muller, Londres, 1984
Martin, Richard (ed.), *The St. James Fashion Encyclopedia: A Survey of Style from 1945 to the Present*, Visible Ink Press, Detroit, Nova York, Toronto e Londres, 1997
Morris, Bernadine e Barbara Walz, *The Fashion Makers: An Inside Look at America's Leading Designers*, Random House, Nova York, 1978
O'Hara Callan, Georgina, *Dictionary of Fashion and Fashion Designers*, Thames & Hudson, Londres e Nova York, 1998
Picken, Mary Brooks, *The Fashion Dictionary*, Funk & Wagnalls Co., Nova York, 1939
— e D. L. Miller, *Dressmakers of the French: The Who, How and Why of French Couture*, Harper and Bros., Nova York, 1956

Remaury, Bruno, *Dictionnaire de la mode au Xe Siècle*, Editions du Regard, Paris, 1994
Stegemeyer, Anne, *Who's Who in Fashion*, Fairchild Publications, Nova York, 1980
Thorne, Tony, *Fads, Fashion and Cults*, Bloomsbury Publishing, Londres, 1993
Watkins, Josephine Ellis, *Who's Who in Fashion*, 2nd ed., Fairchild Publications, Nova York, 1975
Wilcox, R. Turner, *The Dictionaty of Costume*, B. T. Batsford, Londres, 1970

Biografia e história cultural

Adburgham, Alison, *A Punch History of Manners and Modes, 1841-1940*, Hutchinson, Londres, 1961
Asquith, Cynthia, *Remember and Be Glad*, James Barrie, Londres, 1952
Ballard, Bettina, *In My Fashion*, Seeker & Warburg, 1960
Balsan, C. V, *The Glitter and the Gold*, Heinemann, Londres, 1954
Beaton, Cecil, *The Wandering Years. Diaries 1922-1939*, Weidenfeld & Nicolson, Londres, 1961
—, *The Years Between. Diaries 1939-1944*, Weidenfeld & Nicolson, Londres, 1965
—, *The Happy Years. Diaries 1944-1948*, Weidenfeld & Nicolson, Londres, 1972
—, *The Strenuous Years. Diaries 1948-1955*, Weidenfeld & Nicolson, Londres, 1973
—, *The Restless Years. Diaries 1955-1963*, Weidenfeld & Nicolson, Londres, 1976
—, *The Parting Years. Diaries*

1963-1974, Weidenfeld & Nicolson, Londres, 1978
Beckett, J. e D. Cherry, *The Edwardian Era*, Phaidon and Barbican Art Gallery, Londres, 1987
Bloom, Ursula, *The Elegant Edwardian*, Hutchinson, Londres, 1957
Buckley, V. C., *Good Times: At Home and Abroad Between the Wars*, Thames & Hudson, Londres, 1979
Campbell, Ethyle, *Can I Help You Madam?*, Cobden-Sanderson, Londres, 1938
Carter, Ernestine, *With Tongue in Chic*, Michael Joseph, Londres, 1974
Chase, Edna Woolinan and Ilka, *Always in Vogue*, Victor Gollancz, Londres, 1954
Clephane, Irene, *Ourselves 1900-1939*, Allen Lane, Londres, 1933
Cooper, Diana, *The Rainbow Comes and Goes*, Rupert Hart-Davis, Londres, 1958
—, *The Light of Common Day*, Rupert Hart-Davis, Londres, 1959
—, *Trumpets from the Steep*, Rupert Hart-Davis, Londres, 1960
Elizabeth, Lady Decies, *Turn of the World*, Lippincott, Nova York, 1937
Garland, Ailsa, *Lion's Share*, Michael Joseph, Londres, 1970
Garland, Madge, *The Indecisive Decade*, Macdonald, Londres, 1968
Graves, Robert, *The Long Weekend*, Faber and Faber, Londres, 1940
Hawes, Elizabeth, *Fashion Is*

Spinach, Random House, Nova York, 1938
—, *Why Is a Dress?*, Viking Press, Nova York, 1942
—, *It's Still Spinach*, Little, Brown; Boston, Mass., 1954
Hopkins, T. et al., *Picture Post 1938-1950*, Penguin Books, Harmondsworth, Middx, 1970
Keppel, Sonia, *Edwardian Daughter*, Hamish Hamilton, Londres, 1958
Laver, James, *Edwardian Promenade*, Edward Hulton, Londres, 1958
—, *The Age of Optimism*, Weidenfeld & Nicolson, Londres, 1966
Littinan, R. B. and D. O'Neil, *Life: The First Decade 1939-1945*, Thames & Hudson, Londres, 1980
Margaret, Duchess of Argyll, *Forget Not*, W. H. Allen, Londres, 1975
Margetson, Sheila, *The Long Party*, Saxon House, Farnborough, Hants, 1974
Marwick, Arthur, *The Home Front*, Thames & Hudson, Londres, 1976
—, *Women at War 1914-1918*, Fontana, Londres, 1977
Mirabella, Grace, *In and Out of Vogue: A Memoir*, Doubleday, Nova York, 1994
Newby, Eric, *Something Wholesale*, Seeker & Warburg, Londres, 1962
Nicols, Beverley, *The Sweet and Twenties*, Weidenfield & Nicolson, Londres, 1958
Penrose, Antony, *The Lives of Lee Miller*, Thames & Hudson, Londres e Nova York, 1985
Pringle, Margaret, *Dance Little Ladies: The Days of the*

BIBLIOGRAFIA 291

Debutante, Orbis Books, Londres, 1977
Sackville-West, Vita, *The Edwardians*, Bodley Head, Londres, 1930
Seebohm, Caroline, *The Man Who Was Vogue: The Life and Times of Condé Nast*, Weidenfeld & Nicolson, Londres, 1982
Settle, Alison, *Clothes Line*, Methuen, Londres, 1937
Sinclair, Andrew, *The Last of the Best*, Weidenfeld & Nicolson, Londres, 1969
Snow, Carmel, *The World of Carmel Snow*, McGraw-Hill, Nova York, 1962
Spanier, Ginette, *It Isn't All Mink*, Collins, Londres, 1959
—, *And Now It's Sables*, Robert Hale, Londres, 1970
Sproule, Anna, *The Social Calendar*, Blandford Press, Londres, 1978
Stack, Prunella, *Zest for Life: Mary Bagot Stack and the League of Health and Beauty*, Peter Owen, Londres, 1988
Stanley, Louis T., *The Londres Season*, Hutchinson, Londres, 1955
Vickers, Hugo, *Gladys, Duchess of Marlborough*, Weidenfield & Nicolson, Londres, 1979
—, *Cecil Beaton: The Authorized Biography*, Weidenfeld & Nicolson, Londres, 1986
Vreeland, Diana, *D. V.*, Alfred A. Knopf, Nova York, 1984
Westminster, Loelia, Duchess of, *Grace and Favour*, Weidenfeld & Nicolson, Londres, 1961
Withers, Audrey, *Lifespan*, Peter Owen, Londres, 1994
Yoxall, H. W., *A Fashion of Life*, Heinemann, Londres, 1966

Teoria da moda

Barnes, Ruth and Joanne Kicher (Eds), *Dress and Gender: Making and Meaning*, Berg, Nova York, 1992
Barthes, Roland, *The Fashion System*, Jonathan Cape, Londres, 1985
Bell, Quentin, *On Human Finery*, Hogarth Press, Londres; Schocken Books, Nova York, 1976
Bergler, Edmond, *Fashion and the Unconscious*, Robert Brunner, Nova York, 1953
Binder, P., *Muffs and Morals*, Harrap, Londres, 1953
Breward, Christopher, *The Culture of Fashion*, Manchester University Press, Manchester, 1995
Brydon, A. e S. Niessen, *Consuming Fashion*, Berg, Nova York, 1998
Craik, Jennifer, *The Face of Fashion: Cultural Studies in Fashion*, Routledge, Londres, 1994
Cunnington, C. Willet, *Why Women Wear Clothes*, Faber and Faber, Londres, 1941
Davis, Fred, *Fashion Culture and Identity*, University of Chicago Press, Chicago, Ill., 1992
Flügel, J. C., *The Psychology of Clothes*, Hogarth Press, Londres, 1930
Glynn, Prudence, *Skin to Skin: Eroticism in Dress*, Allen & Unwin, Londres, 1982
Hollander, Anne, *Seein through Clothes*, University of Calif. Press, Berkeley, Calif., 1978
—, *Sex and Suits*, Alfred A. Knopf, Nova York, 1994
Horn, Marilyn J., *The Second Skin: An Interdisciplinary Study of Clothing*, 2nd ed., Houghton Mifflin, Boston, Mass., 1975
Langner, L., *The Importance of Wearing Clothes*, Constable & Co., Londres, 1959
Laver, James, *Taste and Fashion*, Harrap, Londres, 1937
—, *How and Why Fashion in Men's and Women's Clothes Have Changed during the Past 200 Years*, John Murray, Londres, 1950
—, *Modesty in Dress*, Heinemann, Londres, 1969
Lipovetsky, Giles, *The Empire of Fashion*, Princeton University Press, Princeton, N.J., 1994
Lurie, Alison, *The Language of Clothes*, Hamlyn, Middx, 1982
McDowell, Colin, *Dressed to Kill: Sex, Power, and Clothes*, Hutchinson, Londres, 1992
Roach, Mary Ellen and Joanne B. Eicher, *Dress, Adornment and the Social Order*, John Wiley & Sons, Nova York, 1965
Rudofisky, Bernard, *The Unfashionable Human Body*, Doubleday, Nova York, 1971
Ryan, Mary S., *Clothing: A Study in Human Behaviour*, Holt, Rinehart & Winston, Nova York and Londres, 1966
Schefer, Doris, *What Is Beauty? New Definitions from the Fashion Vanguard*, Thames & Hudson, Londres; Universe Publishing, Nova York, 1997
Sproles, G. B., *Fashion: Consumer Behaviour towards Dress*, Burgess, Minneapolis, 1979
Steele, Valerie, *Fashion and Eroticism*, Oxford University Press, Oxford e Nova York, 1985

Veblen, Thorstein, *The Theory of the Leisure Class*, Macmillan and Co., Nova York, 1899
Warwick, A. e D. Cavallaro, *Fashioning the Frame*, Berg, Nova York, 1998
Wilson, Elizabeth, *Adorned in Dreams: Fashion and Modernity*, Virago, Londres, 1985

Ilustração de moda

Barbier, George, *The Illustrations of George Barbier in Full Colour*, Dover Publications, Nova York, 1977
Barnes, Colin, *Fashion Illustration*, Macdonald Orbis, Londres, 1988
Bure, Gilles de, *Gruau*, Editions Herscher, Paris, 1989
Drake, Nicholas, *Fashion Illustration Today*, Thames & Hudson, Londres e Nova York, 1987
Gaudriault, R., *La Gravure de mode féminine en France*, Editions Amateur, Paris, 1983
Ginsburg, Madeleine, *An Introduction to Fashion Illustration*, Warmington Compton Press, Londres, 1980
Grafton, Carol Belanger (ed.), *French Fashion Illustrations of the Twenties*, Dover Publications, Nova York, 1987
Hodgkin, Eliot, *Fashion Drawing*, Chapman and Hall, Londres, 1932
Marshall, Francis, *Londres West*, The Studio, Londres e Nova York, 1944
—, *An Englishman in Nova York*, G. B. Publications, Margate, Kent, 1949
—, *Fashion Drawing*, Studio Publications, 2.ª ed., Londres, 1955
Parker, William, *The Art of Vogue Covers*, Octopus Books, Nova York, 1980
—, *Fashion Drawing in Vogue*, Thames & Hudson, Londres e Nova York, 1983
Ramos, Juan, *Antonio: Three Decades of Fashion Illustration*, Thames & Hudson, Londres, 1995
Ridley, Pauline, *Fashion Illustration*, Academy Editions, Londres, 1979
Sloane, E., *Illustrating Fashion*, Harper and Row, Londres e Nova York, 1977
Vertès, Marcel, *Art and Fashion*, Studio Vista, Londres, 1944

Fotografia de moda

Avedon, Richard, *Avedon Photographs 1947-1977*, Thames & Hudson, Londres, 1978
Beaton, Cecil, *The Book of Beauty*, Gerald Duckworth &Co., Londres, 1930
Dars, Celestine, *A Fashion Parade: The Seeberger Collection*, Blond & Briggs, Londres, 1978
Demarchelier, Patrick, *Fashion Photography*, Little, Brown; Boston, Mass., 1989
Dèvlin, Polly, *Vogue Book of Fashion Photography*, Thames & Hudson, Londres: William Morrow & Co., Nova York, 1979
Ewing, William A., *The Photographic Art of Hoyningen-Huene*, Thames & Hudson, Londres; Rizzoli, Nova York, 1980
Farber, Robert, *The Fashion Photographer*, Watson-Guptill, Nova York, 1981
Gernsheim, A., *Fashion and Reality 1840-1914*, Faber and Faber, Londres, 1963
Hall-Duncan, Nancy, *The History of Fashion Photography*, Alpin Book Company, Nova York, 1979
Harrison, Martin, *Appearances: Fashion Photography since 1945*, Jonathan Cape, Londres, 1991
—, *Shots of Style*, catálogo de demonstração, Victoria and Albert Museum Publications, Londres, 1985
—, *David Bailey/Archive One*, Thames & Hudson, Londres; Penguin Putnam, Nova York, 1999
Klein, William, *In and Out of Fashion*, Jonathan Cape, Londres, 1994
Lang, Jack, *Thierry Mugler: Photographer*, Thames & Hudson, Londres, 1988
Lichfield, Patrick, *The Most Beautiful Women*, Elm Tree Books, Londres, 1981
Lloyd, Valerie, *The Art of Vogue Pholographic Covers*, Octopus Books, Londres, 1986
Mendes, Valerie (ed.), *John French Fashion Photographer*, catálogo de demonstração, Victoria and Albert Museum Publications, Londres, 1984
Nickerson, Camilla and Neville Wakefield, *Fashion Photography of the 90s*, Scalo Berlim, 1997
Parkinson, Norman, *Sisters under the Skin*, Quartet Books, Londres, 1978
Penn, Irving, *Passages*, Alfred A Knopf/Callaway, Nova York, 1991

Pepper, Terence, *Photographs by Norman Parkinson*, Gordon Fraser, Londres, 1981
—, *High Society Photographs 1897-1914*, National Portrait Gallery Publications, Londres, 1998
Roley, K. and C. Aish, *Fashion in Photographs 1900-1920*, B. T. Batsford, Londres, 1992
Ross, Josephine, *Beaton in Vogue*, Thames & Hudson, Londres; Potter, Nova York, 1986

Moda em filme

Beaton, Cecil, *Cecil Beaton's Fair Lady*, Weidenfeld & Nicolson, Londres, 1964
Chierichatti, David, *Hollywood Costume Design*, Studio Vista, Londres, 1976
Gaines, Jane e Charlotte Herzog (eds.), *Fabrications: Costume and the Female Body*, Routledge, Londres, 1990
Greer, Howard, *Designing Male*, Putnams, Nova York, 1949
Head, Edith e J. K. Ardmore, *The Dress Doctor*, Little, Brown; Boston, Mass., 1959
Kobal, John (ed.), *Hollywood Glamor Portraits*, Dover Publications, Nova York, 1976
La Vine, W. R., *In a Glamorous Fashion*, Allen & Unwin, Londres, 1981
Leese, Elizabeth, *Costume Design in the Movies*, BCW Publishing, Isle of Wight, 1976
McConathey, Dale e Diana Vreeland, *Hollywood Costume: Glamour! Glitter! Romance!*, Abrams, Nova York, 1976
Maeder, F. (ed.), *Hollywood and History: Costume Design in Film*, Thames & Hudson,

Londres; Los Angeles County Museum of Art, Los Angeles, Calif., 1987
Metropolitan Museum of Art, Costume Institute, *Romantic and Glamorous Hollywood Design*, catálogo de demonstração, Nova York, 1974
Sharaff, Irene, *Broadway and Hollywood: Costumes Designed by Irene Sharaff*, Van Nostrand Reinhold, Nova York, 1976
Whitworth Art Gallery, *Hollywood Film Costume*, catálogo de demonstração, Manchester, 1977,

Revistas

Braithwaite, B. e J. Barrell, *The Business of Women's Magazines*, Associated Business Press, Londres, 1979
Ferguson, M., *Forever Feminine: Women's Magazines and the Cult of Femininity*, Gower Publishing, Aldershot, Hants, 1986
Gibbs, David (ed.), *Nova 1965-1975*, Pavilion Books, Londres, 1993
Kelly, Katie, *The Wonderful World of Women's Wear Daily*, Saturday Review Press, Nova York, 1972
Millum, T., *Images of Woman*, Chatto & Windus, Londres, 1975
Mohrt, Françoise, *25 Ans de Marie-Claire, de 1954 à 1979*, Marie-Claire, Paris, 1979
Piaggi, Anna, *Anna Piaggi's Fashion Algebra*, Thames & Hudson, Londres e Nova York, 1998
White, Cynthia, *Women's Magazines 1693-1968*,

Michael Joseph, Londres, 1970
Winship, L. W, *Inside Women's Magazines*, Pandora Press, Londres, 1987
Woodward, H., *The Lady Persuaders*, Ivan Obolensky, Nova York, 1960

Manequins

Castle, C., *Model Girl*, David and Charles, Newton Abbott, Devon, 1976
Clayton, Lucie, *The World of Modelling*, Harrap, Londres, 1968
Dawnay, Jean, *Model Girl*, Weidenfeld & Nicolson, Londres, 1956
Freddy, *Flying Mannequin: Memoirs of a Star Model*, Hurst & Blackett, Londres, 1958
Graziani, Bettina, *Bettina by Bettina*, Michael Joseph, Londres, 1963
Gross, Michael, *Model: The Ugly Business of Beautiful Women*, William Morrow & Co., Nova York, 1995
Helvin, Marie, *Catwalk: The Art of Model Style*, Michael Joseph, Londres, 1985
Jones, Lesley-Ann, *Naomi: The Rise and Rise of the Girl from Nowhere*, Vermilion, Londres, 1993
Keenan, Brigid, *The Women We Wanted to Look Like*, Macmillan, Londres, 1977
Kenore, Carolyn, *Mannequin: My Life as a Model*, Bartholomew, Nova York, 1969
Keysin, Odette, *President Lucky, Mannequin de Paris*, Librairie Artheme Fayard, Paris, 1961

Liaut Jean-Noël, *Modèles et mannequins 1945-1965*, Filipacchi, Paris, 1994
Marshall, Cherry, *Fashion Modelling as a Career*, Arthur Barker, Londres, 1957
—, *The Catwalk*, Hutchinson, Londres, 1978
Menkes, Suzy, *How to Be a Model*, Sphere Books, Londres, 1969
Moncur, Susan, *The Still Shoot Models My Age*, Serpent's Tail, Londres, 1991
Mounia e D. Dubois-Jallais, *Princesse Mounia*, Editions Robert Laffont, Paris, 1987
Praline, *Mannequin de Paris*, Editions du Seuil, Paris, 1951
Schoeller, Guy, *Bettina*, Thames & Hudson, Londres; Universe Publishing, Nova York, 1997
Shrimpton, Jean, *The Truth about Modelling*, W H. Allen, Londres, 1964
—, *An Autobiography*, Ebury Press, Londres, 1990
Sims, Naomi, *How to Be a Top Model*, Doubleday, Nova York, 1989
Thurlow, Valerie, *Model in Paris*, Robert Hale, Londres, 1975
Twiggy, *Twiggy: An Autobiography*, Hart-Davis MacGibbon, Londres, 1975
Wayne, George, *Male Supermodels: The Men of Boss Models*, Thames & Hudson, Londres; Boss Models Inc., Nova York, 1996

Roupa masculina

Amies, Hardy, *An ABC of Men's Fashion*, Newnes, Londres, 1964
Bennett-England, Rodney, *Dress Optional*, Peter Owen, Londres, 1967

Binder, Pearl, *The Peacock's Tail*, Harrap, Londres, 1958
Brockhurst, H. E. *et al.*, *British Factory Production of Men's Clothes*, George Reynolds, Londres, 1950
Buzzaccarini, Bittoria de, *Men's Coats*, Zanfi Editori, Módena, 1994
Byrde, Penelope, *The Male Image: Men's Fashion in Britain, 1300-1970*, B. T. Batsford, Londres, 1979
Chenoune, Farid, *A History of Men's Fashion*, Editions Flanimarion, Paris, 1996
Cohn, Nik, *Today There Are No Gentlemen*, Weidenfeld & Nicolson, Londres, 1971
Constantino, Maria, *Men's Fashion in the Twentieth Century*, B. T. Batsford, Londres, 1997
Corbin, H., *The Men's Clothing Industry: Colonial through Modern Times*, Fairchild Publications, Nova York, 1970
De Marly Diane, *Fashion for Men: An Illustrated History*, B. T. Batsford, Londres, 1985
Edwards, Tim, *Men in the Mirror*, Cassell, Londres, 1997
Farren, Mick, *The Black Leather Jacket*, Plexus Publishing, Londres, 1985
Giorgetti, Cristina, *Brioni: Fifty Years of Style*, Octavo, Florença, 1995
McDowell, Colin, *The Man of Fashion: Peacock Males and Perfect Gentlemen*, Thames & Hudson, Londres e Nova York, 1997
Martin, Richard and Harold Koda, *Jocks and Nerds: Men's Style in the Twentieth Century*, Rizzoli, Nova York, 1989

Peacock, John, *Men's Fashion: The Complete Sourcebook*, Thames & Hudson, Londres e Nova York, 1996
Ritchie, Berry, *A Touch of Class: The Story of Austin Reed*, James & James, Londres, 1990
Schoeffler, O. and Gale William, *Esquire's Encyclopaedia of 20th Century Men's Fashions*, McGraw-Hill, Nova York, 1973
Taylor, John, *It's a Small, Medium, Outsize World*, Hugh Evelyn, Londres, 1966
Wainwright, David, *The British Tradition: Simpson – A World of Style*, Quiller Press, Londres, 1996
Walker, Richard, *The Savile Row Story: An Illustrated History*, Prion, Londres, 1988

Estilos de rua, pop e subcultural

Barnes, Richard, *Mods*, Eel Pic Publishing, Londres, 1979
Cohen, S., *Folk Devils and Moral Panics: The Creation of the Mods and Rockers*, MacGibbon & Kee, Londres, 1972
Dingwall, Cathie e Amy de la Haye, *Surfers, Soulies, Skinheads and Skaters*, Victoria and Albert Museum Publications, Londres, 1996
Hall, Stuart e Tony Jefferson, *Resistance through Rituals*, Routledge, Londres, 1990
Hebdige, Dick, *Subculture: The Meaning of Style*, Methuen, Londres, 1979
Hennessy, Val, *In the Gutter*, Quartet Books, Londres, 197
Kingswell, Tamsin, *Red or Dead*

BIBLIOGRAFIA **295**

The Good, the Bad and the Ugly, Thames & Hudson, Londres; Watson-Guptill, Nova York, 1998
Knight, Nick, *Skinhead*, Omnibus Press, Londres e Nova York, 1982
McDermott, Catherine, *Street Style*, Design Council, Londres, 1987
Polhemus, Ted, *Street Style*, Thames & Hudson, Londres e Nova York, 1994
—, *Style Surfing: What to Wear in the Third Millennium*, Thames & Hudson, Londres e Nova York, 1996
—, *Diesel: World Wide Wear*, Thames & Hudson, Londres; Watson-Guptill, Nova York, 1998
—, e Lynn Proctor, *Pop Styles*, Hutchinson, Londres, 1984
Savage, Jon, *England's Dreaming: Sex Pistols and Punk Rock*, Faber and Faber, Londres, 1991
Stuart, Johnny, *Rockers*, Plexus Publishing, Londres, 1987

Roupa esporte

Colmer, M., *Bathing Beauties: The Amazing History of Female Swimwear*, Sphere Rooks, Londres, 1977
Fashion Institute of Technology, *All American: A Sportswear Tradition*, catálogo de demonstração, Nova York, 1985
Lee-Potter, Charlie, *Sportswear in Vogue since 1910*, Thames & Hudson, Londres; Abbeville Press, Nova York, 1984
Probert, Christina, *Swimwear in Vogue since 1910*, Thames & Hudson, Londres; Abbeville Press, Nova York, 1981

Silmon, Pedro, *The Bikini*, Virgin Publishing, Londres, 1986
Tinling, Teddy, *White Ladies*, Stanley Paul, Londres, 1963
—, *Sixty Years in Tennis*, Sidgwick and Jackson, Londres, 1983

Vestuário real

Blanchard, T. and T. Graham, *Dressing Diana*, Weidenfeld & Nicolson, Londres, 1998
Christies, *Dresses from the Collection of Diana, Princess of Wales*, Nova York, junho 1997
Edwards, A. e Robb, *The Queen's Clothes*, Rainbird Publishing Group, Londres, 1977
Harnell, Norman, *Royal Courts of Fashion*, Cassell, Londres Nova York, 1971
Howell, Georgina, *Diana: Her Life in Fashion*, Pavilion Books, Londres, 1998
McDowell, Colin, *A Hundred Years of Royal Style*, Muller, Blond & White, Londres, 1985
Menkes, Suzy *The Royal Jewels*, Grafton, Londres, 1986
—, *The Windsor Style*, Grafton, Londres, 1987
Owen, J., *Diana Princess of Wales: The Book of Fashion*, Colour Library Books, Guildford, Surrey, 1983

Roupa íntima

Carter, Alison, *Underwear: The Fashion History*, B. T. Batsford, Londres, 1992
Cunnington, C. Willet e Phyllis, *The History of Underclothes*, Michael Joseph, Londres, 1951
Ewing, Elizabeth, *Dress and Undress: A History of Women's Underwear*, B. T. Batsford, Londres; Drama Book Specialists, Nova York, 1978
Koike, Kazuko *et al.*, *The Undercover Story*, Nova York Fashion Institute of Technology and the Costume Institute, Tóquio, catálogo de demonstração, Nova York e Tóquio, 1982
Martin, Richard e Harold Koda, *Infra-Apparel*, Metropolitan Museum of Art, Nova York, 1993
Morel, Juliette, *Lingerie Parisienne*, Academy Editions, Londres, 1976
Musée de la Mode et de Costume de la Ville de Paris, Palais Galliéra, *Secrets d'élegance 1750-1950*, catálogo de demonstração, Paris, 1978
Page, C., *Foundations of Fashion: The Symington Collection*, Leicestershire Museum, Leicestershire, 1981
Probert, Christina, *Lingerie in Vogue since 1910*, Thames & Hudson, Londres; Abbeville Press, Nova York, 1981
Saint-Laurent, Cecil, *The History of Ladies Underwear*, Michael Joseph, Londres, 1968
Waugh, Norah, *Corsets and Crinolines*, B. T. Batsford, Londres, 1954

Acessórios

Amphlett, H., *Hats*, Richard Sadler, Londres, 1974
Baynes, Ken e Kate, *The Shoe Show: British Shoes since 1790*, The Crafts Council, Londres, 1979
Centre Sigma Laine, *Souliers par Roger Vivier*, catálogo de

demonstração, Bordeaux, 1980
Chaille, François, *The Book of Ties*, Editions Flammarion, Paris, 1994
Clark, Fiona, *Hats*, B. T. Batsford, Londres, 1992
Corson, R., *Fashions in Eyeglasses from 14th Century to the Present Day*, Peter Owen, Londres, 1967
Cumming, Valerie, *Gloves*, B. T. Batsford, Londres, 1982
Daché, Lilly, *Talking through My Hats*, John Gifford, Londres, 1946
Doe, Tamasin, *Patrick Cox: Wit, Irony and Footwear*, Thames & Hudson, Londres; Watson-Guptill, Nova York, 1998
Double, W. C., *Design and Construction of Handbags*, Oxford University Press, Londres, 1960
Doughty, Robin, *Feather Fashions and Bird Preservation*, University of California Press, Berkeley, Calif., 1975
Eckstein, E. e J. Firkins, *Hat Pins*, Shire Album 286, Shire Publications, Princes Risborough, Bucks, 1992
Epstein, Diana, *Buttons*, Studio Vista, Londres, 1968
Farrell, Jeremy, *Umbrellas and Parasols*, B. T. Batsford, Londres, 1986
—, *Socks and Stockings*, B. T. Batsford, Londres, 1992
Ferragamo, Salvatore, *Shoemaker of Dreams: The Autobiography of Salvatore Ferragamo*, Harrap, Londres, 1957
Foster, Vanda, *Bags and Purses*, B. T. Batsford, Londres, 1982
Friedel, Robert, *Zipper: An Exploration in Novelty*, W. W.

Norton & Co., Nova York, 1994
Ginsburg, Madeleine, *The Hat: Trends and Traditions*, Studio Editions, Londres, 1990
Gordon, John and Alice Hiller, *The T-shirt Book*, Ebury Press, Londres, 1988
Grass, Milton E., *History of Housiery*, Fairchild Publications, Nova York, 1955
Houart, Victor, *Buttons: A Collector's Guide*, Souvenir Press, Londres, 1977
Luscomb, S. C., *The Collectors Encyclopaedia of Buttons*, Crown, Nova York, 1968
McDowell, Colin, *Hats: Status, Style and Glamour*, Thames & Hudson, Londres e Nova York, 1997
Mazza, Samuel, *Scarparentola*, Idea Books, Milão, 1993
Mercié, Marie, *Voyages autour d'un chapeau*, Editions Ramsay/de Cortanze, 1990
Peacock, Primrose, *Buttons for the Collector*, David e Charles, Newton Abbott, Devon, 1972
Probert, Christina, *Hats in Vogue since 1910*, Thames & Hudson, Londres; Abbeville Press, Nova York, 1981
—, *Shoes in Vogue since 1910*, Thames & Hudson, Londres; Abbeville Press, Nova York, 1981
Provoyeur, Pierre, *Roger Vivier*, Editions du Regard, Paris, 1991
Ricci, Stefania *et al.*, *Salvatore Ferragamo: The Art of the Shoe 1898-1960*, Rizzoli, Nova York, 1992
Richter, Madame Eve, *ABC of Millinery*, Skeffington and Son, Londres, 1950

Smith, A. L. and K. Kent, *The Complete Button Book*, Doubleday, Nova York, 1949
Solomon, Michael, *Chic Simple: Spectacles*, Thames & Hudson, Londres; Alfred A. Knopf, Nova York, 1994
Swann, June, *Shoes*, B. T. Batsford, Londres, 1982
Thaarup, Aage, *Heads and Tales*, Cassell, Londres, 1956
— and D. Shackell, *How to Make a Hat*, Cassell, Londres, 1957
Trasko, Mary, *Heavenly Soles*, Abbeville Press, Nova York, 1989
Wilcox, Claire, *A Century of Style: Bags*, Quarto, Londres, 1998
Wilcox, R. Turner, *The Mode in Hats and Headdresses*, Charles Scribner's Sons, Nova York e Londres, 1959
Wilson, Eunice, *A History of Shoe Fashions*, Pitman, Nova York, 1969
Yusuf, Nilgin, *Georgina van Etzdorf: Sensuality, Art and Fabric*, Thames & Hudson, Londres; Watson-Guptill, Nova York, 1998

Estilos de cabelos e cosméticos

Angelouglou, M., *A Histoty of Make-up*, Studio Vista, Londres, 1970
Antoine, *Antoine by Antoine*, W. H. Allen, Londres, 1946
Banner, L. W., *American Beauty*, Alfred A. Knopf; Nova York, 1983
Castelbajac, Kate de, *The Face of the Century: 100 Years of Make-up and Style*, Thames & Hudson, Londres e Nova York, 1995

Chorlton, Penny, *Cover-up: Taking the Lid off the Cosmetics Industry*, Grapevine, Wellingborough, Northants, 1988
Cooper, Wendy, *Hair*, Aldus Editorial, Mexico, 1971
Corson, R., *Fashions in Hair*, Peter Owen, Londres, 1965
—, *Fashions in Make-up from Ancient to Modern Times*, Peter Owen, Londres, 1972
Cox, J. Stevens, *An Illustrated Dictionary of Hairdressing and Wig-making*, Hairdressers Technical Council, Londres, 1966
Garland, Madge, *The Changing Face of Beauty*, Weidenfeld & Nicolson, Londres, 1957
Ginsberg, Steve, *Reeking Havoc*, Warner Books, Nova York, 1989
Graves, Charles, *Devotion to Beauty: The Antoine Story*, Jarrolds Publishing, Londres, 1962
Lewis, A. A. e C. Woodworth, *Miss Elizabeth Arden: An Unretouched Portrait*, W. H. Allen, Londres, 1973

Linter, Sandy, *Disco Beauty*, Angus and Robertson, Londres, 1979
MacLaughlin, Terence, *The Gilded Lily*, Cassell, Londres, 1972
Michael, Liz e Rachel Urquhart, *Chic Simple: Woman's Face*, Thames & Hudson, Londres; Alfred A. Knopf, Nova York, 1997
Perutz, K., *Beyond the Looking Glass: Life in the Beauty Culture*, Flodder & Stoughton, Londres, 1970
Price, Joan e Pat Booth, *Making Faces*, Michael Joseph, Londres, 1980
Raymond, *The Outrageous Autobiography of Teasie-Weasie*, Wyndham, Londres, 1976
Robinson, Julian, *Body Packaging*, Watermark Press, Sydney, N.S.W, 1988
Rubinstein, Helena, *The Art of Feminine Beauty*, Victor Gollancz, Londres, 1930
—, *My Life for Beauty*, Bodley Head, Londres, 1964

Sassoon, Vidal, *Sorry, I Kept You Waiting Madam*, Cassell, Londres, 1968
Scavullo, Francesco, *Scavullo on Beauty*, Random House, Nova York, 1976
Wolf, Naomi, *The Beauty Mith*, Chatto & Windus, Londres, 1990

Modelos

Arnold, Janet, *Patterns of Fashion 2*, c. 1860-1940, Macmillan, Londres, 1977
Hunnisett, Jean, *Period Costume for Stage and Screen: Patterns for Women's Dress 1800-1909*, Players Press, Studio City, Calif., 1991
Kidd, Mary T., *Stage Costume*, A. & C. Black, Londres, 1996
Shaeffer, Clare B., *Couture Sewing Techniques*, Taunton Press, Newton, Conn., 1993
Waugh, Norah, *The Cut of Women's Clothes 1600-1930*, Faber and Faber, Londres, 1968

FONTES DAS ILUSTRAÇÕES

Os editores gostariam de agradecer a todos os designers e empresas que generosamente tornaram acessíveis esboços originais e fotografias de seus arquivos.

James Abbe: 16; © ADAGP, Paris and DACS, Londres 1999: 61, 62, 63, 64; The Advertising Archives: 84, 100, 101, 162; AKG, Londres: 115, 116; Cortesia Hardy Amies: 152; Cortesia Giorgio Armani: 249, 250, 265 (Foto © Peter Lindbergh); Cortesia Peter Ascher: 181; Cortesia Laura Ashley: 225; Barnabys Picture Library: 60, 113; Coleção particular/Christie's Images/Bridgeman Art Library, Londres/Nova York. © Salvador Dali Foundation Gala-Salvador Dali/DACS 1999: 106; Foto cortesia Brooklyn Museum of Art: 2; Camera Press: 201 (Foto Hans de Boer), 229 (U Steiger/SHE), 237, 238, 239 (Foto Glenn Harvey); Cortesia Pierre Cardin: 179, 185, 207; Centre de Documentation de la Mode et du Textile, Paris: 68, 70; Courtesy Fonds Chanel, foto © Karl Lagerfeld: 246; Christie's Images: 111; © Condé Nast/Vogue: 105, 114; Corbis: 121 (Hulton Getty), 124 Hulton Getty), 129 (Geneviere Naylor), 130 (Hulton Getty), 131 (Hulton Getty), 132, 133

(UPI/Bettmann), 154 (Genevieve Naylor), 156, 157 (Geneviere Naylor), 159 (Hulton etty), 163 (Geneviere Naylor), 215 (UPI/Bettmann), 220 (UPI/Bettmann), 263 264 (Vittoriano Bastelli); Coleção particular. © DACS 1999: 30; Pamela Diamond: 79; Discovery Museum, Newcastle upon Tyne (Tyne & Wear Museums): 224; E. T. Archive: 12, 94, 95; Cortesia Ferragamo: 96, 97; Chantal Fribourg. Paris: 164; *Gazette du bon ton* 28, 29, 57, 69; Cortesia Jean-Paul Gaultier: 257; Cortesia Rudi Gernreich: 197; Ronald Grant Archive: 65, 161, 204; Cortesia Shirin Guild: 262 (Foto Robin Guild); Cortesia Lulu Guinness: 276; Cortesia Halston: 216; *Harper's Bazaar*: 81, 103 (Foto © George Hoyningen-Huene); Hulton Getty: 3, 10, 23, 24, 38, 54, 55, 66, 71, 75, 76, 78, 80, 85, 86, 88, 93, 99, 117, 136, 151, 160, 165, 186, 187, 188, 189, 190, 191, 194, 198, 199, 200, 210, 218, 219, 221; *i – D* magazine 230 (Foto © Barry Lategan); The Trustees of the Imperial War Museum, Londres: 54, 123; Cortesia Betsey Johnson: 193; Cortesia Norma Kamali: 256; Cortesia Kenzo: 209; Cortesia Calvin Klein: 253; Foto © Nick Knight: 244; Kobal Collection: 174; Krizia 214 (Foto Alfa Castaldi); Cortesia Christian Lacroix: 247

(Foto © Jean-François Gâté); Cortesia Ralph Lauren: 254; Library of Congress, Washington DC: 21, 39; Londor Features International: 184; Cortesia Mary McFadden: 217; Fotos © Niall McInerney: 226, 231, 232, 233, 234, 235, 236, 240 242, 243, 244, 245, 248, 255, 258 259, 260, 261, 266, 267, 268, 269 270, 271, 272, 273, 274, 275, 277 279, 280, Magnum/ Foto © Robert Capa 139; Maryhill Museum of Art: 137, 138; © ADAGP, Paris and DACS, Londres 1999: 135, 140, 141, 142, 143, 144, 145, 146, 148, 153 166, 167, 168, 177, 178, Lee Miller Archives: 114, 134; Cortesia Missoni/ Gai Pearl Marshall: 211, 212, 252; Cortes: Moschino/Gai Pearl Marshall: 228; Museum of London: 20; Cortesia da National Portrait Gallery, Londres: 15; Copyrigh SYLVIE NISSEN Galleries http://www.rene-gruau.com: 104; Collection Edouard Pecourt: 37; Pictorial Press: 98; Coleção particular: 1, 4, 5, 6, 7, 8, 9, 11, 13, 14, 17, 18, 19, 22, 2 26, 34, 35, 36, 40, 41, 42, 43, 44 45, 46, 48, 49, 50, 52, 56, 59, 74 77, 82, 83, 87, 89, 90, 91, 92, 10 110, 118, 119, 120, 125, 126, 12 128, 149, 150, 158; Popperfoto: 183; Emilio Pucci: 182; Rapho: 147 (Foto © Robert Doisneau) Zandra Rhodes, UK: 222, 227 (Foto Clive Arrowsmith);

FONTES DAS ILUSTRAÇÕES

Cortesia Clements Ribeiro: 278 (Foto Tim Griffiths); Royal Fotographic Society: 72 (Foto © Hoyningen-Huene); Cortesia Sonia Rykiel: 206, 208, Cortesia Yves Saint Laurent: 169, 170, 171, 172, 202 (Foto © Helmut Newton), 203, 205; Seeberger Archive, Bibliothèque Nationale, Paris: 31, 47, 67, 102; Cortesia Sotheby's Cecil Beaton Archive: 2-3, 107; Cortesia Gianni Versace: 251; Cortesia Valentino: 213; Victoria & Albert Museum: 27, 32, 33, 73, 109, 112, 122, 155, 173, 175, & 176, (Fotos © John French) 192; Cortesia Roger Viver: 195 196; Cortesia Yuki: 223.

AGRADECIMENTOS

Somos gratos a muitas pessoas por seu apoio e por generosamente compartilhar informações, especialmente ao Professor Lou Taylor, Marie-Andrée Jouve, Elizabeth Ann Coleman, Timothy d'Arch Smith, Ernes e Diane Connell, Faith Evans, Professor John Stokes, Susan North, Jane Mulvagh, Avril Hart, Sarah Woodcock, David Wright, Michael Neal, Lucy Pratt, Professor Bruno Remaury, Claire Wilcox e Debbie Sinfield. Também estendemos nossos agradecimentos a todos os designers e seus representantes e também a todos os proprietários de roupas de moda, que gentilmente forneceram fatos e material ilustrativo.

ÍNDICE REMISSIVO
(Os números em itálico referem-se às ilustrações.)

abrigos 255, *256*
Accademia dei Sartori 174
adereços de cabeça 12, *17*
Adler & Adler 186
Adrian, Gilbert (Adrian Adolph
  Greenburg; 1903-59; nascido
  em Naugatuck, Connecticut,
  EUA) 82, 116, 146, *163*
Agnès 101
Alaïa, Azzedine (1940-; nascida
  na Tunísia) 243
Album de la mode 123
Alexandra, rainha, influência
  sobre o estilo 12
algodão, Centro de *Design* e
  Estilo do Conselho do 108
Alix Barton *ver* Grès
Alix *ver* Grès
Allan, Maud 14
alta-costura, declínio da 159-60,
  196
Amies, Hardy (1909-; nascido
  em Londres, Inglaterra) 71,
  109, 139-2, 176, *152*
anáguas 19, 22, 105, 129, 254
Anderson & Sheppard 149, 271
Anello & Davide 189
Antoine (Antek Cierplikowski;
  1884-1976; nascido em
  Sieradz, Polônia) 156
Antonelli, Maria 114
Aquascutum 43, 72, *84*
Arden, Elizabeth 154, 185, *128*
Armani, Giorgio (1934-; nascido
  em Piacenza, Itália) 206, 215,
  237, 247-50, *249, 250*, 265
Armstrong-Jones, Antony
  (posteriormente Lorde
  Snowdon) 190
Arnault, Bernard 246, 270

Arrow, camisas *39*
Art Deco, influência sobre a
  moda 59, 202, *104*
Ascher, Zika 108, 172, *181*
Ashley, Laura (Laura Mountney;
  1925-85; nascida em Merthyr
  Tydfil, Gales) 220, 222, *225*
Astaire, Fred 86
Astor, sra. Vincent *154*
Atelier Martine 26
Au Printemps 10, *22*
Augustabernard (Augusta
  Bernard; 1886-1946; nascida
  em Biarritz, França) 90
Austrália, estilistas da 246, 279-80
Ayscough, Bessie 10
Ayton, Sylvia 218

Babb, Paul *199*
Bailey, David *182*, 190
Bakst, Lèon 26, *27*
Balenciaga, Cristóbal (1895-
  1972; nascido em Guetaria,
  Espanha) 98, 102, 126, 129-
  34, 146, 162, 165-6, 196, 276,
  113, 138, 142
Ballets Russes, influência sobre
  a moda 1, 22, 63, 261, *27, 76*
Balmain, Pierre (1914-82;
  nascido em St. Jean-de-
  Maurienne, França) 102, 136-
  7, *145, 146*
bandós 67, *71*
banho de sol 74-5
Banks, Jeff (1943-; nascido em
  Ebbw Vale, Gales) 181
Banton, Travis (1894-1958;
  nascido em Waco, Texas, EUA)
  82, 84
barba 35, 190, 214

barbatanas 3
Barbier, George *34*
Barbour 72
Barran, John 49
barras italianas, em calças e
  shorts 111, 149, *205*
Barrie, Scott 210
Barton, Julie 90
Basile, 247
Bates, John (1938-; nascido em
  Northumberland, Inglaterra)
  181
Beatniks 152
Beaton, Cecil, 59, *2-3*
Beau Brummell Neckwear 210
Beaux, Ernest 50
Beene, Geoffrey (1927-; nascido
  em Haynesville, Louisiana,
  EUA) 186, 203, 208
Beerbohm, Max 34
Bell, Vanessa *64, 79*
Bendel, Henri 10, 41, 137
Bender, Lee 181
Bender, Marilyn 186
Benito 52
Bennett, Stephen 246
Bérard, Christian 94
Bergdorf Goodman 10, 72, 185
Bergé, Pierre 162, 196
Bettina (Simone Bodin) 156
Biagiotti, Laura (1943-; nascida
  em Roma, Itália) 207
Biba 181, 216, 220, *191, 222, 224*
Bikkenbergs, Dirk (1962-;
  nascido em Bonn, Alemanha)
  268
biquínis 125
Birtwell, Celia 218, *221*
Blahnik, Manolo (1943-; nascido
  em Santa Cruz, Canárias) 232

Blaisse, Maria 238
blazers 63, 65, 87, 105, 77
Bloomberg, Leonard 199
Bloomsbury, Grupo de 14, 64
blusas 20, 46, 98, 103, 105, 118, 174, 235, *21, 53, 147, 203, 213, 225, 249, 254*
Blyth, Ann 162
Body Map 232
Bohan, Marc (Roger Maurice Louis Bohan; 1926-; nascido em Paris, França) 162
Bolan, Marc 214
Boldini, Giovanni 12
Bolger, Brian 232
Bolsa de Wall Street, quebra da 69, 71-2
bolsas 57, 81, 101, 157 275-6, *1, 5, 94, 150, 275, 276*
bolsas de mão, *ver* bolsas
bolsos 42, 88, 94, 101, 105, 109, 111, 115, 132, 149, 240, 275, *45, 93, 106, 107, 114, 123, 275*
Bonwit Teller 185
bordado 2, 4, 14, 42, 58, 71, 74, 90, 94-5, 98, 103, 136, 142, 210, 246, 276, *20, 53, 57, 113, 158, 248*
botas *ver* calçados
botoeiras 37, *44*
botões 47, 109, 168, 238, *181, 272*
Boulanger, *ver* Louiseboulanger
Boulet, Denise 26
Boussac, Marcel 126
Boutique Simultané 59
Bowie, David 214, 229, *218*
Boyd, John *236*
Breton, André, *Manifesto Surrealista* 94
Brioni 174
Brooks Brothers 176, 210
Brooks, Louise 54, *65*
Browns 230
Brunhoff, Michel de 123
Bunka College of Fashion 202
Burberry 21, 43, 72, *101*
Burrows, Stephen (1943-;

nascido em Newark, Nova Jersey, EUA) 210-1
Burton's 111, 149
bustiês 237
Butterick 138, *26, 82, 83*

Cadette 252
caftãs 189, 210
calçados, *ver* salto-plataforma, salto anabela
calçados femininos: eduardianos 15, *5*; pós-Primeira Guerra Mundial 44, 47, 56, 57, 81, 86, *51, 53, 95, 96, 97, 102*; Segunda Guerra Mundial 102, 104-5, 109, 114, 118-9; pós-Segunda Guerra Mundial 148, 152, 157, *150, 152, 159*; década de 1960 166, 171, 174, 180, 185, 189, *166, 175, 176, 183, 188, 192, 195, 196*; década de 1970 198-9, 211, *204, 209, 210*; década de 1980 226, 229, 232, 238, 241, 257, *226, 227, 232, 244, 245, 254, 255*; década de 1990 262, 270, *269, 274*
calçados masculinos 35, 37, 62-3, 82-6, 104, 105, 109, 152, 157, 174, 228, 246, *1, 40, 41, 42, 183, 186, 204*
Calças 37, 72-3, 87, 105, 111, 151, 175-6, 190, 214, 227, *45, 86, 184, 186*; com frente em avental 241-2; vaqueiro australiano 246; boca de sino 211, *202, 211, 215*; Oxford bags 63; *plus-fours* 62, *75*; femininas 47, 65, 117, 152, 195, 198, 227, 237, 255, *93, 172, 233, 244, 255, 268*
Callot Soeurs 14, 47, 51
camadas, roupas em 197, 202, 255, 259, *231, 262*
camisas 36-7, 86, 105, 111, 118, 174, 176, 210, 214, 246, 271, *39, 268, 269*
camisas-pólo 87

camisetas 229, 232, *236*
camisetas sem mangas 212
camisolas 57
Campbell, Naomi 264
camponeses, estilos 98, 103, 115
capas 22, 73, 174, *33, 166*
capas de chuva 42, 162, *171, 216*
Capezio 118
"cápsulas" de Pucci 174
Capucci, Roberto (1930-; nascido em Roma, Itália) 145, 172, *181*
Caracciolo, princesa Giovanna (Carosa) 172
Caraceni, Domenico 174
cardigãs 44, 105, 234, *208, 234, 254*
Cardin, Pierre (1922-; nascido em Sant Andrea Barbarana, Itália) 159, 168-71, 176-7, 192, 198-9, 241, *177, 178, 179, 185, 206, 207*
Carnaby Street 175, 182, *189, 190*
Carnegie, Hattie Henrietta Kanengeiser; 1889-1956; nascida em Viena, Áustria) 55, 72, 114, 146, 148, 186, *129*
Carosa (Princesa Giovanna Caracciolo) 172
Carter, Ernestine 138
casacos 35, 42, 80, 101, 114, 142, 152, 162, 169, 193, 198, 218, 246, 254-5, *92, 114, 177, 222, 224, 244*; *ver também* sobrecasacas; jaquetas, paletós; casacos de manhã; fraques; capas de chuva
casacos de manhã 34, 37, *1, 12, 40, 78*
casamento, vestidos de 92, 138-9 197, 214, 219, 235, *151*
caseamento 47
Cashin, Bonnie (1915-; nascida em Oakland, Califórnia, EUA) 118, 186
Cassini, Oleg (Oleg Loiewski; 1913-; nascido em Paris,

França, de pais russos) 185, 194
Castellane-Novejean, Boniface, conde de 34
caudas *1, 15, 151, 154*
Cavanagh, John (1914-; nascido na Irlanda), 138, 142
Cecil Gee 149
Céline 272
Central Saint Martin's College of Art and Design 271
cerâmica, influência sobre o design *234*
Cerruti, Nino (Antonio Cerruti; 1930-; nascido em Biella, Itália) 215, 248-9, 272
Chanel, Adrienne *52*
Chanel, Casa 55, 66, 232, 236-7, 245-6, 259, 272, 275, *52, 81, 82, 246, 248*; Chanel"no. 5" 50; jóias 58-9, 228, *70, 147, 246*
Chanel, Gabrielle ("Coco"; 1883-1971; nascida em Saumur, França) 46-7, 50-1, 54-5, 57, 63, 65-6, 71, 79, 82, 93, 102, 137, 196, *52, 53, 76, 77, 117, 148, 246*
chapéus cloche 54, *61, 63, 66*
chapéus: eduardianos 20, 30, *1, 12, 13, 15, 17, 18, 21, 23, 30, 31, 35*; Primeira Guerra Mundial 42, *47, 48, 49, 50*; pós-Primeira Guerra Mundial 54, 81, 84, 94, *51, 61, 62, 71, 99, 100, 102, 108*; Segunda Guerra Mundial 101, 104, 107-8, 118; pós-Segunda Guerra Mundial 157, *145, 150, 152, 164, 165*; década de 1960 169-71, 185, 189, *179, 198*; década de 1970 198, *207, 208, 209*; década de 1980 232, 236-7, 246, 228, 235, 242, 245; década de 1990 272; masculinos 34-7, 90, 111, 151, *1, 40, 41, 43, 44*; surrealistas 94, *108*

Charles, Caroline (1942-; nascida no Cairo, Egito, de pais ingleses) 235
Chase, Edna Woolman 41
chemises 2, 19, 57
chemisettes 46
Chez Ninon 185
Chloé 202, 272, 277, *272*
cinta-liga *87*
cintas (*camiknickers*) 74, 105
cintas 153
cintas 153, 192
cintos 42, 73, 81, 109, 116, 147, 157, 255, *53, 156, 158, 208, 215, 228, 244, 246, 251*
Claire, Ina 54, 82
Clark, Ossie (Raymond Clark; 1942-96; nascida em Liverpool, Inglaterra) 217-8, *221*
Clements Ribeiro 277, *278*
Clements, Suzanne (1968-; nascida em Surrey, Inglaterra) *278*; ver também Clements Ribeiro
Clifford, Camille 10, 12, *15*
Cocteau, Jean 94
colantes 119, 174, 215
colares 57-9, 118, *5, 66, 152*
colarinhos 20, 35, 37, 62, 64, 111, 132, 134, 148-9, 169, 176-7, 199, 212, 240, *39, 43, 44, 177, 186, 223, 254*
Colbert, Claudette 86
Colcombet 79
coletes 36-7, 90, 105, 111, 149, *42*
Collot, Marthe *61*
Colonna, Jean (1955-; nascido em Oran, Argélia) 276
combinações 74
Comme des Garçons 237-8, 276, *210*
Complice 247
Computer Aided Design (CAD) (Desenho com auxílio de computador) 251, 264
Computer Aided Manufacturing

(CAM) (Produção com auxílio de computador) 264
conjuntos com calças 82, 166, 198, 214, *172, 175, 176, 202*; ver também conjuntos
conjuntos de duas peças 18
conjuntos de passeio 33, 37, 38, *43, 44, 45*
conjuntos de sirene 101
conjuntos: masculinos 63, 87, 90, 104-5, 111, 121, 125, 149-52, 173-4, 176-7, 212, 215, 250, 262, *101, 124, 132, 133, 159, 160, 167, 250*; femininos 14, 44, 71-2, 80, 101-2, 114-8, 142, 148, 152, 170, 199, 214, 228, 235-6, 242-3, 251-5, *48, 49, 50, 107, 122, 129, 131, 198, 229, 245, 249*; sem colarinho 179, *176, 186*; safári 162, *205, 215*; ver também conjuntos com calças
Conran, Jasper (1960-; nascido em Londres, Inglaterra) 236
Conselho de Design Industrial 138
contas 14, 22, 57, 218, 246, *19, 66, 158, 242*
Coolio 273
cópia 66, 82, 137, 140, 167, 255
cores: período eduardiano 14, 22; Primeira Guerra Mundial 42, 44, *48, 49, 50*; pós-Primeira Guerra Mundial 58-9, 63, 90-1 *60*; pós-Segunda Guerra Mundial 133, 149, 153; década de 1960 166; década de 1970 198, 200, 209, 220; década de 1980 252, *251*
corpetes 22, 31, 42, 51, 73, 98, 103, 136, 142, 146, 168, 235, 252, 272, *1, 17, 217, 227, 248, 258*
cosméticos, *ver* maquiagem
Costin, Simon, *271*
costura caseira 66, 107, 138, *92*
costuras, na parte exterior das roupas 211, 218

Council of Fashion Designers of
America 185-6
Country Road 246
Courrèges, André (1923-;
nascido em Pau, França) 159,
165-8, 186, *175, 176*
Courtaulds 192
Courtelle 180
Cox, Patrick (1963-; nascido em
Edmonton, Canadá) 232
Crawford, Cindy 264, *264*
Crawford, Joan 54, 82, 113, *98*
Creed, Charles (1909-66;
nascido em Paris, França) 21,
102, 109, 142
Cripps, Sir Stafford 128
crochê 14, 196
Crolla, Scott 230
Crosby, Caresse *55*
culotes 47, 102, 229
culottes 37
Curzon, Lady Mary (nascida
Leiter), vice-rainha da Índia *20*
cyber fashion 264

Daché, Lilly (c. 1907-89; nascida
em Bègles, França) 72, 157
Dadaísmo 241
Dalí, Salvador 94-5, *106, 107*
Davis, Angela 216
de la Falaise, Loulou 197
de la Renta, Oscar (1932-;
nascido em Santo Domingo,
República Dominicana) 185
Debenham & Freebody 10
décolletage 105, 238
decotes 46, 57, 62, 75, 111, 132,
148, 168-9, 238, *144, 151, 194,
216, 223, 249, 274*
Delaunay, Sonia (Sonia Terk;
1884-1979; nascida em
Odessa, Rússia) 59, 62, 255,
279
Dell'Olio, Louis (1948-; nascido
em Nova York, EUA) 254
Delphos, vestidos 14, *16*
Delys, Gaby 10

Demeulemeester, Ann (1959-;
nascida em Kortijk, Bélgica)
268, 275
denim 118, 207, *204, 215*
depressão, indústria de moda e
a 71
Derry & Toms 220
Dessès, Jean (Jean Dimitre
Verginie; 1904-70; nascido em
Alexandria, Egito, de pais
gregos) 71, 206
Destrelles, Maroussia 6
Diaghilev, Serge 1, 22, *76*
Diana, princesa de Gales 234-6,
237, 238, 239
Dietrich, Marlene 82, 84, 86, 136
Dinnigan, Collette (c. 1966-;
nascida em Durban, África do
Sul) 279
Dior, Casa 162
Dior, Christian (1905-57;
nascido em Granville, França)
126-9, 160, 236, 270, 276, *135,
139, 140, 141, 168, 279*
Diretório, estilo 22
dirigir, roupas de 21, 37, 151-2,
25
Dispo 192
DKNY 273, 276, *274*
Doctor Marten 226, 240-1, *234*
Doeuillet 47, 54
Doisneau, Robert *147*
Dolce & Gabbana 259, 266, *264,
266, 267*
Dolce, Domenico (1958-;
nascido perto de Palermo,
Sicília) 266; *ver também* Dolce
& Gabbana
Donovan, Terence 190
Dorothée Bis, boutique 183
Dorothy Perkins *278*
Doucet, Jacques (1853-1929;
nascido em Paris, França) 14,
26, 54, *18, 62, 63, 64*
Dress Review 2
"Drizabone", impermeáveis 246
Du Pont 101, 152, 192, 220

Duetti 174
Duff Gordon, Lady Lucille, *ver*
Lucille
Dufour, 137
Duncan, Isadora 14
Dylan, Bob 214

echarpes 66, 174
Eduardo VII, árbitro da moda
34, *38*
Eduardo VIII: como príncipe de
Gales 63, *75, 76, 85*; *ver
também* Windsor, duque de
Egito, influência sobre a moda
56-7, 90, *68*
Eisen, Mark (1960-; Cidade do
Cabo, África do Sul) 276
Elbaz, Alber (1950-; nascido no
Marrocos) 272
Les Elégances Parisiennes 53
Elizabeth II 140, 142, *151*
Elizabeth, princesa Elizabeth de
Toro 216
Elizabeth, rainha-mãe 93, 140
Ellis, Perry (1940-86; nascido er
Portsmouth, Virgínia, EUA)
255, *255*
Elsie, Lily 30
Emanuel, David (1953-; nascido
em Bridgend, Gales do Sul)
235, *238*
Emmanuel, Elizabeth (1953-;
nascida em Londres,
Inglaterra) 235, *238*
enchimentos 153
encomenda postal 8, 10, 47, *86*
English Eccentrics 232
enxovais 19-20, *22, 46, 86*
espartilhos 2-4, 19, 21, 26, 47,
57, 74, 242, *21, 111*
espionagem 138
esportiva, roupa 18, 21, 59, 62-
72, 75, 84, 116-7, 125, 142,
147, 149, 185, 192, 215, 246,
255, 273, *21, 24, 25, 71, 182,
261, 273, 274*; masculina 38,
62-3, 149, 176, 77

ÍNDICE REMISSIVO 305

Esprit 257
Esquire 86, 150
Estados Unidos: pré-Primeira
 Guerra Mundial 4-5, 37, *39*,
 45; pós-Primeira Guerra
 Mundial 72; Segunda Guerra
 Mundial 114-23; pós-
 Segunda Guerra Mundial
 145-8, 150; década de 1960,
 175, 183-7; década de 1970
 195, 207-10; década de 1980
 252-7; década de 1990 272-5;
 cópias 140
estilos andróginos 214, *202*, *242*,
 252; *ver também* modas de
 gênero indistinto
estilos sadomasoquistas 225-6,
 242
estolas *141*
estrelas de cinema: influência
 sobre a moda 54, 84, 86, 113,
 152, 157, 162-5, 214, 246, *99*,
 100, *161*, *174*, *220*; *ver também*
 Hollywood
etnográficos, estilos 56-7, 98-9,
 186, 202, 211, 227, 259, 268
 204, *217*, *222*, *257*, *268*
Eton crop (corte de cabelo) 54
Eutro 277
Evangelista, Linda 264, *269*
Evans, Alice 118
exploração espacial, influência
 sobre a moda 170-1
exposição "Britain Can Make It"
 (1946) 138

Fabiani, Alberto (datas
 desconhecidas, nascido em
 Tivoli, Itália) 143, *172*
Factor, Max 86, 155, *117*, *162*
Faculdade de Moda de Londres
 220
Fairbanks, Douglas 54
Fairchild, John B. 207
faixas *142*, *143*
Farhi, Nicole (1946-; nascida em
 Nice, França) 276

Fashion Institute of Technology
 208, 211, 255
Fassett, Kaffe (1937-; nascido
 em San Francisco, Califórnia,
 EUA) 219
Fath, Jacques (1912-54; nascido
 em Maisons-Lafitte, França)
 71, 102, 134-6, 162, 276, *143*,
 144
Fauves 22
Fawcett-Majors, Farrah 216
Félix 17
feminismo, Kawakubo e o 238
Fendi 206, 237, 246
Fergusson Brothers, algodões 79
Ferragamo, Salvatore (1898-
 1960; nascido em Bonito,
 Itália) 81, 114, 157, *96*, *97*
Ferre, Gianfranco (1944-;
 nascido em Legano, Itália)
 250, 276, *280*
Ferry, Brian 215
fetichistas, estilos 225-6, 265
Feure, Georges de *30*
fibras cerâmicas 280
Fibrone 47
Fiorucci, Elio (1935-; nascido em
 Milão, Itália) 211
Fitz-Simon, Stephen 220
flores 14, 31, 93, 104, 108, 246, *1*,
 115, *116*
Foale & Tuffin 181, 217
Foale, Marion 232
Fonda, Jane 216
Fontana, Sorelle 114
força de trabalho 264;
 "sweatshops" 9, 37, *10*
Ford, Tom (c. 1962-; nascido no
 Texas, EUA) 275
forma física e saúde 74-5, 196,
 215, *88*
Forster & Son Ltd. *86*
Fortuny, Mariano (Mariano
 Fortuny y Madrazo; 1871-
 1949; nascido em Granada,
 Espanha) 14, *16*
Foster Porter & Co. Ltd. *48*, *49*, *50*

fotografia e fotógrafos 59, 90,
 186-9, 238, *31*, *167*, *230*
Fougasse 108
Fowler, Timney 232
Fox, Harry *190*
Franklin, Jessie 72
fraques 37, 149, *42*, *46*
Fraser, Honor 264, 277
Fratini, Gina (Georgina Butler;
 1931-; nascida em Kobe,
 Japão, de pais ingleses) 217
French, John, *175*, *176*
Friedan, Betty 195
frou-frou 22, *46*
Frowick, Roy Halston *ver*
 Halston
Fry, Roger 26, 64
Fuller, Loïe 10, 14

Gabbana, Stefano (1962-;
 nascido em Milão, Itália) 266;
 ver também Dolce & Gabbana
Gala 190
Galanos, James (1924-; nascido
 em Filadélfia, Pensilvânia,
 EUA) 186-7, 257
Galeries Lafayette 10
Galliano, John (1960-; nascido
 em Gibraltar) 230, 232, 260,
 270-1, 276, *233*, *279*
Gamba *192*
Garbo, Greta 82, 84, *99*
garçonne, visual 52-5, 66, *51*, *56*,
 59, *60*, *82*, *83*
gargantilhas 94, 213
Garotas Gibson 10, 12, 14, *15*
Gaultier, Jean-Paul (1952-;
 nascido em Paris, França)
 241-2, 259, 268, 276, *242*, *257*
Gazaboen 257
Gazette du bom ton 28, 29, 57, 69
Gellé, cosméticos *6*
Genesco 176
Gernreich, Rudi (Rudolph
 Gernreich; 1922-85; nascido
 em Viena, Áustria) 186-7, *197*
Ghesquiere, Nicolas 276

Gibb, Bill (1943-88; nascido em Fraserburgh, Escócia) 217, 219
Gibson, Charles Dana 12, 14
Gieves (& Hawkes) 35, 149, 271
Gigli, Romeo (1951-; nascido em Castel Bolognese, Itália) 252, 260-1, 271, 276, *258*
Gilbey, Tom 177
Gill, Winifred *79*
Giorgini, Giovanni Battista 143
Givenchy, Hubert de (1927-; nascido em Beauvais, França) 162-5, 203, 236, 270-2, 276, *174*
Glitter, Gary 214
Goalen, Barbara 156, *150*
Godley, Georgina (1955-; nascida em Londres, Inglaterra) 233
Gold, Warren e David *189*
Goldwyn, Samuel 82
gravatas 62, 87, 152, 176, *42, 160, 263, 269*
Grécia, influência sobre a moda 90, 272
Greco, Juliette 154
Greene, Alexander Plunket 178
Greenwood, Charlotte 82
Greer, Germaine 195
Greer, Howard (1886-1974; nascido em Nebraska, EUA) 146
Grès, Madame (Germaine Emilie Krebs: Alix/Alix Barton; 1903-93; nascida em Paris, França) 71, 90, 102, 159
Gross, Valentine 52
Gruau, René *104*
grunge, visual 259-60, *255*
guarda-chuvas 5, *47*
Gucci 275
guêpieres 126
Guild, Shirin (1946-; nascida em Teerã, Irã) 261, *262*
Guinness, Lulu 275, *276*
Gunning, Anne 156
Gunther 41

Hachi 236, *239*
Hair 195-6, *204*
Hall, Jerry 216
Halston (Roy Halston Frowick; 1932-90; nascido em Des Moines, Iowa, EUA) 208-10, *216*
Hamnett, Katharine (1948-; nascida em Kent, Inglaterra) 232, 262, *235, 236*
Hamnett, Nina *79*
Handley, Seymour, sra. 18
Haring, Keith 230, *232*
Harlow, Jean 86
Harper's Bazaar 126, *81, 103*
Harrods 10, 219, *12*
Hartnell, Norman (1901-79; nascido em Londres, Inglaterra) 55, 71, 93, 139-40, *105, 151*
Harvey Nichols *150*
Hawes, Elizabeth (1903-71; nascida em Nova Jersey, EUA) 72, 120; *Fashion is Spinach* 120
Head, Edith (1899-1967; nascida em Los Angeles, Califórnia, EUA) 82, 84, *174*
Hearst, sra. William Randolph 146, *148*
Heim, Jacques (1899-1967; nascido em Paris, França) 59, 98, 102, *93*
Heller, Richard 63
Helleu, Paul 12, *14*
Helvin, Marie 216
Hemmings, David 190
Heng, Marius 7
Henri Bendel 10, 41, 185, 211
Henry Poole 35
Hepburn, Audrey 157, 165, *174*
Hepworths 111, 175-6
Hermès 237, 246, 275
Hilfiger, Tommy (1952-; nascido nos EUA) 272, *273*
Hippie, movimento, influência sobre o vestuário 195-6, 214, 225, 259, *219*

Hiroko (Matsumoto) 170, *179*
Holah, David (1958-; Nascido em Londres, Inglaterra), *ver* Body Map
Hollywood: influência sobre a moda 81-97, 92, 113, 116, 152, 193, *98, 161, 162 ver também* estrelas de cinema
Honey 182
Hope, Emma (1962-; nascida em Southwick, Hampshire, Inglaterra) 232
Hopper, Denis 214
Hornby, Lesley, *ver* Twiggy
Horrockses, vestidos de algodão *149*
hot-pants 207, 255, *214*
Howell, Margaret (1946-; nascida em Surrey, Inglaterra) 233-4
Hoyningen-Huene, George 59, 90, *72, 89, 103*
Hulanicki, Barbara (1936-; nascida na Palestina, de pais poloneses) 181, 220

i-D 229, *230*
Iman 216
Império, linha 22, *28, 29, 227*
imprensa de moda 10, 137-8, 146, 156-7, *175, 176*
Irene (Irene Lentz Gibbons; 1901-62; nascida em Brookings, Dakota do Sul, EUA) 146
Isogawa, Akira 279
italiana, indústria de moda: Segunda Guerra Mundial 114; pós-Segunda Guerra Mundial 142-3, 151; década de 1960 172-4; década de 1970 195, 201-7; década de 1980 247-52, *249, 250, 251, 252*; década de 1990 265-6, *263, 264, 265, 266, 267*
Ivy League, estilo 176

J. C. Penney 180

Jackson, Betty (1949-; nascida
  em Backup, Lancashire,
  Inglaterra) 232
Jackson, Linda 246
Jacob, Mary Phelps 55
Jacobs, Marc (1960-; nascido em
  Nova York, EUA) 256, 259,
  272, 275
Jacobson, Jacqueline e Elie 182
Jacqumar 108, 219
Jaeger 219
jalecos 37-8
James, Anne Scott 138
James, Charles (1906-78;
  nascido em Sandhurst,
  Inglaterra) 97-8, 102, 114,
  146, 2-3, 111, 112, 155
Jane & Jane 219
Jantzen 62
jaquetas de cardigã 63, 66, 137,
  246
jaquetas sem mangas 177, 204
jaquetas, paletós: de couro 152,
  214, 225, 226, 275, 161, 170,
  220, 275; masculinas 37-9, 88,
  105, 149, 174, 176-7, 211, 215,
  248, 38, 280; femininas 42,
  47, 65, 80, 93, 97, 109,114,
  116, 132, 162, 166, 211, 235,
  248, 255, 272, 68, 109, 112,
  114, 123, 147, 176, 192, 194,
  233, 245, 249, 268, 269
ardin des modes 176
Jeanmaire, Zizi 156
jeans 152, 210-1, 250, 263
Jelmini, Rosita (1932-; nascida
  em Varese, Itália) 206; *ver
  também* Missoni
Jenny 54
joalheria 22, 57-8, 93-4, 118,
  210, 235, 70, 152, 246, 273
Johnson, Betsey (1942-; nascida
  em Hartford, Connecticut,
  EUA) 183-4, 210, 193
Johnson, Beverly 216
Jones, Pat 186
Jones, Stephen (1957-; nascido

  em West Kirby, Liverpool,
  Inglaterra) 232
Jones, Terry 230
Joseph (Joseph Ettedgui; 1937-;
  nascido no Marrocos) 234
Jourdan, Charles (1886-1976;
  nascido na França) 189
Jourdan, Louis 157
jovens, estilos 121-3, 151-2,
  157-8, 166, 174-83, 189-92,
  195-7, 200, 210-6, 225-6, 228-
  9, 255, 132, 133, 159, 160, 161,
  183, 184, 186, 187, 188, 190,
  191, 192, 193, 208, 209
Jungle JAP 202

Kamali, Norma (Norma Arraez;
  1945-; nascida em Nova York,
  EUA) 255, 256
Karan, Donna (Donna Faske;
  1948-; nascida em Forest
  Hills, Nova York, EUA) 237,
  254, 259, 273, 276, 274
Kawakubo, Rei (1942-; nascida
  em Tóquio, Japão) 237-8, 240,
  240; *ver também* Comme des
  Garçons
Kayser Bondor 153
Kee, Jennie 246
Kennedy (posteriormente
  Onassis), Jacqueline 185, 206,
  209, 194
Kenzo (Kenzo Takada; 1939-;
  nascido em Himeji, Japão)
  202, 228, 209
Keogh, Lainey (1957-; nascido
  em Dublin, Irlanda) 277
Keppel, Alice 12
Kerouac, Jack 152
Kestos 87
Khanh, Emanuelle (1937-;
  nascida em Paris, França) 182
Kiam, Omar (Alexander Kiam;
  1894-1954; nascido em Nova
  York, EUA) 55
Kidman, Martin 232, 234
King, Muriel 72

Klein, Anne (Hannah Golofski;
  1923-74; nascida em Nova
  York, EUA) 254
Klein, Calvin (1942-; nascido
  em Nova York, EUA) 208-10,
  237, 253-4, 272, 276, 253, 259
Klimt, Gustav 273
Knapp, Sonia 168
Knight, Nick 241
Kors, Michael (1959-; nascido
  em Long Island, Nova York,
  EUA) 272, 276
Kozel, Ina 257
Kraus 129
Krizia 207
Kurzman 41
Kwan, Nancy 190

Lachasse 71, 142
La Confédération Générale de
  Travail (CGT) 91
Lacroix, Christian (1951-;
  nascido em Arles, França)
  246, 247
Lady Jane 180, 190
Lady's Realm 10
Lagerfeld, Karl (1938-; nascido
  em Hamburgo, Alemanha)
  202, 206, 232, 245, 259, 246
Lake, Veronica 114
Lalanne, Claude 197
Lamour, Dorothy 84
Lang, Helmut (1956-; nascido
  em Viena, Áustria) 269, 275
Langtry, Lillie 12
Lanvin, Jeanne (1867-1946;
  nascida em Paris, França) 51-
  2, 54, 61, 66, 102, 192, 57
La Rinascente 215
la Robe à mille morceaux 104
Laroche, Guy (1921-89; nascido
  em La Rochelle, França) 203,
  206, 272
La Samaritaine 10
lástex (fio de látex), roupa de
  baixo 74
Laszlo, Phillip de 12
Lategan, Barry 230

latino-americanos, estilos 118
Lauren, Ralph (Ralph Lipschitz; 1939-; nascido em Nova York, EUA) 210-1, 211, 237, 245-6, 254, 259, 273, 279, *254*
Laurens, Henri 76
Lawrence, Gertrude 54
lazer, roupas de 38-9, 75, 84, 87, 125, 142, 149, 151, 176, 180, 215, 226, 255, *100*, *255*, *274*
Legroux *137*
Leiber, Judith (Judith Peto; 1921-; nascida em Budapeste, Hungria) 275
Lelong, Lucien (1889-1952; nascido em Paris, França) 61, 90, 92, 98, 102, 162
Lenglen, Suzanne 63, *71*
Lennon, John 214
Lepape, Georges 52, *104*
leques 5, 93
Lesage, Albert (1888-1945; nascido em Paris, França) 71, 94-5, 133, 137, 276
Leser, Tina (Christine Wetherill Shillard-Smith; 1910-86; nascida em Filadélfia, Pensilvânia, EUA) 118
Les Modes 10, 42
Les Tissus d'Art 67
"Letty Linton", vestido 82, *98*
Levi Strauss 211
Leyendecker, J.C. *39*
Liberty & Company 14, 17, 272
Liga Anticolarinho de Ferro 64
Liga da Luz Solar 64
Liga Femina de Saúde e Beleza 74, *88*
Lindbergh, Peter *265*
lingerie, *ver* meias
Linha A 129, 185
linha H 129
Linha Y 129
linhas de difusão 237-8, 272, *263*, *274*
Lobb, fabricantes de calçados 35, 157

Loewe 272
lojas de departamentos 10, 72, *22*
Londres: eduardiana 1, 4, 17-8, 27, 35-6; pós-Primeira Guerra Mundial 63-4, 71-4, 79-81, *84*; Segunda Guerra Mundial 102, 105-13; pós-Segunda Guerra Mundial 138-42, 149; década de 1960 159, 177-82; década de 1970 215-23; década de 1980 225-6, 228-36; década de 1990 271-5; a "temporada" 142
Lord & Taylor, 72
Lord John 180, *189*
Louis Vuitton Moet Hennessy (LVMH) 246; *ver também* Vuitton, Louis
Louis, Jean (Jean Louis Berthault; 1907-97; nascido em Paris, França) 186
Louiseboulanger (Louise Melenotte; 1878-c. 1950; nascida em Paris, França) 54
Lucas, Otto (1903-71; nascido na Alemanha) 157
Lucille (Lady Duff Gordon; 1862-1935; nascida em Londres, Inglaterra) 27-31, 51, *33*, *58*
Luna, Donyale 171
luto, traje de 14, 84, 93
luvas 5, 92, 157, 166, *1*, *40*, *41*, *47*, *102*, *150*, *152*, *166*, *174*, *175*, *176*, *194*, *245*, *248*, *263*
lycra 192, 215

macacões 189, 198-9, *216*
macacões 47
macacões de trabalho 195
Macdonald, Julien (1972; nascido em Merthyr Tydfil, Gales) 272, 277, *277*
Macy's 82
Madame Doret 66
Madame Récamier, estilo 22
Madonna 242

"mãe e filha", vestidos 52, *57*
Mainbocher (Main Rousseau Bocher; 1891-1976; nascido em Chicago, EUA) 72, 98, 102, 118, 146, *86*, *154*
Maison Jacqueline 41
"Make-do and Mend", campanha 111, *126*, *127*
malhas inteiriças 171
Man Ray 59, 90
Mandelli, Mariuccia 207; *ver também* Krizia
mangas 102, 116, 133, 223, 238, 271, *68*, *154*, *194*, *239*
Mangone, Philip 117, 120
mantos *31*, *32*
maquiagem 5-7, 12, 54, 86-90, 112-3, 154-5, 160, 190, 216, 220, 226, 246, 262, 269, *6*, *128*, *162*; maquiagem de pernas 106, *117*
máquinas de costura 8, 66
Margiela, Martin (1957-; nascido em Genk, Bélgica) 268, 275
Margueritte, Victor, *La garçonne* 52, *59*
Marlborough, Consuelo, duquesa de (nascida Vanderbilt) 2, *14*
Marni 277
Marriott, Steve *184*
Mars Manufacturing Corporation 192
Marshall Field 137
Marshall, Plano (1947) 125
Martial et Armand 51
Martin, Richard 202
Marty, André 52
Mary Jane (sapatos) 166
Mascotte 18
Mattli, Giuseppe (1907-82; nascido em Locarno, Suíça) 71
máxi, estilos 192, 195, 207, *206*, *224*
MaxMara 247
Maxwell, Vera (Vera Huppé;

ÍNDICE REMISSIVO 309

1903-95; nascida em Nova York, EUA) 118
McCall Pattern Company 66, 138, *192*
McCardell, Claire (1905-58; nascida em Frederick, Maryland, EUA) 72, 118, 146-7, *156, 157*
McCartney, Stella (1971-; nascida em Londres, Inglaterra) 272, *272*
McFadden, Mary (Jospehine McFadden; 1936-; nascida em Maryland, EUA) 210, *217*
McLaren, Malcolm 225, 229, *226*
McNair, Archie 178
McQueen, Alexander (1969-; nascido em Londres, Inglaterra) 260, 271-2, 276, *270, 271*
meias 4, 47, 56, 60, 68, 74, 101, 105, 121, 153, 193, *4, 269*; *ver também* meias-calças
meias-calças 171, 193, 207, 227, *227*; *ver também* meias
meias soquetes 74, 106, *159*
Men's Dress Reform Party (MDRP) 64, *71*
metálicos, trajes 171-2, 250-1, *171*
Metro-Goldwyn-Meyer (MGM) 82
Meyer, Baron de 59
microfibras 264, 280
midi, estilos 195, 201, *206*
Miller, Lee 123, *89, 114, 134*
Millett, Kate 195
Millings, Dougie 177
mini-vestidos e mini-saias 159, 168, 171, 180, 195, 226, *187, 188, 201, 206*
Miranda, Carmem 86
Mirman, Simone (Simone Parmentier; c. 1920-; nascida em Paris, França) 157, *165*
Miss Hollywood" 86
Missoni, Ottavio (1921-; nascido na Dalmácia, Iugoslávi) 206, 251, 266, *211, 212, 252*

Miyake, Issey (1938-; nascido em Hiroshima, Japão) 202-3, 237-8, 261, *260*
Mizrahi, Isaac (1961-; nascido em Nova York, EUA) 275, *275*
mochilas 275
modas de gênero indistinto 257, *266, 267*; *ver também* estilos andróginos
"Mod", roupas 174, 259, *183, 184*
Mode und Heim 115
modelos 54, 156, 170, 184-90, 216-7, 250, 264, *89, 150, 179, 197, 198, 199*
modelos folclóricos 56, 59, *63, 252*
Moffitt, Peggy 171, 187, *197*
moldes de papel 8, 138, 162, *26, 82, 83, 192*
moletons, camisetas 229, *231, 232*
Molyneux, Edward (1891-1974; nascido em Londres, Inglaterra) 54, 66, 71, 98,101-2, 109, 134, 139, 142, *153*
Mondrian, Piet 162, *173*
Monroe, Marilyn 157, 173, 185
Montana, Claude (1949-; nascido em Paris, França) 245, *244*
Moore, Henry 108
Mori, Hanae (1926-; Shimane, Japão) 202
Morrell, Lady Ottoline 64
Morris, Leslie 72
Morton, Digby (1906-83; nascida em Dublin, Ireland) 71, 101, 102, 139, 142, *122*
Mosca, Bianca 102, 139
Moschino, Franco (1950-94; nascido em Abbiategrasso, Milão, Itália) 228, 252, 265, *228, 280*
Moss, Kate 264, *259*
Movimento de Liberação Feminina 195
Mr. Freedom, butique 220
Mugler, Thierry (1948-; nascido

em Estrasburgo, França) 228, 243, *243*
Muir, Jean (1933-95; nascida em Londres, Inglaterra) 181, 200, 217, 219

Nast, Condé 41-2
Nattier 168
Neiman Marcus 10; Prêmios de Moda 129, 206, 211
neo-eduardiano, visual, para homens 149
neoprene 264
neo-vitorianos, estilos 93
Nestlé, Charles 7
"New Look" 126-9, *135*
Newton, Helmut 208
Nijinsky, Vaslav 27
Nirvana, grupo pop, o "grunge" e *252*
Norell, Norman (Norman Levinson; 1900-72; nascido em Noblesville, Indiana, EUA) 117, 146, 148-9, 185, *158*
Nostalgia of Mud, butique 229
Nova 207
Nova Era, (*New Age*), influências sobre a moda 260, 262, *261*
Nutter, Tommy (1943-92; nascido em Londres, Inglaterra) 214-5
nylon 98, 152-3, *159*; *ver também* tecidos sintéticos

O'Hara, Mollie 41
óculos de sol 75, *175, 265*
Ohrbach 185
Oldfield, Bruce (1950-; nascido em Londres, Inglaterra) 236
Omega, artistas *79*
OMO (On My Own), butique 255
Onassis (anteriormente Kennedy), Jacqueline 185, 206, 209, *194*
Ono, Yoko 214
Op Art, influência sobre a moda 170, 217

operárias de munição, roupa das 47-8
Orhozemane, Mounia 216
orientais, influências 22-6, 84, 98, 203, 238-40, 257, 260-1, 266, *34, 68, 210, 241, 251, 260, 262, 268*
orlon *198*
Orry-Kelly (John Kelly; 1897-1964; nascido em Kiama, Nova Gales do Sul, Austrália) 82
Orta, Lucy 263
Ozbek, Rifat (1953-; nascido em Istambul, Turquia) 230, 259, 261-2, 277, *261*

Palmer, Adele 246
Pantanella, Emanuele 275
papel, vestidos e roupa de baixo de 184, 192-3, *201*
Paquin, Madame (Jeanne Beckers; 1869-1936; nascida em St. Denis, França) 14, 42, 47, 51, 54, 102, *17*
Paramount 82
Paraphernalia 181
Paris: "Belle Epoque" 1-2, 10, 27, 22-6, 31, *2, 34*; Primeira Guerra Mundial 41-2, 46-52, 55-63; pós-Primeira Guerra Mundial 49-51, 59, 66-8, 71, 79, 90-2; Segunda Guerra Mundial 101-5, 123, *134*; pós-Segunda Guerra Mundial 125-38, *135, 137, 138, 145, 147*; década de 1960 159-72, 182; década de 1970 195, 202; década de 1980 236-46; década de 1990 266-71, 280; Chambre Syndicale... 1-2, 134, 137, 169, 186, 200, 237, *137, 138*; e Hollywood 82
Parker, Jane 246
Parker, Suzy 156, *163*
Parson School of Design 118, 254
passamanes 14, 42, 99
Patou, Jean (1880-1936; nascida na Normandia, França) 54-5,

59-60, 66, 69, 90, 159, 241, *56, 71, 72, 77, 90, 167*
Paulette (Pauline Adam; ?-1984; nascida na Normandia, França) 157
Paulin, Guy (1945-90; nascido em Longueville, França) 246
Pearl Jam, o "grunge" e 259
Peccinotti, Harri 208
peles 5, 14, 42, 76, 198, 206, 262-4, *9, 145, 263*
Penn, Irving 238
penteados: masculinos 34-5, 152, 214, 226, *184, 186, 204, 220*; femininos 7, 12, 53-4, 86, 94, 112, 157, 185, 190, 216-7, 226, 238, *7, 30, 65, 166, 174, 200, 204, 226, 229*
peplos *256*
Peretti, Elsa 210
perfumes 7, 26, 50-1, 55, 237, 259, 269, 273, *8, 263*
perneiras 215, 255
Perry, Dame & Company 47
perucas 190
Le Petit Echo de la Mode 92
Petticoat 182, *192*
Picasso, Pablo *76*
piercing 226, 259
Piguet, Robert (Paul Robert Piguet; 1898-1953; nascido em Yverdon, Suíça) 90, 101, 162, 186
pijamas 54, 65, 101
plumas 14, 21, 108, 218, *1, 13, 15, 17, 18, 23, 30*
Plunkett, Walter (1902-82; nascido em Oakland, Califórnia, EUA) 82
Poiret, Paul (1879-1944; nascido em Paris, França) 1, 26-32, 50, 54, 136, *31, 32, 68*
polainas 63
Pollen, Arabella (1961-; nascida em Londres, Inglaterra) 235
Pollock, Alice 217
Polo Fashions 210
Poole, Henry 149

Pop Art, influência sobre a moda 170, *280*
Pop, Iggy 225
pop, música, influência sobre a moda 177, 189-90, 212-3, 225, 259-61, *184, 186*
pós-impressionismo, influência sobre os estilos 22
Potter, Claire (datas desconhecidas; nascida em Jersey City, Nova Jersey, EUA) 118
power suits 228, 252, *229, 253*
Prada, Miuccia (1949-; nascida em Milão, Itália) 275
Premet 90, *90*
Presley, Elvis 152
prêt-à-porter 8-9, 71, 72, 80, 97, 117, 142, 147-52, 160, 175, 181, 196, 206-8, 215, 219, 246, 257, 270, 272, *100, 263*
preto: Chanel e o 65; roupa existencialista 152; Kawakubo e o 240; estilos *punk* 225-6, *22*
Price, Antony (1945-; nascido em Bradford, Inglaterra) 215
Pringle 72
Procter, Pam *199*
projetos têxteis, década de 1940 108, *120*
Pucci, Emilio (Marchese Emilio Pucci de Barsento; 1914-92; nascido em Nápoles, Itália) 145, 173-4, *182*
punk, moda 225-6, 259, *226, 22*

Quant, Mary (1934-; nascida em Londres, Inglaterra) 178-80, 182, 190, *187, 188, 192, 200*
Quorum, butique 217

Rabanne, Paco (Francisco Rabaneda y Cuervo; 1934-; nascido em San Sebastián, Espanha) 171, 276, *180*
racionamento 104-7
Radley 218
rah-rah, saias 255

ÍNDICE REMISSIVO **311**

Rambova, Natasha *16*
Ray, Man 59, 90
Raymond (Mr Teasie Weasie) 156
Rayne (Edward Rayne; 1922-92; nascido em Londres, Inglaterra) 157, 189
rayon 68-9, 74, 78, *103*; *ver também* tecidos sintéticos
Real Academia de Belas Artes (Antuérpia) 266-8
Real Força Aérea Feminina *54*
Réard, Louis 125
Rébé 137
Reboux, Caroline *102*
redes 108
Redfern, John (1853-1929; nascido na Inglaterra) 17, 21
Reece Machinery Company 49
Reed, Lou 225
Rees, Dai (1961-; nascido em Bridgend, Gales do Sul) 272
Regny, Jane 60
Reily, Kate 18
Rembrandt 137
renda 2, 4, 14, 22, 42, 51, 74, 133, 246, 272, 276,*105, 113, 225, 247*
retratos de moda 10-2, 219
retrô, estilos 195, 202, 215, 225-6, 232
Reville e Rossiter 18
Revlon 154-5
Rhinelander Mansion 254
Rhodes, Zandra (1940-; nascida em Chatham, Kent, Inglaterra) 217-9, 226, *222*, 227
Rodophane 80
Ribeiro, Inácio (1963-; nascido em Itapecerica, Brasil) *278*; *ver também* Clements Ribeiro
Ricci, Nina (Maria Nielli; 1883-1970; nascida em Turim, Itália) 102, 159, *166*
Richmond, John (1961-; nascido em Manchester, Inglaterra) 275
Rigby & Peller *231*

Roberts, Michael *234*
Roberts, Tommy 220
robes de soir 19
robes de style 42, 51, *56*, *58*
Rochas, Marcel (1902-55; nascido em Paris, França) 82, 102
Rodier *69*
Rodriguez, Narciso 272
Rolex 228
roll-ons 57
romântico, movimento 50-1, *56*, *58*
Ronay, Edina (1943-; nascida em Budapeste, Hungria) 232
Rosenstein, Nettie (Nettie Rosencranz; datas desconhecidas; nascida na Áustria) 117
Rosse, Lady, em um vestido Hartnell *105*
Rossellini, Roberto 266
Roth, Ann *204*
rótulos e logotipos de estilistas 227-8, *237*, 272-3, *273*
Rouff, Maggie (Maggy Besançon de Wagner; 1896-1971; nascida em Viena, Áustria) 87, 98, *102*
roupa de baixo 2-4, 19, 47, 57, 73-6, 105, 152-3, 180, 192, 215, 233, 254, *22*, *225*; visual nu 187-8; usadas por fora 229, *111*, *231*, 272
roupas de banho 61-3, 74, 111, 125, 216, 246, 255, *72*, *74*, *157*, *197*; *ver também* roupas de praia
roupas de motociclismo 152, 162, 184, *226*
roupas de praia 118, 125, 145, 246, *91*; *ver também* roupas de banho
roupas de tricô, malhas 44, 65, 107, 196, 207, 212, 219, 230, 246, 251, 255, 272, *118*, *119*, *210, 211, 212, 234, 255, 266, 267*

"roupas prontas para usar", *ver prêt-à-porter*
roupas transparentes 184, 197, *193, 203, 270*
roupões 38
Royal College of Art 175, 217-8, 272
"rua", estilos influenciados pela 259, *160*, *261*
Rubinstein, Helena (1872-1965; nascida na Austrália) 154
Russell, Peter 71, 109, 139
Russon, Alice *11*
Rykiel, Sonia (1930-; nascida em Paris, França) 200, *208*

S, curvas em 3
Saba 280
saia-funil 32, *36*
saias: estilos eduardianos 20, 22, 31, 33, *1*, *21*, *28*, *29*, *36*; Primeira Guerra Mundial 44, 47, *53*; pós-Primeira Guerra Mundial 44, 73, 80, 98, *51*; Segunda Guerra Mundial 105, 107, 109, 114, 117, 121, *114*, *123*, *130*; pós-Segunda Guerra Mundial 126, 129, 132, 136-7, *142*, *146*, *143*, *147*, *148*, *153*; década de 1960 166, *192*; década de 1970 199, 211, 222, *206*, *207*, *213*; década de 1980 234-5, 252-5, *231*, *233*, *237*, *245*, *247*, *249*, *253*, *254*; década de 1990 272, 276, 279, *268*, *269*; para homens 242; minissaias 159, 180, 192, 195, *222*
Saint Laurent, Yves (1936-; nascido em Oran, Argélia) 84, 159, 160-2, 196-8, 236, 245, *168*, *169*, *170*, *171*, *172*, *173*, *202*, *203*, *245*
Saint-Cyr, Claude (Simone Naudet; datas desconhecidas; nascido em Paris, França) 157, *164*
Saks Fifth Avenue 185

salto-agulha 157, 226
salto anabela 104, 109, 114, 118
salto-plataforma 81, 86, 197, 211, 270, *209*, *210*, *269*; *ver também* calçados
sandálias Birkenstock 262
Sander, Jil (Heidemarie Jiline Sander; 1943-; nascida em Wesselburen, Alemanha) 269, 276
sapatos, *ver* calçados
Sarabhai, Asha 261
Sargent, John Singer 12
sarongues 84, 118, 272, *267*
Sassoon, Bellville 235
Sassoon, Vidal (1928-; nascido em Londres, Inglaterra) 190, *200*
Savile Row 35, 63, 72, 87, 111, 142, 149, 175, 212, 214, 271
Schiaparelli, Elsa (1890-1973; nascida em Roma, Itália) 62, 79, 82, 94-7, 101-2, 134, 162, 73, *106*, *107*, *108*, *109*, *110*
Schiffer, Claudia 264, *263*
Scholte, Frederick 72, 88, *86*
Schön, Mila (Maria Carmen Nustruzio Schön; 1919-; nascida na Dalmácia, Iugoslávia) 206
Schuberth 114
Scott Paper Company 192, *201*
Sears, Roebuck 86
seda artificial 68
Sedgwick, Edie 184
Seditionaries, butique 225, 226, *226*
Seeberger, irmãos *31*
segunda-mão, roupas de 8, 104-5, 215, 226, 259
Selfridge, Gordon 10
Selfridges 10
Sex Pistols 225
SEX, butique 225, *226*
shalwar kameez 261, *268*
Shaver, Dorothy 72
Sherard, Michael 139

shorts e bermudas 74, 87, 118, 147, 176, 207, *203*, *205*, *213*
Shrimpton, Jean 182, 190, *198*
Simonetta (Visconti) (duquesa Simonetta Collona di Cesaro; 1922-; nascida em Roma, Itália) 142, *173*
Simplicity 138
Simpson, Wallis 72; *ver também* Windsor, duquesa de Simpson's *124*
Sindicato de Alfaiates e Trabalhadores da Indústria de Roupas 49
Sitbon, Martine (1951-; nascida no Marrocos) 276
"Sloane Ranger", estilo 234-5
Small Faces *184*
Smith, Graham (1938-; nascido em Bexley, Kent, Inglaterra) 236
Smith, Paul (1946-; nascido em Nottingham, Inglaterra) 233, 259
"smoking" 245, *172*, *203*
smoking (tuxedo) 37, 245, *172*, *203*
"le smoking" 84, 162, *172*
Snoop Doggy Snoop *273*
Snow, Carmel 126, 132
sobrecasacas 36-7, 271-2, *41*
sobre-saias 31; *ver também* peplos
sobretudos 37, 105, 148-9, 193
sobrevestes 238
Sociedade Incorporada dos Estilistas de Moda de Londres, (Incorporated Society of London Fashion Designers) 109, 138, *114*
Souls 14
Speedo 246
Speliopoulos, Peter 272
Sportmax 276
Sprouse, Stephen (1954-; nascido em Ohio, EUA) 256
St. Martin's School of Art 219, 280

Stack, Prunella 74
Steichen, Edward 59
Stepanova, Varvara (1884-1958; nascida em Kovno [hoje Kaunas], Rússia) 59
Stephen, John 174, 180
step-ins 57
Steward, Stevie (1958-; nascido em Londres, Inglaterra); *ver Body Map*
Stiebel, Victor (1907-76; nascido em Durban, África do Sul) 71, 109, 139, 142
Storey, Helen (1959-; nascida em Londres, Inglaterra) 262
"Studio Styles" 86
suéteres 63, 105, 152, 159, 171, 177, 186, 210-1, 226, 232, 235, 254-5, 71, 73, 75, *179*, *184*, *207*, *208*, *209*, *244*, *254*, *255*, *278*
suéteres canelados 159, 171, *179*
sufragettes 32-3
Sui, Anna (1955-; nascida em Detroit, Michigan, EUA) 259
Sunday Times, prêmio de moda 169
Superga 262
surrealismo, influência sobre os estilos 81, 93-5, 97, 252, *106*, *107*, *108*
suspensórios 3-4
suspensórios 72-3, 90, 111
Sutherland, duquesa de 25
Sutherland, Graham 108
sutiãs 47, 73, 105, 118, 154, 180, 193, 229, 242, *55*, *87*, *231*; sutiã "não sutiã" 188
Svend 157
Swan & Edgar 10
Swanson, Gloria 54, 82

Tailor and Cutter 37, 149, 177
tango, influência sobre a moda 33, 37
Tappé 41, 51
Tatsuno, Koji (1964-; nascido em Tóquio, Japão) 271

ÍNDICE REMISSIVO **313**

Tatuagens 259
Tayama, Atsuro 276
tea gowns 22, 44, *26*
Teal Traina 186
tecido *devoré* 57
tecidos que não precisam ser passados 192
tecidos sintéticos 125, 180, 188, 190-3, 237-8; *ver também nylon; rayon*
tecidos: estilos eduardianos 14, 17-8, 22, 26, *32, 33*; Primeira Guerra Mundial 46-7; pós-Primeira Guerra Mundial 51-2, 57-8, 62, 66, 75, 79, 90, 92 *58, 69, 81*; Segunda Guerra Mundial 102-6, 118, 121 ; pós-Segunda Guerra Mundial 132-7, 146-7, *155*; década de 1960 162, 166-8, 173, 180, 186, *181*; década de 1970 197, 202-3, 207-9, 218-9, *221*; década de 1980 237, 243-4, 249, 252-4, *240, 251*; década de 1990 262, 275-6, 280
Teddy Boys 152, 225, 259, *160*
televisão, moda e 175, 181-2, 246
Tennant, Stella 264
ternos de desmobilização 125, 151, *136*
Terras altas escocesas, traje das, influências sobre a moda, 219
Terylene *159*
Thaarup, Aage (1906-87; nascido em Copenhague, Dinamarca) 157
The Avengers, influência sobre o estilo 177, 181
The Beatles, influência sobre a moda 177, *186*
The Cloth 232
The Face 229
The Queen 42
Théatre de la Mode 125, *137, 138*
Tilke, Max 215
tinturas de cabelo 7
Tomorrow Ltd 235, *236*
tornato 174

Torres, Ruben 177
Townley Frocks 72, 147
Traina, Anthony 148
Traina-Norell *158*
traje de noite: período eduardiano 16-7, 26, *16, 17, 18, 28, 29, 32, 33, 46*; Primeira Guerra Mundial 44; pós-Primeira Guerra Mundial 57-8, 69, 73, 75, 82, 92, 98; *64, 81, 89, 92, 98, 103, 113*; Segunda Guerra Mundial 102-3, 114-6; pós-Segunda Guerra Mundial 129, 136-7, 142, 146, 148, *139, 140, 141, 146, 154, 158, 163*; década de 1960 162, 173, *166, 167, 168, 178*; década de 1970 197, 207, 209-10, 218-9, *202, 216, 217*; década de 1980 226, 235-6, 241, 250, 255, *238, 239, 247, 248*; década de 1990 *258, 277, 279*; esculturas corporais 197; corpetes 98, *112*; estilos com crinolina e anquinhas 42, 92; *ver também* vestidos de baile
trajes drapeados 31, 76, 90-1, 114, 197, 220, 240, 243, 251-2, *28, 29, 223*
trajes para ginástica 174
tratamentos de modelagem da silhueta 74
tratamentos de pele 5-7
Treacy, Philip (1967-; nascido em Gaway, Irlanda) 272
Tree, Penelope 190
Trigère, Pauline (1912-; nascida em Paris, França) 117, 146, *174*
Tse N.Y. 276
turbantes 101, 108, 198
Turbeville, Deborah 208
Turlington, Christy 264
Tutancâmon, influência sobre a moda 56, *67*
Twiggy 219, *199*
Tyler, Richard (1946-; nascido em Sunshine, Victoria, Austrália) 275

Ungaro, Emanuel (1933-; nascido em Aix-en-Provence, França) 159, 165-8, 236, 243
uniformes 47, 104, 111, 119-20, *47, 131*; influência sobre os estilos 42, 98-9, 119, 149, 245, 272 *123, 131, 226*
unisex, estilos 171, 189, 213-4
utilitário, esquema 108-11, 138, *121, 122, 123, 124*

Valentina (Valentina Nicholaevna Sanina; 1909-89; nascida em Kiev, Rússia) 72 98, 114
Valentino (Valentino Garavani; 1932-; nascido em Voghera, Itália) 206, 237, 260, *213*
Valentino, Rudolph 54, *16*
van Noten, Dries (1958-; nascido em Antuérpia, Bélgica) 268, *268*
Vanderbilt, Gloria 211
Veneziani, Jole 114
Versace, Donatella 250, 265, 276
Versace, Gianni (1946-97; nascido na Calábria, Itália) 206, 237, 247, 250-2, 260, 265, *251, 280*
Versace, Santo 250
Veruschka (Vera Lehndorff) 190
vestido *chemise* 54, 185, *158*
vestido-camisa *199*
vestido-casaco 238
vestidos de baile 16-7, 142, *105*; *ver também* traje de noite
vestidos de cintura baixa 54, *63, 66*
vestidos de coquetel 136
vestidos em linha trapézio 162, 185, *168, 169*
vestidos para o dia *62, 90, 102*
vestidos retos 60, 162, 166, 178, 182, *279, 173*
vestidos-avental 170-1, 177-80, *179*
vestidos-camisa (shirtwaist dresses) 20, 117, 147, *156*

vestidos-camiseta 210
vestidos-saco 129, 162, 185
vestidos-suéter 255
vestidos-tubo 143, 162, 168, 236
véus 92
Vince, roupas masculinas 180
Vionnet, Madeleine (1876-1975; nascida em Chilleurs-aux-Bois, França) 66, 90, 99, *89, 103, 104*
Visconti, Luchino 266
Vivier, Roger (1907-; nascido em Paris, França) 81, 157, 189, *195, 196*
Vogue, serviço de moldes da 138
Vogue: norte-americana 42, 65, 123, 137, 210, *81*; britânica 42, 109, *114*; Prêmios de Estilista do Ano 219; francesa 50, 123, *134*
Vuitton, Louis (1821-1892; nascido em Lons-le-Saunier, França) 227, 272, 275; *ver também* Louis Vuitton Moet Hennessy (LVMH)

W 207, 253

Walker, Catherine (Catherine Baheux; 1945-; nascida em Pont de Briques, França) 236
Warhol, Andy 184, 197
Warner Brothers 82
waspies 126
Watanabe, Junya 276
Weatherill, Bernard 72
Weldon's Ladies Journal 66
Welly Soeurs 59
Westwood, Vivienne (Vivienne Isabel Swire, 1941-; nascida em Glossop, Derbyshire, Inglaterra) 225, 229-30, 232, 269-70, *226, 231, 232, 269*
Wiener Werkstätte 14
Williams, R. M. 246
Windsor, duque de 72, *86*
Windsor, duquesa de *86*
Withers, Audrey 138
Woizikovsky, Leon 63
Women's Wear Daily 146, 166, 207
Woodward, Kirsten 232
World's End, butique 229
Worth (Londres) 17, 109
Worth, Casa 14, 17, 26, 102, *2, 19, 20*

Worth, Gaston (1853-1924; nascido em Paris, França) 17
Worth, Jean-Philippe (1856-1926; nascido em Paris, França) 17, *19, 20*
wrapper 22, *26*

xales 57, 94, 240, *64, 207*

Yamamoto, Kansai (1944-; nascido em Yokohama, Japão) 202, *210*
Yamamoto, Yohji (1943-; nascido em Tóquio, Japão) 237, 240, 276, *241, 280*
York, Peter 228, 235
Young, Paul 183
Yuki (Gnyuki Torimaru; 1937-; nascida em Miyazaki, Japão) 220, *223*

zíperes 57, 73, 95-6, 226, 243, 222, *110, 226, 274*
zoot, ternos 120-3, 152, 259, *132, 133*
Zuckerman, Ben 185